1795

NIKLAS NATT OCH DAG

1795

FORUM

Tidigare utgivning
1793
1794

Bokförlaget Forum, Box 3159, 103 63 Stockholm
www.forum.se

Copyright © Niklas Natt och Dag 2021
Utgiven enligt överenskommelse med Salomonsson Agency
Omslag: Niklas Lindblad, Mystical Garden Design
Illustration för- och eftersättsblad: Georg Biurmans karta
över Stockholm, Stockholms stadsarkiv
SE/SSA/0234/J 2 A:18 Charta Öfwer Stockholm Med des
Malmar och Förstäder, Georg Biurman 1751
Tryckt hos ScandBook, EU 2021
ISBN 978-91-37-15372-8

Vem spinner det garn som visar oss vägen
genom våra drifters dunkla labyrint?

DONATIEN-ALPHONSE-FRANÇOIS DE SADE, 1795

PERSONERNA SOM NÄMNAS I 1795

Tycho Ceton: avfälling från Eumeniderorden; fordom slavägare i Svenska Västindien, efter hemkomsten barnhusmecenat i syfte att dölja sina brott bakom välgörenhet. Via ombud baneman åt Erik Tre Rosors hustru och arkitekt till dennes olycka. Sedan branden på Hornsbergets barnhus på flykt, utblottad och värnlös.

Jean Michael Cardell: Mickel kallad. Förr artillerist. Förlustig vänstra armen vid Svensksund, sedermera vid separationsvakten. Möjliggjorde genom en fadäs branden på Hornsberget, där Anna Stina Knapps tvillingbarn brann inne, för vars död han håller sig själv ansvarig. Illa bränd, om än med värre sveda i samvetet än i ärren.

Cecil Winge: jurist, extraordinarie vid poliskammaren; ett mönster av rationalitet. Död och begraven.

Emil Winge: hans yngre bror. Överliggare vid Uppsala universitet i uppror mot faderns krav och förväntningar; av Cardell iklädd sin döda broders skor, med ödesdigra följder. En gång suput i syfte att lindra sina vanföreställningar, sedermera nykter.

Anna Stina Knapp: förrymt spinnhushjon; änka och nyss barnlös. Av människohandlaren Dülitz uppdragen att söka upp högförräderskan Magdalena Rudenschöld på Långholmens spinnhus, och av denna given ett brev med namnen på dem som svurit sig samman med Armfelt mot förmyndarregimen.

Maja och Karl: Anna Stina Knapps tvillingbarn, brända till aska på Hornsberget innan de hunnit fira sina första namnsdagar.

Erik Tre Rosor: yngling av börd, en gång intagen på Danvikens dårhus, sedermera trepanerad. Bedragen av Ceton, brände barnhuset till hämnd. Dräpt av Cardell i vredesmod vid mordbrandens sken.

Lisa Ensam: lösdrivarflicka med sommarviste i Stora Skuggan; bispringare åt Anna Stina vid ett ömt tillfälle; i höstas flydd söderut undan ansvar, för att förbli sitt namn trogen.

Petter Pettersson: vaktmästare vid Långholmens spinnhus. Släppte Anna Stina fri mot ett löfte som blev brutet; tog Rudenschöldskans brev i pant.

Isak Reinhold Blom: sekreterare vid Stockholms poliskammare; poet med knapra gåvor. En gång Cecil Winges kollega, sedermera Emil Winges gynnare.

Dülitz: en gång flykting från Polen; handelsman i människoliv.

Miranda Ceton: hustru till Tycho; förlamad och sängbunden; hållen vid liv mot sin vilja av sin make; bistod Emil Winge och Mickel Cardell i jakten på Tycho, om än för egna syften.

Gustav III: av Guds nåde, Sveriges, Götes och Vendes konung; skjuten på operan och död i mars 1792.

Gustaf Adolf Reuterholm: förmyndarregimens starke man; storvisiren kallad; i allting praktiskt rikets härskare; stingslig, fåfäng och fast besluten att utplåna landets kvarvarande gustavianska lojalister.

Hertig Karl: salig kung Gustavs yngre bror; rikets regent i kungens namn intill dennes artonde födelsedag. Ointresserad av politiken; Reuterholms villiga ledhund.

Hertig Fredrik Adolf: yngste bror till Gustav III, överflödig bland prinsarna. Vivör.

Gustav Adolf: ende son till Gustav III; kung av Sverige till namnet; ännu omyndig och under förmyndarskap.

Gustav Mauritz Armfelt: salig konungens gunstling; flydd ur landet efter att ha avslöjats som huvudman för en sammansvärjning mot förmyndarregimen.

Magdalena Rudenschöld: en gång hovfröken; Armfelts älskarinna och medsvurna; i fängsligt förvar på Långholmen.

Johan Erik Edman: expeditionssekreterare under justitiekanslern; baron Reuterholms handgångne man; driftig och hänsynslös; sysselsatt med jakten på gustavianer.

Magnus Ullholm: Stockholms stads polismästare; förr förskingrare av prästerskapets änkekassa; en kanalje.

Eumeniderna: Ordenssällskap där mäktiga män finner sitt nöje under välgörenhetens falska flagg.

Prolog

HÖSTEN 1794

i.

BORTA ÄR DEN sälla låten från stråke och sträng, den som nyss fyllde hans värld och kom honom att glömma allting annat. Istället ringer klockorna från tornen i höstnatten, och deras klang är ljudet av trevande lemmar som söker honom och ingen annan, sjunger hans utsatthet för alla att höra. Tycho Ceton drar axlarna mot öronen och hukar när han lämnar grändernas betäckning och hastar mot dånet från Polhems sluss. Hålet efter en uppbruten kullersten vrider spännet av vänsterskon, men han förmår inte stanna för dess skull, utan rättar sin gång för att behålla lädret på foten. Han är ensam, Jarrick inte längre vid hans sida, utan ett ord till avsked förlupen in i någon tvärgränd med den slant han krävt för sitt sista budskap. Ceton förvånas inte. Bättre hade han inte väntat sig. Han är blottad; när hans liv bjuds till salu kommer köparna att stå på rad. Hellre skiljas nu än se de band som girigheten knutit prövas till bristningsgränsen. Vad tillit som återstod vore bara sveket uppskjutet.

Det går gäss på Saltsjöns vågor, så långt ut som sikten förmår följa dem i stjärnljuset. På vindbryggan måste han ta stöd av räcket för att förbli stadig mot brädornas halka. Vinden trycker Mälarvattnet mellan stenarna med våldsam kraft, och genom virkets alla springor stiger bränningens larm. En skadeglad viskning där skummet smeker muren: *Dina björnar är dig i hälarna.*

13

Alla skulder har förfallit, och ådrans blod det enda mynt som duger till betalning. Väl på andra sidan finner han snart en vagn, vars kusk slumrat på bocken med händerna i armhålorna och hakan på bröstet. Tycho Ceton hukar bakom glas som grumlats av sprickor och av smuts medan hovarna finner sin takt. De blad som rosorna fällt ligger fångade i lä om muren, piskade till virvlar var gång byarna tar i. Han knackar på dörren och väser sitt namn åt pigan innan han rycker nattljusstaken ur hennes hand. Hon är lyhörd nog att snabbt skutta ur hans väg så snart dörren ställts öppen. Redan i farstun känner han lukten av det inre rummet, och det som ingen parfym längre förmår dölja. Utanför hennes dörr lyfter han sin parfymerade sidennäsduk för att täcka näsan, men ändrar sig och trycker ner den i sin ficka igen, ovillig att visa att någonting hos henne förmår reta honom till handling, om så bara i avsmak. Handtagets mässing är svalt där hans beröring dröjer i tvekan för en stund. Han vrider om, öppnar, kliver in i sovgemakets dunkel.

Stanken som väntar honom på tröskelns andra sida ger mörkret själv form, som vore den dimma eller rök. Det ljus han bär bländar mer än det lyser upp när han korsar golvet. Han ställer ifrån sig gelbstaken på ett bord intill väggen, och blir stående för en stund inför himmelsängens breda skugga. Slöjor av flor döljer dess ägare. Tycho väntar ut sitt eget hjärtas slag, och när de slår av sin takt hör han henne andas, lugnt och varsamt snarare än den sovandes snarkande läten. Harmen fyller honom. Redan är han i underläge. Hon ligger där, som en lindorm i sin håla, och betraktar honom med allt det tålamod som åren förlänat henne, ett hans eget aldrig kommer att kunna mäta sig med.

"Älskade Tycho. Som jag väntat."

Ceton ryser av hennes röst, vet vilka former ljuden beljuger.

14

Hon har sprängt alla forna bredder i sin förlamning, men rösten förblir densamma som en gång sprang ur en flickas späda bröst. Hennes kval måste vara fruktansvärda, men i hennes ord hörs en tillfredsställelse som om hon njöt dem som sötman ur ett vinglas. Svetten bryter fram under skjortan när han pressar ett svar över läpparna.

"Miranda."

Hon brister i skratt åt sitt eget namn. Tycho känner sin tunga svälla i munnen, tanken med ens trög och ovillig, och han kan inte annat än att vänta på hennes avsikt med det initiativ som runnit honom mellan fingrarna.

"Åh, Tycho. Din röst. Den darrar ju. Och inför din egen hustru. Men säkert är äran för din blygsel inte min ensam. Kyrktornen har klämtat i timmar. Jag skickade upp lilla Gustava på höjden för att se efter. Hon säger att det är Kungsholmen som står i lågor, och hack i häl kommer du sättande, och i vilket tillstånd sedan. Du har ju svettats rakt genom skjorta och rock, och ångeststanken sätter mitt sura ben på skam. Seså, vad fattas min älskling?"

Hennes tunga var alltid en piska över hans ömmaste punkter, till hennes eget fördärv. Hånet bränner i varje ord. Harm ödelägger varje anspråk på vältalighet, och han talar fritt i vredgad viskning.

"Hur mycket av detta är ditt verk, Miranda?"

"Nå, Tycho, som du förstår är sådant inte lätt att veta säkert för en som inte förmår lyfta ens en fingerspets från sitt lakan. Men jag hoppas innerligt att katastrofen inte drabbat dig helt utan mitt inflytande, för nog har jag bidragit så gott jag kunnat."

Hon flyttar huvudet på kudden, den lilla bjällran klingar till.

"Jag fick besök, Tycho, ett som jag länge väntat på förgäves, och jag ska erkänna att det från början knappast uppfyllde de förväntningar som mina dagdrömmar vävt. En stor och en liten, den store så förbrukad och nött att han knappt lät sig kännas igen som människa mer, och en arm kort till på köpet. Den lille ... hos honom stod allt inte rätt till, så mycket var tydligt. Att det ärende de åtagit sig var hopplöst tvivlade jag inte på. Vem skulle ta sådant patrask på orden, ens om de hade såväl erkännande som belägg att visa upp? Men den enarmade. Det pyrde en sådan ilska i honom, raseri av en sort som nästintill fick tapetpappret att krulla sig från brädorna. Jag undrar vilka lögner du matat honom med, hur du skrutit om dina illdåd. Nå. Jag sände honom till anatomisalen i hopp om att han skulle dräpa dig på fläcken i vredesmod, men jag måste underskattat karlns självbehärskning."

"Är det allt?"

"Nog berättade jag en del om dig också, käre Tycho, och om dina många bryderier. Men inte allting."

"Varför inte?"

"Skräcken har förstoppat ditt huvud. Du vet varför. Nog trodde jag dem aldrig om stor chans att lyckas, vare sig med det ena eller det andra. Men om inte det omaka paret kommer tillbaka än mer vetgiriga, så kommer snart andra. Då ska jag berätta, om du inte först ger mig det som jag så länge har önskat."

Han väntar ut hennes fortsättning medan pulsen klämmer honom allt hastigare över tinningarna.

"Du ska släppa mig fri nu, Tycho. Något annat val har jag inte lämnat dig. Jag vet att du plägar överlåta åt andra att göra sådant medan du tittar på. Nej, snegla inte efter Gustava. Hon är inte kvar, jag rådde henne att fly och aldrig se sig om igen efter att hon öppnat dörren för dig. Inatt får du för en gångs skull göra

16

värvet själv. Medan du gör det, och så länge du lyckas dra ut på det ynkliga liv som inte längre är någonting värt, ska du ha denna tanke i huvudet: Jag vann, Tycho. Det sista parti som stod att vinna oss emellan blev mitt, och alla år jag tillbringat i denna säng, varje timme och var minut, är belönade till fullo när jag ser dig i din ynkedom. Minns du den dag jag stod brud? Jag fann dig fager då, innan jag lärde känna dig bättre. Men tusen gånger vackrare är du mig nu, så rädd och förnedrad. Nå, skynda dig då, min älskling, ty din uppehållsort är känd, och dina fiender suktar efter vedergällning. Denna förlust blir dig knappast den sista. Vem hinner först, månntro? Den enarmade palten och den magre dåren? Dina forna ordensbröder? Någon av alla de herremän vars gunst du tvingat till dig? Jag undrar vems händer som ämnar bereda dig det värsta ödet? Finns en gud kan han väl knappast förvägra mig en glimt, om så ur mitt eget helvetes djup. Men sådant är andras bekymmer. Gör nu som du blivit tillsagd innan tiden blir dig för kort."

Han vet att hon talat sanning. Ändå tvekar han, försöker förgäves vända och vrida på problemet liksom den förlorare som misstroget måste gå en lov runt brädet för att försäkra sig om att han står matt. Som i en mardröm tar han steg på steg, närmare sängen, tills hennes svullna uppenbarelse avtecknar sig under sin filt, äcklar honom. Häftiga andetag fyller hans lungor med skämd luft, och han sväljer tungt för att låta magen förbli fylld. Hon fnissar lågmält och lyckligt.

"Min Tycho. Det är som att se en försagd skolpojke inför sitt första sänglag."

Han rycker kudden från under hennes huvud, och lägger den med skälvande händer över hennes ansikte. På raka armar trycker han den nedåt, men hans krafter är inte nog, och tiden med ens stelnad till melass i sitt timglas. Han måste sjunka ner och lägga sitt brösts hela tyngd över henne i en omfamnings nidbild, och han skakar av olust när hennes lösa kött gungar under honom. Och ännu länge, länge, dämpat genom fjäderdun och siden, hör han hennes triumferande skratt och en bjällra som dämpat klirrar.

Tycho Ceton tar stöd mot väggen på sin väg ut. Han har plockat på sig av de få värdesaker och mynt som nu återstår av hans förmögenhet, men inte ens av det har han kunnat få med sig allt, månget gömställe förgätet där paniken satt hans sinnen i baklås. Hon ligger död i sin kammare, men hennes ögon är öppna och deras spefulla blick följer honom genom väggarna. En liten väska av tyg har han fyllt, det är allt. Väl ute på gården härskar natten ännu, men den är annorlunda än förut, och tvingar honom att stanna vid grinden lika säkert som vore den en valvbåge med gallret fällt. Det är skräcken, den han alltid hyst i hjärtats innersta kammare, ett klot som drejats slätt och ruvats säkert, om inte bortglömd så åtminstone dold undan världen. Den har sprängt sina bojor och tagit jorden i besittning. Den finns överallt omkring honom. Han sväljer ett läte och flyr som en hare från den vind som bär hundars vittring.

ii.

REDAN VID KNACKNINGEN på hans dörr anar Dülitz oråd. Han är van vid supplikanternas försynta åkallan, en ursäkt för omaket underförstådd i naglarnas skrap mot brädan. Nu istället hårda rapp från en käpp, en rytmisk salva från en som vet sig inte behöva svara för de gropar som silverkryckan lämnar i virket. Timmen är sen, men ännu finner han sikt nog mellan gardiner från ett fönster på andra våningen, noga med att inte låta sin skepnads skugga falla mot glaset. Två män, inkognito, slokhattarna djupt i pannan. Så långt är han van. Få besökare skryter om hans sällskap. Bakom dem, vid backen mot Ormsaltaregränden, väntar två följeslagare som beordrats hålla sig på avstånd, ryggarna kutade för att freda nacken undan duggregnet, stadiga män vars rockar döljer uniformstyg, och över takåsarna, på andra sidan Polhems sluss, glimmar gränndernas lyktor och upplysta fönstergluggar i staden mellan broarna, höljd i regnslöjor, en mångögd best som tycks betrakta honom med ömsom ointresse, ömsom illvilja. Mången gång har Dülitz sett ut över Stockholms skepnad, ännu främmande efter alla dessa år, och fyllts av insikten att hon en dag kommer märka den grav han grävt sig.

Dülitz vet med ens vad besöket gäller, förträngt men förväntat. Ändå kan han, ställd inför faktum, inte undvika att ifrågasätta de vägval som ställt honom i återvändsgränden. Kanske kommer en tid i var mans liv då vanans träda sporrar till risk, och då det liv vars tyngd skiftat ur framtidens vågskål till det förflutnas inte ges andra sätt att minnas sin ungdom än dumdristighet. Han borde ha avsagt sig det uppdrag han ålagts, men till den förnuftets röst som avrått lystrade han inte. Det var flickan, Anna Stina Knapp. Henne förutan hade faran inte sökt hans port en kväll som denna. Hon kom lägligt och hon hade vad som krävdes, ett sammanträffande av sällsynt sort. Kanske förleddes han av medlidande, kanske av svärmeri. Han slår förebråelserna ur hågen, ty vad nytta de en gång tjänat är borta nu. Hans dörr görs till trumma än en gång. Ottosson är nyväckt och bakfull, och ger honom en blick fylld av frågor och farhågor nere i far- stun, men Dülitz viftar sin dräng åt sidan och drar själv regeln ur sitt läge i vetskap om att en tärning står i begrepp att kastas, och att dess tal bestämmer hans öde.

Kakelugnen är nyss tänd men än har lågornas värme inte spritt sig ut i kaklet, och polismästare Ullholm finner för gott att be- hålla handskarna på när han fattar den remmare med vin som Ottosson sträcker honom på darrande arm. Båda gästerna har visats var sin stol.

"Du känner kanhända min ledsagare till utseendet?"

Dülitz tänder kandeLaberns vaxljus ett i sänder, det ena på det andra, och nickar, nöjd trots allt med att hans egna händer för- råder hans känslor i mindre utsträckning än hans hantlangares.

"Expeditionssekreterare Edman föregås av sitt rykte."

Johan Erik Edman är yngre än polismästaren med säkert fem- ton år, med oroliga ögon över en svullen och rinnande näsa som han gång på gång måste snyta. Ullholm låter sig smaka av vinet.

"Gott. En man inom ditt gebit gör klokast i att vara välunderrättad. Då vet du att herr Edman är spindeln i det nät som utgörs av kronans kunskapare, vårt lejon i jakten på gustavianerna. Hans möda till tack är förrädaren Armfelt flydd ur riket med svansen mellan benen."

Dülitz nickar sitt medhåll.

"Också i mer ljusskygga kretsar är herr Edman aktad, för sin oförlåtande natur och för sina snillrika metoder för att locka bekännelser även ur dem vars skuld är så väl dold att de alldeles glömt den själva."

Ur Edmans hals kommer ett väsande läte, kanhända menat som ett skratt, men snart börjar han istället hosta, värre och värre tills han måste dölja ansiktet i sin näsduk. Ullholm dunkar honom i ryggen så respektfullt han förmår, till föga nytta.

"Herr sekreteraren har dessvärre tappat målföret dagen till ära. Hälsan har alltid varit hans akilleshäl och hans fienders främsta bundsförvant, och höstens många hätska rättsliga processer och ständiga rotblöta har berövat honom rösten helt, låt oss hoppas bara för tillfället. Hans nit tillåter honom ingen vila, och han har därför givit mig förtroende att föra hans talan under denna visit."

Dülitz låter tystnaden mana polismästaren till fortsättning.

"Nåväl: Ehrenström schavotterade på Nytorget härom veckan, som du väl vet, överbevisad i hovrätten om sin skuld i den armfeltska sammansvärjningen, och det till följd av Edmans ansträngningar. Ehrenström skonades undan svärdet med strupen på stupstocken, och han skickades istället till Karlstens fästning för att där försmäkta. Knappt hade han lagt ögon på träbritsen och stenmurarna i sitt nya hem innan saknaden efter dunbolstrar och gyllenläder blev honom övermäktig, och den samarbetsvilja som försummats så inför fiskalen återfanns som genom ett trollslag."

Ullholm låter käppen rulla i en snäv krets han format mellan tumme och långfinger.

"Ehrenström var diplomat, vet du, högt aktad vid hovet i Petersburg. En förslagen man, som förstår att inte lägga alla sina ägg i en och samma korg. Han vet att den livstidsdom han fått lär kunna växlas in mot hedersbetygelser två år hän, när kungen blivit myndig och Reuterholm ett minne blott, men han vill ogärna invänta nåd under vilka omständigheter som helst, och i utbyte mot större bekvämlighet har han gått med på vissa eftergifter, utan att för den skull förråda sina medsvurna mer än han finner nödvändigt."

Edmans ögon glimmar skadeglatt nu när sakens kärna lovar att uppenbara sig. Ullholm lutar sig framåt.

"Här är den visa som Ehrenström sjöng: En mellanhand vars namn vi enats om att lämna därhän för stunden kom till din port i höstas. Slantar bytte hand, för vilka du gavs i uppdrag att finna en väg för Magdalena Rudenschöld att förmedla sig till sina forna bundsförvanter. Tanken var att hon skulle författa en matrikel över alla de sammansvurna, dessa vars namn inte är kända ens för varandra, på det att konspirationen skulle kunna nå en ny enighet och den gustavianska revolutionen ges hoppet åter."

Ullholm, torr i strupen efter sitt tal, slår i nytt vin och dricker. När han ställt ifrån sig remmaren famlar han en stund efter den tråd han tappat, och kliar sig irriterat under perukens kant tills Edman påkallar hans uppmärksamhet med en harkling. En stund betraktar polismästaren förbryllat hur Edman gör en rytmiskt trampande rörelse med foten och tycks balansera någonting osynligt mellan sina två händer. Till slut finner gesterna mening.

"Rudenschöldskan satt bland hororna på Långholmen i lånade kammare medan man smidde järn att spärra fönstren på ett lämpligare förvar. Spinnhuset är en särdeles illa skött historia, vilket gjorde hennes vistelse där till din bästa möjlighet att fullgöra dina förpliktelser. Efter att ha förhört oss hos flera av paltarna är vi övertygade om att så också skedde, men de är ett försupet pack, och de som har list nog att ljuga är knappast att föredra framför dem som är för dumma eller berusade för att med tillförlitlighet notera vad som pågår under deras egna näsor."

Johan Edman lutar sig framåt för att skjuta kandelabern nära nog att låta ljuset falla klarare i Dülitz ansikte inför den fråga Ullholm kommit för att ställa.

"Så. Rudenschölds brev med de sammansvurnas namn, Dülitz. Var är det?"

Det är Dülitz tur att fylla sitt glas och dricka, egentligen för fristens skull, men ingen sista list förmår träda fram ur hans sinnes töcken, och av vinets smak känner han inget.

"Allt vad ni säger är sant. Därtill ser jag ingen anledning att neka. Men någonting har gått galet."

Ullholm och Edman växlar en blick, och Edman gör en gest som uppmanar till fortsättning.

"Jag fann en flicka, Anna Stina Knapp, liksom av en händelse, som mig veterligen är den enda levande som kände en lönnväg in i Långholmens spinnhus, en tunnel under muren en gång avsedd att torrlägga grunden och sedermera glömd, trång nog att avvisa så gott som alla. Den vägen undkom hon sitt eget straff i fjol somras. Jag uppdrog henne att ta samma väg in igen. Sedan dess har jag förgäves väntat besked."

"Vad får dig att tro att hon ens genomförde sitt uppdrag?"
Dülitz har ställt sig själv samma fråga många gånger redan.
"Hon gav mig sitt ord. Jag omges av lögnare dagarna i ända, och ändå trodde jag henne. Hon satt i trångmål, och den väg jag erbjöd gav henne enda vägen ut. Flickan finns inte kvar på Långholmen, så mycket vet jag säkert. Om något brev blev skrivet vet jag inte var det finns."

Edmans ögon söker hans blick, van att jaga skuggan av osanning hos dem han rannsakar. Ullholm låter irriterat sina fingrar spela över bordsskivan.

"Er egen vandel uppmuntrar inte direkt till förtroende."

Dülitz, fortfarande med ögonen låsta på Edman, lutar sig över bordsskivan.

"Om brevet fanns i mitt förvar hade jag redan börjat förhandla med er om dess pris, om inte högre än vad ursprungliga uppdragsgivare erbjudit så rabatterat i utbyte mot poliskammarens goda vilja. Och om jag redan hade fullgjort mitt åtagande och lämnat över brevet till min principal, vars namn jag inte känner, borde väl herr Edmans alla kunskapare redan märkt skiften bland revolutionärernas led?"

Edman funderar en stund innan ryggen åter söker stolskarmens stöd, mungipan sträcks liksom för att bekräfta logiken och han ger Ullholm en kort nick. Polismästaren suckar och reser sig, borstar av rockskörten som om han suttit i aska.

"Nå. Vi tycks ha slösat vår tid. Hitta denna flicka, Dülitz. Hon är nyckeln. Det brev vars uppehållsort hon ensam vet besked om utgör rikets viktigaste dokument."

"Låt mig bedyra att mina ansträngningar redan har varit avsevärda, till ingen nytta."

Edman sträcker ut vänsterhanden framför sig i en gest värdig en romersk kejsare till doms över en slagen kämpe, gör en tång av högerhanden och nyper tag i sin utsträckta tumme. Ullholm gäspar mot sin handskes baksida.

"Vad min kollega vill inskärpa, Dülitz, är att din ihärdighet kanske gynnas nu när insatserna förändrats något. Våra tumskruvar må vara antika, men godset är gott och med en skvätt olja kring gängorna blir de som nya. När benpiporna börjar knastra sjunger den mest förhärdade sin aria *molto vivace* för att bli av med gisslet så fort det går, och vi är glada att skruva isär blecken för att slippa oväsendet. Men dig? Dig skulle herr Edman lämna i valven och bara öppna för att se huruvida du fortfarande skriker när seklet skiftar."

iii.

SKUGGORNA RESER SIG kring härden så snart falnande glöd ger dem lov; med gryningen går de åter i gömsle. Nere vid Hornsbergets kolnande ruin larmar manskapet, trötta och sotiga, men deras rop är renons på desperation nu, ty de vet att deras arbete har burit frukt. Elden har gjort sin reträtt. Sprutorna avlöser varandra för att bevattna de rykande ängarna, och för varje kuse som drar sin börda nära nog för läderslangarna att komma åt krymper den domän som nyss var brandens. Röken bolmar tjock från gränsen där de levande inskränker på förödelsen, och endast med fåfängt fräsande hävdar de sista lågorna sin rätt. Hundra barns grav. Träden och dunsterna döljer ännu de två skepnader som står liksom förstenade över ett kar där nakna ben bryter vattnets rodnad, uppe i sluttningen. Solen har vunnit horisonten, men dimman höljer den ännu.

Emil Winge håller om Cardells hand, och känner den skaka när varje hest andetag skänker ny kraft åt hans kval. Ändå är det med mindre våld än förut. Inga tårar återstår att fukta de svedda kinderna. Mörkret som vek tog tjurhuvudet med sig, och paltens anlete är hans eget igen, om än stöpt i nya former av hetta och brand. Håret borta, blåsor överallt, blod och sot om varandra.

"Kom med mig nu, Jean Michael."

Nyss stelnade sårskorpor knastrar och brister när Cardell vrider nacken för att se honom bättre. Trängd under svullna påsar är ögonens glimt knappt skönjbar. Ur smärtan stiger en fråga Emil inte behöver höra för att ge svar. "Ta stöd mot min axel. Vi kan inte stanna. Ertappas vi här blir illa värre."

Som om han märkte det för första gången vrider Cardell sin enda hand i förvåning över att finna en annans där. Han ruskar på huvudet.

"Jag har aldrig dräpt förut. Inte så här. På order har jag laddat med kula och krut och siktat så gott jag kunnat mot den plats där skadan lovat att bli värst. Slagsmål har jag vunnit, och givit växel för hugg och slag med samma mynt tills skulden varit betalad med ränta på ränta, men aldrig har jag släckt ett liv på sådant vis. Tre Rosor hade ingenting att sätta emot. I stunden var han oskyldig. Jag blir kvar här för att invänta rättvisan."

Emil ser sig om över axeln. Ingen gevaldigers halsbricka fångar ännu solens första strålar. Inga andra än släckarna syns, jämte tillskyndande bönder inifrån holmen, ivriga att bistå för att freda egen mark och att få del i den ära som nu låter sig vinnas till liten risk. Länge lär det inte dröja innan poliskammarens mannar masar sig ur sina bolster för att spörja om förödelsens orsak.

"Rättvisan? Jag är rädd att din väntan kommer att bli både lång och fruktlös. Det vet du bättre än någon. Vad rättvisa vi söker måste vi hjälpa på vägen."

Emil fäller blicken mot den döde. Vattnet är rött och grumligt. Bara Tre Rosors magra vader märker hans grift.

"Hans död är lätt räknad bland allas vi har på vårt samvete efter denna natt. Erik Tre Rosor må ha tänt, men det var vi som sträckte honom stickan, Tycho Ceton som stöpte ljuset. Du bistod bara Erik att avsluta vad han föresatt sig. Hans död var säker redan, och ju förr den kom, desto lyckligare han. Erik Tre Rosor brände Cetons sköld för att skänka oss en blotta. Om du känner skuld gör du bäst i att se hans sista vilja fullföljd. Annars vore allt detta för intet."

"Efter detta finns ingen kamp som är priset värd."

"Kanske kan förlusten mildras. Vi måste söka vad seger som står att vinna."

Emil drar honom i armen. Han hade lika gärna kunnat försöka leda en sten huggen i människans avbild. Cardell hostar, rösten sänkt till en viskning blott.

"Varför skulle du hjälpa mig nu, du av alla? Jag gavs valet mellan dig och en annan, och jag valde henne."

"Jag vet det. Och jag vet varför."

"Jag kokte hennes barn med min välvilja. Hennes och hundra andras."

Emils ögon går nedåt härden till, där han såg flickan själv för mindre än en timme sedan. Hon är borta nu.

"Bara halva ansvaret är ditt att hävda. Resten tillhör mig. Men jag kan inte göra ditt val åt dig. Minns du min första dag som nykter? Du gav mig frihet att välja. Jag ska göra dig samma tjänst. Men följer du mig måste du ge mig ditt ord. Svär på det. Vad seger som står att vinna."

För en stund lägrar sig tystnaden, och Emil Winge håller andan tills svaret kommer.

"Ja. Mitt ord. För den seger som står att vinna."

"Inget pris för högt."

"Inget."

Han tar Cardell om armen.

"Kom med mig nu."

Hans ryck rubbar den brända stoden, ett stapplande steg, och så ännu ett. Emil griper Cardell om armbågen för att styra kosan rätt, uppför backen. På krönets andra sida börjar vägen mot staden mellan broarna. Cardell stannar till vid backens topp, och den kraftlösa arm som plötsligt stelnar stoppar Emil som vore den en tvärslå av ek.

"Vägen bär åt helvetet till. Det vet du, eller hur? Vill du verkligen vandra den tillsammans med en krympling som svikit dig förr?"

Emils läte är inte ett skratt, inte ett jämmer.

"Skulle du vara mer avundsvärd, Jean Michael? Du går stödd mot en som rådslår med de döda och inte kan skilja dikt från verklighet. Men om någon annan kurs återstår oss, säg vilken? Är detta inte vår önskan, så låt det bli vårt straff. Hoppet är inte längre den boja som fjättrar oss vid livet. Nu är det skulden."

"Och kommer vi att vara vänner, då, under vår samvaro?"

Emil skakar på huvudet, oförmögen till lögn och bitter i sin ton.

"Nej, Jean Michael. Vänner kommer vi aldrig att vara mer. Och en önskan har jag: Lös dina affärer med flickan Anna Stina först. Innan det är gjort kan du inte vara mig till hjälp. Kom till mig sedan."

"Och du? Vad gör du?"

"Jag går till poliskammaren och till Isak Blom för att göra allt som står i min makt för att förnya vårt mandat. Det kommer inte bli lätt med tanke på vårt avsked. Sedan börjar jag söka den vittring vi ska följa. Var redo när jakten börjar."

Cardell tar sitt första steg ohjälpt, och varje rörelse lockar ett stön.

Emil vänder förödelsens rökpelare ryggen. Inte bara liv och egendom har gått förlorade här; själv är han inte längre densamme. Så länge han kan minnas har han närt vreden inombords, men det som förut varit en ensam låga är nu ett bål, och bränner än värre för hans maktlöshets skull. Han är snärjd som mörten i sitt nät, som ett nattfly under glaskupa. Det som skett kan inte göras ogjort, men osedda band stämmer till ansvar. Förr hjälpte han av egen vilja, nu återstår endast tvång. Han måste göra vad han kan. Till dess kommer staden mellan broarna att förbli hans bur.

Rädslan var alltid vredens följeslagare. Förgäves försöker han trösta sig: han har stått ansikte mot ansikte med minotauren, han har vågat dunklet i labyrintens mitt, han har hört barnen skrika ut sin ångest i sin levnads sista timme. Han har sett det värsta, och vad värre kan väl återstå?

Del 1

Jakthundarna

VÅR OCH SOMMAR 1795

Allt lyste, ty allt brann. Vad hände? Lågan släcktes;
och bägge hade kvar blott askan i sin hand.

CARL GUSTAF AV LEOPOLD, 1795

1.

HÖSTEN BLIR VINTER och året skiftar, vintern blir till vår, och det berättas en saga i staden mellan broarna, en av sedelärande sort, men det är inte barn den skrämmer, utan vuxna män. Bland gränderna vandrar ett beläte om natten, och om syndare av en viss sort korsar dess väg går det illa. Om dess utseende spretar vittnesbörden. Stor är den, så långt är alla ense, och ful, ansiktet inte en människas, skallen ärrad och kal mellan enstaka hårtestar. Vissa vet än mer, och de säger att dess ena hand är en svartnad klo, och för den som dristar sig inom dess räckvidd är allt hopp förbi. Kring dess ursprung reser sig en dimma av gissningar och rykten. Man säger att den brände ner Hornsbergets barnhem men själv fångades i lågorna. Helvetet har nekat den inträde, osalig hemsöker den sina gamla visten. Ett brott är begånget som den dömts att sona. Nu är den en sköld åt de jämmerliga.

Gårdsplanen sluttar, och aldrig har det stört Frans Gry nykter, men full gäckar vinkeln honom jämt. Hur han än försöker göra vägen från husport till avträde rak blir den krokig, han driver av nedför backen, och de satans nässlorna finner glipor och hål i knästrumporna som om de aldrig gjort annat. Hans hämnd är alltid densamma: ett steg bakåt, ner med byxorna och upp med skjortan, pissa på dem, fan ta avträdets flugstinna dunkel. Berusningen fredar honom undan kvällskylan. Han grymtar och lägger tryck bakom blåsan. För varje år som går blir han nödig oftare, fastän det blir allt svårare att låta vatten. Faktum är att nässlorna nog är fuktiga ännu efter hans förra besök, men för all del finns gott om andra som han. Efter att ha skakat av och stoppat in blir Frans stående en stund att se sig kring. Stenkåkarna har redan bedagats, det är svårt att tro att de bara har några decennier på nacken, grunderna sådda i den backe som Mariabranden röjt. Någonstans nere i klyftan bakom nedersta huskroppen ligger Gullfjärden, stadsholmen i dess mitt. Han önskar att hela ön kunde gå till botten under tyngden av de rikas palats. Där svansar de kring dagarna i ända och läspar på hovfranska ingen till nytta, medan han knappt har råd att köpa sig vin så surt att mungiporna krampar vid varje klunk. För hans inre öga skummar stigande smutsvatten uppför de utsirade trapphusen; ur de latrintunnor som spillts rakt ut i Mälaren seglar en brun flotta till storms att solka flärden. Utspökade kärringar i peruker med slagsida får en kallsup; deras kavaljerer ylar i nasal sopran från kristallkronornas grenverk. Syndafloden behöver inte stanna där heller, vid närmare eftertanke. Böljan får gärna klättra en bit uppför hans egen sluttning också, så länge vågorna stannar under hans eget golv, ajöss dagdrivare, horor och tiggarglin. Han drar en suck som börjar i vällust och slutar i uppgivenhet, för drömmen är lika flyktig som den var vacker. Kvarnarna maler än, ett jävla väsen, det knarrar och dunkar i ett. Ändå är det bättre än olåten i husen, ungar springer överallt, den ene omöjlig att skilja från den andre. Tar man upp jakten behöver de bara runda ett hörn, och vips vet man inte vem som är vem, får ta första bästa i kragen och ge ett rapp över käften

androm till varnagel. Han önskar allting fan i våld och vacklar
åter till sin kammare, konan hans ute och ränner, och fastän
hon ska få smörj vid hemkomsten för säkerhets skull är han
glad att få supa vidare i frid, utan tjat, utan gliringar om hyra
och kosthållning.

Han sitter och vaggar med flaskan i hand, och ältar i tanken
allt det gamla. Med fyllans tröghet lägger han varje ord tillrätta
i det försvarstal han stöpt för att förklara de motgångar livet
bjudit honom, ett arbete som pågått i åratal, lika nitiskt som
vore han en prästson inför husförhöret. När han är nöjd för
stunden vandrar hågen till angenämare ting: Tillvaron så som
den borde varit om han blott hade uppskattats efter förtjänst,
skålar i rhenvin ur krus av kristall, ostron, russin och våfflor,
en skönhet i sin famn. Och så vedergällningen över alla dem
som lämnat honom förfördelad, hans belackare rådbråkade alla,
lemmarna flätade kring vagnshjuls ekrar inom synhåll från hans
festmåltid.

En knack på dörren. Fan ta dem alla, vad gott har någonsin
kommit av en sådan? Han låter missljudet gå obemärkt, återgår
till sitt. Och nu flyger dörren av sina karmar, sparkad till flis,
och någon griper honom om nackskinnet och vräker honom
utför trappan, berusningens slapphet i kroppen det enda som
frälser honom från att bryta armar som ben och ryggen där-
till. Han rullar framför spark på spark mot skinkor och lår,
tröskeln slår honom i pannan, ut i vårkvällens snålblåst och in
i betäckning bland våta nässlor, där han blir liggande stilla och
förvirrad en stund i hopp om att hans olycka ska försvinna
lika hastigt som den kom, men så ekar där ett ploppande ljud
mellan fasaderna, ett som är honom lika bekant som hans egen
stämma: korken ur buteljen han nyss druckit. Mycket ska man

tåla, men någon måtta får det vara. Frans är uppe på skakiga ben igen, och känner luften vina när flaskan passerar en hårsmån från hans öra och bjuder världens grymhet farväl i en smäll mot fasaden bakom honom. Snart har han en näve i håret, med ett grepp hårt nog att rycka undan benen och släpa honom ut på barmark där han blir liggande att kippa efter luft, varje andetag en erinran om blommande blåmärken. Någon går av och an framför honom, blott dess konturer tecknade av sviktande ljus, nacken framskjuten på breda axlar, armarna grova och krumma. Livet har inte lämnat Frans Gry utan näsa för fara, mer än nog för att ana att värre hotar. Uppdämd vrede ligger i luften som åska, figuren framför honom spänd som ankartåg på repslagarbana. I panik söker Frans en anledning, och finner för många för att lätt kunna välja, börjar i mildaste änden i hopp om att pruta ner totalen.

"Jag vet att väggarna är tunna, och man säger mig att jag snarkar illa …"

"Tig."

Gry räknar sina björnar, väljer en på måfå.

"De slantar jag är skyldig Jan Trolös på Sista Styvern hade jag givit tillbaka för länge sedan, om jag inte blivit missledd kring omständigheterna; han var så full när lånet gjordes att jag trott att han inte alls mindes det."

"Håll käft."

Rösten är djup men hes på samma gång, som sprungen ur en strupe föga lämpad för människors språk. Först nu minns Gry de sagor han hört, och lägger samman två och två. Monstret har kommit, han själv dess rov. Han gör som han blivit tillsagd.

"Kvinnan vars säng du delar har en dotter sedan förut. Lotta Erika. Tretton i år."

Han nickar motvilligt.

"Du försökte dig in under hennes lakan. Hon klöste dig i synen. Du jagade henne ur huset."

Frans Grys käke faller upp som av sig själv, men han har nyktrat till nog för att kväva sitt försvar.

"Imorgon kommer hon hem igen. Nästa finger du lägger på henne matar jag grisarna med."

Skepnaden närmar sig, sjunker ner på huk en armlängd bort, och Frans Gry låser blicken i sitt eget fläckiga knä för att freda sina mardrömmar från dess ansikte. Ett rapp över smalbenet får honom att ge hals, för den hand som träffar honom är hård som en påk.

"Helst skulle jag göra dig oskadlig för tid och evighet. Bryta armar och bryta ben. Jag gör det inte av ett skäl endast: Du ska hålla flickan med mat och husrum. Till helgen en styver som bara är hennes. Som vore hon din egen. Som ville du henne allt det bästa. Enkom för hennes skull går du härifrån av egen kraft. Hon hittar mig lätt. Hör jag annat får du se mig igen. Begrips?"

"Men jag ..."

"Det finns arbete, om än av en sort du håller dig för god för. Bära tackjärn till vågen. Mocka ur ladugårdarna. Vända gödselstack. Bra karl finner syssla. En gång var du annat än värdelös."

Orden väcker en aning, en som kväver fyllans sista glöd. Frans Gry bläddrar bland minnen, söker ett hål där allting passar: rösten, kroppshyddan. Medan han sitter tyst reser sig monstret, vänder på klacken och börjar gå mot den plats där husen öppnar sig och vägen bär av mot Polhems sluss. Gry håller andan tills han är ensam, och där, i ett tankens tomrum, kommer de bilder han sökt, ett anlete och ett namn.

"Cardell! Mickel Cardell! Du var på Ingeborg, jag på Alexander! Vi låg för ankar intill Kråkskär när Stedink gav fyr och prins Nassau svarade bäst han kunde. Jag såg dig brinna och sjunka."

Omkring den gestalten tätnar sammanhangen; han spänner pannan som för att tvinga skallen till lydnad och gör en grimas av avsmak när hans minnen beväpnar honom.

"De säger att du var där när Hornsberget brann. De säger att det var ditt fel. De kallar dig barnadråpare."

Sällan har han tänkt så klart. Hatet och förnedringen jagar slutsatserna rakt i hans famn.

"Du är här för ditt samvetes skull, inte för Lottas, din självviske fan."

Han är på benen nu, stapplar några steg i Cardells riktning, höjer rösten till ett rosslande vrål.

"Nog ska hon få sitt bröd alltid, men det öppnar inga gravar att välkomna de små åter under solen. Tror du att du är bättre än jag, Cardell? Det är du inte. Du är värre. Värre! Bredvid dig är jag ett helgon. På mina händer finns inget blod."

Hans egna ord skrämmer honom, och han skyndar över gårdsplanen, över tröskeln och uppför trappan, ger ett plågat gnäll över den kammardörr som slagits i bitar och inte längre erbjuder något skydd. Han gör vad han kan för att passa de största delarna samman, och håller dem låsta på plats med sin ryggtavla, sittande på golvet, ensam igen, skakande än av lättnad, än av skräck, än av triumf.

Bakom knuten har Cardell stannat, utom synhåll, låter de flåsande andetagen stillas. Han önskar att han hunnit utom hörhåll, men vart ord faller som ett piskrapp. Länge förblir han stående, söker tröst i det faktum att han åtminstone hjälpt flickan Lotta Erika till någonting bättre. Inte den flicka han sökt, men ändå.

Överallt hittar han dem i sitt sökande, dessa nödställda små villospår, och han hjälper där han kan. Ibland hjälper de honom i gengäld. Gatflickorna är många, de hör bättre, har skarpare ögon. I sin harmlöshet vinner de lätt tillträde där han är förvisad.

2.

DET KNACKAR PÅ hans kammardörr, och Cardell blinkar gruset ur ögonen, reser sig klädd ur fållbänken i ett moln av sin utandnings dimma. Han ruskar kylan av sig, vrider låset och finner ett blekt ansikte svept i sjal. En av de många, en han lånat sina nävar i något handgemäng han inte längre kan dra sig till minnes. Hon niger och slår ner blicken, vad tacksamhet som återstår höljd i blygsel. Han har lärt sig att de bara ser honom rakt i ansiktet en gång, sedan aldrig mer. De gör det till viss del av hänsyn, men för Cardell är det bara en erinran om hur illa han är bränd.

"Mälarfolket är tillbaka vid Klara sjö. Man kan se röken från deras brasor. Mickel bad mig hålla utkik, om han minns."

Han kan inte dra sig till minnes hennes namn, men sammanhanget klarnar. Hon har tjänst åt en handelsman borta vid Ryssgården, en som förr gärna räknade fel på löningsdagen och erbjöd sin egen sängvärme till tröst. Han ger henne en nick.

"Tack ska du ha."

Hon niger igen, lärd att underdånigheten är att föredra i varje givet läge.

"Allt väl annars? Har du fått dig något till livs än?"

Han är tacksam för hennes nick, för den skalk som återstår i brödburken är hård nog att ge också hans vana käkar en prövning och vore skam att bjuda en gäst. Han nickar tafatt, och med en tredje nigning tar hon sitt avsked, snabbt väck på ljudlösa fötter. Han gör vad han kan med brödet innan han sveper om sig den rock han nyss vänt för att slita på avigsidan. Tyget är nött till flor om armbågarna. Cardell grymtar åt den försiktighet som krävs för att inte tränäven ska riva yllet itu. Hade de kapat vänsterarmen högre hade han åtminstone bara slitit på ena sidan.

Mälarens is har släppt. Stinn av smältvatten är Strömmen en vred muskel som hunsar vita flak framför sig, tidvis så stora att de ställer sig på tvären mellan Norrbrovalvens pelare. Mer is samlas vid hindret att resa en vit mur mot brostenen. En kraft byggs upp lik ilskan före slaget, allt mer hotfull i sin tyngd, och vad folk som vågat bron skyndar sig åt land; minns de inte själva hur vårfloden slet med sig brofästena femton år hän finns det andra som gärna berättar. Så knäcks grundvalens rygg med en knastrande smäll, och isen mullrar åstad under bron, fri att gissla Saltsjöns ankrade skrov.

Cardell skyndar sig över, passerar förbi Röda Bodarna där folket myllrar i flit av den sort som bara kyla kan uppmuntra. Våren stundar och mörkret viker, man måste feja och förbereda bäst man kan för kommersens årstid. Där udden vässats till spets går bron över Klara sjö, längre och mer utsatt än den över Strömmen, men bättre fredad undan forsen. Han håller sin friska hand om det rep som spänts till räcke icke desto mindre, och spejar för att se att flickan haft rätt: fiskefolket uppifrån sjön är äntligen här, med båtarna uppdragna på stranden. Det bolmar om deras läger.

Vägen längs fjärdens strand är osäker. Under klackarna är tjälen lömsk, kan när som helst rämna och sänka hela stöveln i kylig lera, och de rullstenar som isen rubbat ur läge är lösa och opålitliga. I ojämn rytm haltar Cardell fram, sällan utan en svordom på läpparna. Han når deras läge utan värre tillbud. Mellan resta trästakars klykor hänger näten i rad, och längs maskorna är kvinnor och barn sysselsatta med att täta hål med snören. Karlarna rår om sina båtar, upptagna av allsköns pyssel bortom Cardells förstånd. Han blir stående där han är, rådvill och förbisedd, tills han möter en blick och styr stegen i dess riktning. Det är en man med skägg och tovigt hår, sutten på en pall framför fiskrökar uppställda på rad, och Cardell kan inte avgöra om soten solkat hans vita hår, eller om mörka strån blandas med dem som bleknat. Mannen sitter brandvakt, säkert i kraft av sin ålder. Cardell känner ett enda plirande öga springa över hans uppenbarelse, märka kronans stövlar och det vita bältet under rocken, dröja vid hans brända ansikte. Han harklar sig tafatt.

"God fångst?"

Mannen rycker på axlarna, förpliktigar sig till ingenting, nickar åt Cardells mellangärde.

"Finns tobak?"

Rösten är ljus som en kvinnas, klen och skör på gubbars vis, som om den berövats lungans kraft och nu endast har den grunda munhålan att ta fart ur. Pungen Cardell bär vid bältet talar sitt tydliga språk, och Cardell snör av den och räcker över. Mannen skär sig en buss med en liten kniv som kommer i hans hand så snabbt som om den varit där redan, börjar tugga, spottar när saften svämmar kinden full. Cardell hittar en flat sten jämte, sjunker ner till hälften på huk och halvt sittande, vet att han betalat för sig och väntar ut tystnaden. Mannen tuggar länge innan han låter sig nöja.

"Så?"

"Jag söker någon, och har så gjort ända sedan i vintras. Jag har språkat med folket uppe på Kungsholmen, men här vid Klara sjö tar varje spår slut. Jag låg länge sjuk och hann inte upp er innan isen lade sig. Jag har väntat er återkomst alltsedan dess."

Mannen ger en kort nick som om beskedet inte varit till förvåning, erbjuder inget svar. Cardell har inget val annat än att fortsätta.

"En flicka med ljust hår och sotiga kläder, sotiga efter den stora branden som var borta på Hornsberget i fjol höstas. Anna Stina är hennes namn."

Mannen spottar och hostar strupen ren.

"Jag är till åldern kommen. Fan vet hur. Sjön tog far min och mor tog frossan, och vore vi alla årsbarn hade jag överlevt dem båda. Nu duger jag inte till stort mer än att vakta glöden. Men till grubbel har jag nog med tid och mer ändå."

För första gången vänder sig mannen mot Cardell, öppnar det öga som varit skymt, och Cardell ser en vit fläck där pupillen borde varit svart, lik en marmorkula på botten av ett hål.

"I mitt dåliga öga är det en fläck som växer sig större. Svart och dan är den. Har jag båda ögonen öppna är det som om jag ser den mitt bland träd och folk, på vågen och i seglen. Jag tänker att det är dödsskuggan själv. Närmare och närmare kommer han mig för var dag. På honom tänker jag mycket. Till alla kommer han, och det är aldrig gott att veta när."

Han knycker med hakan åt barnen som lappar nätet.

"Till stora som små. Ett steg fel om relingen och allt är slut. Åt en del av oss är det åtminstone givet att invänta hans ankomst som vore han en gäst stadd på resa, hålla bordet dukat och härden varm. Jag är inte räddare än jag borde. Vad som väntar är inte gott att veta. På sjön rings aldrig till mässa och evangelium har jag inte hört på länge, men jag har pratat nog skit om de döda i mina dagar för att lära mig att ingen bör ta sina skulder med sig i graven. Jag tänker mycket på att ställa mina bestyr i lag så gott jag kan, medan tid är. Man vill ha sitt i ordning."

Vinden friskar utifrån fjärden, och mannen drar sin filt om axlarna till bättre skydd.

"Jag kan tänka mig många skäl till att en karl söker en flicka. Inte alla är av godo."

Det blod som reser sig svider i Cardells ansikte.

"Jag vill henne inget ont."

Han känner hjärtat bulta och strupen snöras åt, synen grumlas. Han sträcker sig efter en näve av den blöta snö som ännu ligger i tynande drivor och låter den kyla hans panna och hals. Först när han känner att lungorna saktar in och rösten är mogen att bära öppnar han munnen igen, vänder sig för att åter möta den blick som aldrig lämnat honom.

"Om du står i skuld är du inte den ende."

Gubben sitter tyst en stund innan han nickar kort och återtar sitt forna läge.

"Nog minns jag flickan. Jag önskar att jag kunnat hjälpa henne då, men det kunde jag inte. Gnagt mig har det, men jag kunde inte göra annorlunda. Vi har munnar nog att mätta och får oss sällan mer till livs än vi måste. Var och en måste göra sitt till, annars bär det sig inte. Snart är min nytta all, och hellre går jag i sjön än ligger androm till last. Men jag är glad att du kom, för mitt samvetes skull. Kanske är det nu jag får hjälpa henne ändå."

Tuggbussen är förbrukad, och de sista flagorna åker ut med gubbens nästa loska. Cardell räcker honom pungen än en gång.

"Det var dagen efter branden. Klockorna ringde från staden natten lång, vi såg lågornas sken inifrån land, men fastlands-

44

folkets bekymmer är inte våra. När morgonen kom och röken började lägga sig satt hon på stranden där borta, alldeles som du säger. Ljus om håret i sotiga kläder."

Gubben nickar åt ett pilträd som doppat sin krona i viken, hundra famnar bort.

"Hon satt alldeles stilla och rörde sig inte. När hon satt kvar morgonen därpå gick några av barnen för att se hur det var fatt, men hon varken svarade eller gjorde åtbörder. Efter det lämnade de henne i fred och nämnde henne inte mer, la järn under kuddarna, för vad som står fel med den som inte längre ser andra är inte gott att veta, och bäst är att hålla sig undan. Men jag satt där jag sitter nu, och i tre dagar såg jag henne sitta stilla på stranden utan att röra ett finger. Två vita streck hade hon i ansiktet. Det hade gått tårar i soten, många nog att se härifrån."

"Och sedan?"

"Det kom en gosse, på tredje dagens eftermiddag. Han talade med henne, satte sig bredvid. Jag såg honom komma, såg hur han förde sig, tänkte att han kände igen henne någonstans ifrån. Om hon svarade vet jag inte. Han tog henne i handen, fick henne på benen. Det var en klar dag. Han stödde henne över bron. På andra sidan förlorade jag dem ur sikte, men riktningen gick inte att ta fel på."

Han pekar åt staden mellan broarna, härifrån ynklig på sin holme där spetsiga flak gått till storms, kyrktornens spiror en drunknandes grepp efter undsättning.

"Nu vet du vad jag vet. Lämna mig att vakta glöden. Det är en syssla viktig som någon. Men man ser ju på dig att du vet det bättre än de flesta."

3.

MAN VÄCKER EMIL Winge tidigt ur orolig sömn. Det är en springsjas från Indebetouska, oäkting till någon av polisbetjänterna eller annars en gatstrykare som tagits till nåder. Smutsig blond kalufs, alltför tunna kläder, snoret rinnande, bara glad över en uppgift där språngmarschen ger honom möjlighet att hålla kylan stången. Vid Emils tröskel hoppar han på stället för att hindra svetten från att stelna.

"Man frågar efter dig i Yxsmedsgränd."

"Ge mig ett ögonblick."

Ljuset i hans kammare är skumt och han måste vinkla sin Beurling för att fånga vad lyse som finns att få i rosenstenarna och läsa tiden. Strax efter fem, en blöt vårmorgon som helgar vinterns minne alltför väl. Han sveper rocken om sig och tar trappan ner. Pojken är väck redan, måste tagit Winges ord för ett löfte om fritid. Ute håller natten stånd ännu, och de lyktor som varit tända har sörplat sin olja i botten. Winge rättar till kragen för att bättre freda sin nacke, och försöker dra sig till minnes vägen till den adress han fått. Staden mellan broarna gäckar honom än. Även om han lär känna dess gränder bättre för var dag kan han tveka i vägskälen, välja fel och tvingas till omvägar. Gatan ligger åt Flugmötet till, så mycket vet han säkert. Han har funnit att träckberget intill Kornhamnen hjälper honom med orienteringen. Ligger vinden på från söder är riktningen omisskännlig, och stinker det inte är det från norr det blåser. Morgonen gäckar honom: nattens vind har mojnat. Istället följer han backen ner, hoppas på det bästa.

En gevaldiger och två betjänter väntar honom en bit ner i Yxsmedsgränden. Emil känner befälet till utseendet, liksom en av de två andra, men kan inte dra sig namnen till minnes. Hans ansikte måste förrått hans okunskap redan vid första anblick.

"Johansson. Mårten."

Gevaldigern är ensam att kliva fram och hälsa. Polisbetjänterna håller sitt avstånd, men båda är noga med att skicka honom en respektfull nick. Han hörde dem tissla och tassla redan på håll. Lilla spöket är det namn de givit honom, och de behandlar honom med avmätt vördnad, som en borgenär som nyss smittats av pesten. Någon illvillig vindpust bär en dunst av brännvin från dem; att de druckit frukost syns i rosiga kinder. Emil känner det gamla suget i magen, aldrig fjärran, ett hugg av avundsjuka över det rus de kan unna sig men inte han. Han blinkar och sväljer, vänder sig åter till befälet för rapport. Han får ett finger pekat mot en liggande figur, gömd under den jacka som lagts över ansiktet.

"Han där har fått ett slag i huvudet hårt nog att spräcka skallen. Sigvard och Benjamin har förhört sig i trapporna. Ingen har sett eller hört det, vilket är underligt om här varit handgemäng. Larm utanför rutan är ju den bästa underhållning folket här har råd till. Utan vittnen ser det särdeles hopplöst ut. I vanliga fall hade jag skickat bud till dödgrävarna och nöjt mig så, men du har ju rykte om dig att se vad andra missar."

"Vem fann honom?"

"En karl ur vakten gick sin rond här och trillade sånär raklång över liket för en dryg timme sedan."

"Låg han så när ni kom?"

"Mer eller mindre. Vi har lyft honom ur vägen bara, en famn åt höger eller så."

Han behöver inte be om att få verka i ostördhet. Man backar undan, ger honom utrymme, turas om att försöka slå eld i piporna. Han känner deras blickar, tvekar. Det är ett uppträde för dem, det han gör, och de mumlar lågt sinsemellan.

Raklång på rygg ligger den döde. Winge lyfter jackan som skyler, nickar åt den av polisbetjänterna som huttrar i bara skjortan att den fullgjort sin plikt. Han blottar en karl i femtioårsåldern som glosögt stirrar uppåt, käken slapp under öppen mun. Det bara huvudet är närapå kalt, och vad hårtestar som återstår gör föga för att skymma den bucklade fontanellen. Kratern går i svart och blått, blodsutgjutelsen till största delen fångad innanför huden i stinna blåsor, som bar han i döden en svartnad kalott, en tonsur rakad med brännjärn.

Cecil säger känn efter i fickorna. I rocken en tobakspung, så illa knuten att fickan är full av smulor. Fickuret ligger där det ska, men tickar inte mer, visarna krokiga under spräckt glas. Innanför byxans linning och i skydd av bukens veck vilar en börs fäst med nål. Den klingar av mynt. Cecil säger detta var inget rån. Cecil säger män av den dödes sort råkar sällan i gräl, se till åldern, se hans kläder, han saknar varken hem eller slantar, skulle varken sätta sig till idogt motvärn eller gå en annan till anfall. Emil följer markens sträckning uppför backen, spejar i lorten som täcker dess kullersten.

"Regnade det när ni kom?"

"Som om gud fader själv valt Stockholm till potta."

Cecil säger titta närmare, och Emil går ner på huk för att skrapa i leran, medan han valhänt samlar rockens veck kring sig för att inte solka fållen. Han hör mannarna viska. Än så länge gör han dem inte besvikna. När de tystnat börjar en av dem vissla en enkel melodi som Emil hört sjungen förut bland suputer och dryckesbröder, en putslustig bibeltravesti diktad kring Noak; kanhända har visslaren sporrats av sin kamrats liknelse. En bit upp i backen leder några trappsteg upp till en port. Cecil säger det var här han satt. Cecil säger sök på marken, sök mot väggen. De är inte lätta att se, men portens beckade virke har stänk färska nog att färga hans fingertoppar röda när skorpan brutits, som små nyckelpigor han nyss krossat. Trappans sten bär samma spår där regnet inte nått att tvaga. Emil sonderar marken omkring. Cecil säger titta åt vänster, mannen bär sina ringar på högerhanden, den han minst trakterar. Ovanpå smutsen ligger vita skärvor av bränd lera. Cecil säger titta i hans mun, och Emil traskar tillbaka till liket, använder ett motvilligt lillfinger för att sära kindernas veck och göra sikten bättre, till föga nytta: där är mörkt som i graven, och han måste in och känna själv. Efteråt torkar han handen på den dödes väst, vänder sig och kisar upp mot natthimlen, höjer rösten åt sina följeslagare.

"Kan ni få porten öppnad?"

De gör honom till viljes. En betjänt knackar på närmsta rutan och viftar med sin dagbricka tills en sömndrucken kärring haltar ur bädden och vrider om låset åt dem. Winge klättrar trappan ända upp, tills hans väg spärras av dörren till vindsutrymmet. Han lägger örat mot den, och hör vad han förväntat sig. Krafsande läten. Råttor i hundratal. Trötta grannar vet besked om en handelsman som hyr rummet som lager för spannmål, men innan man kommer längre nickar gevaldigern menande åt den av karlarna som följt dem upp, och som lutar sig tungt nog mot dörren för att låset ska ge tappt. En våt, härsken lukt hänger i luften. Råttornas små kroppar syns överallt, oljiga fläckar av tätare grått i skuggan under bjälkar och snedtack. De klänger över säckarna som täcker golvet, får väven att bukta och bölja. Den skatt de kommit över är för dyrbar för att de ska låta sig störas av människor. En av mannarna stampar mot golvet och klappar sina händer, men bara den ohyra som befinner sig inom hans räckhåll ids ta någon notis, och det knappt.

Emil låter dem bero. Han lyfter en näve havre ur en av säckarna, känner dess våta tyngd, luktar efter mögel. Över dem droppar det ur läckande tak. Bakom säckarnas rader öppnar sig en tudelad lucka ut i intet, fyra våningar över grändens sten. Han lyfter slån åt sidan, trycker tills ena luckhalvan svängt nog på sina gångjärn för att takets lutning ska ta fatt och hålla den öppen. Strax ovanför hans huvud sträcker sig en bjälke ut, nubbad med sotad plåt, väl stagad och med fäste längst ut för att hissa varor och möbler. Vid dess ände en tom märla. Han vänder på klacken och går hela vägen ner igen, ut i gränden och förbi den plats där liket ligger, och vidare utför backen. Han söker i rännstenen där sluttningen planar ut tills han finner vad han söker, en klump av fläckat trä som kanat utför grändens glatta stenar tills den hejdats av en hög skräp som undgått vinterns bål. Han kan se det hända nu, hur omständigheterna svär sig samman omkring denna död, och inom honom slocknar det hopp han alltid när, den skamfyllda förhoppningen om att en dag kallas till den blodpöl från vilken han kan ana Tycho Cetons flyende fotspår. Istället vinkar han till sig gevaldigern, som inte kan hindra sina mannar från att följa med för att lyssna.

"Detta är inget dråp utan en olycka, om än märklig."

Manskapet byter menande blickar och gevaldigern slår ut

med händerna för att uppmuntra till förklaring. Winge pekar på trappan.

"Han satt där. Säkert på väg hem, från krogen eller från Baggensgatan eller från vad för annan nattlig visit som hägrat. Han bestämde sig för att röka en pipa. Kanske lyckades han somna med den hängande i mungipan; han har åtminstone munnen full av lerskärvor, och resten av dem ligger bredvid trappan. Spannmålet på vinden är ruttet sedan länge, dammet vilar årstjockt på brädorna, och balken där uppe har knappast känt någon vikt sedan i fjol. Förhör ni er hos hyresvärden tror jag ni kommer finna att gästen övergivit sina varor, fördärvade som de är, och eftersom taket är läck föreligger säkert gräl om vederlag och utebliven hyra, kanske rentav process. Det var en blåsig natt, så mycket hörde jag själv innan jag gick till sängs. Blocket satt fäst med en repögla där uppe, som skavt mot märlan tills bara fransar återstod. Nattens storm gav flätan sin nådastöt. Blocket föll, tog karln illa i huvudet och studsade vidare utför kullerstenen. Klossen ligger där nere, blodig och dan. Jag tror knappast den väger mindre än ett halvt lispund – hade han inte suttit i vägen skulle den spräckt stentrappan. Själv kan han ha rullat dit han ligger, eller så kom han på fötter och stapplade några steg innan kroppen medgav dödens inträde. Allsköns underliga skakningar kan uppstå vid våld mot huvudet."

Han hejdar sig inför en minnesblixt: Erik Tre Rosor gungande på en stol utan botten, pannan i blodiga bandage, skval ur potta under. Han skälver till, och polisbetjänterna hinner byta menande blickar innan han finner sig igen.

"Blocket må ha krossat skallen, men bröt knappt huden, och därför blödde han heller inte mycket. Lite blodstänk står att finna i leran ännu. Hade det inte regnat så hade ni sett det själva."

Gevaldigern visslar och låter blicken gå mellan allt som Emil pekat ut.

"Det var som själve fan. Vad är oddsen?"

Cecil säger utom räckhåll för matematiken. Emil nöjer sig med att rycka på axlarna.

"Världen skulle väl inte vara en så underlig plats om inte underliga saker ständigt skedde."

"Och skuldbördan?"

Cecil säger hopplös affär. Fiskalsrösten tvärsäker.

"Står det dig i hågen kan du söka fördela ansvaret mellan handelsmannen och hyresvärden, men jag tror inte det kommer leda till något gott. Båda lär inta begripliga ståndpunkter. Mest av allt är slumpen att skylla. De anhöriga ger sig väl tillkänna omsider. Vill du kan du låta dem veta allt, så kan de ta ärendet till kämnärsrätten om de finner det mödan värt."

Gevaldigern gnuggar sin stubbiga haka utan att förpliktiga sig åt endera hållet.

"Jaha. Då så. Du ska ha tack för din hjälp."

Emil ger honom en nick till svar, och vänder sig för att gå. De tre följer honom med blicken, men förmår inte vänta tills kvartershörnet skiljt dem åt innan de brister ut i ivrigt tal. När han svänger höger ser han slantar byta händer, från den betjänt som han inte känt igen till den han sett förut. Själv känner han ingenting annat än irritation, som hade han sufflerats genom en föreställning där replikerna framförts på ett språk han inte till fullo förstår.

I hans frånvaro andas männen från Indebetouska ut.

"Han ger mig kalla kårar, den där."

"Jo. Men vill du slå dig på brottets bana gör du bäst i att vänta tills de satt honom på dårhuset."

4.

DE MÖTS ALDRIG på Indebetouska huset, av rädsla för att Ullholm själv skulle komma förbi i något ärende. Emil Winges ansikte ligger honom i fatet: han är på tok för porträttlik bror sin, en gång Ullholms nemesis. Oron för att hans egen del i samarbetet ska komma i ljuset har givit Isak Reinhold Blom mången sömnlös natt, och om dagen är den ett ständigt stick i sidan. Han ruskar på sig för att jaga väck bryderierna tillsammans med kylan, denna fuktiga vårdag. Medlen må vara tvivelaktiga, men ändamålen talar sitt tydliga språk.

I kvarteret mellan Grills hus och Brända Tomten har de valt en vrå under ett utskjutande tak, skymd om dagen, i lä för vinden, fredad undan skyfall. Ett hundratal husnummer trängs här, bara ett stenkast från Indebetouska men ändå en plats dit ingen gör sig ärende i onödan. Blom undrar om det är han som är tidig eller Winge som är sen, men kan inget annat göra än att vänta; sitt fickur har han stampat för och på tavlan i Niklas torn är sägarna för suddiga att läsa hur han än kisar och plirar. Tjälen har gått ur marken, det snötäcke som smält har blottat vad skräp som ingen iddes sopa väck i höstas. Sur mylla klafsar när han stampar med skorna för att jaga blod i frusna tår, stänk upp på strumporna hans enda belöning. Nu kommer Winge, och han avslutar sina försök att gnugga skenbenen rena. Ont i huvudet har han till på köpet.

"Emil. Jag förstår att du varit på benen länge. Johansson ansåg att gratulationer för gott arbete vore på sin plats, andra hade nog förespråkat häxbränning om du inte stått på rätta sidan."

Han är en underlig en, Emil Winge. Likheten till Cecil begränsar sig inte längre bara till anletsdragen. Tidvis tycks han anamma manér som Isak Blom minns väl från sina tidiga år vid poliskammaren, då han gjorde broderns bekantskap. I sådana stunder får han allt svårare att hålla dem isär, det kräver ständig uppmärksamhet för att inte beslå Emil med minnen som hör Cecil till. Det tycks honom att Emil allt mer har börjat tala som bror sin, gå med armarna bakom ryggen på samma sätt. Andra stunder är det tvärtom, och Emil påminner mer om den orolige överliggare som i fjol höstas trängde sig in på Bloms kontor och svamlade om obegripligheter. Winge ställer sig bredvid honom i skydd undan vinden, och Blom stoppar sina händer i rockfickorna.

"Blom. Allt väl?"

"Du har inte hört? Akademien är upphävd. Idioterna gav Reuterholm en förevändning, och vesiren försatt ingalunda sin chans."

"Vad hände?"

"Gamle Fersen dog i fjol våras och lämnade sjunde stolen tom. Silfverstolpe valdes till ersättare, och tog tillfället i akt att lisma för regimen genom att skälla salig kungen för envåldshärskare. Saluten baktände med besked, stackarn blev sånär anklagad för majestätsbrott, hela Akademien anklagades för revolutionära avsikter och har satts på undantag. Silfverstolpe fick gå från hovtjänst också, står på bar backe. Rosensteins sekreterartjänst drogs in på minuten, men han räddade sig kvar som prinsens informator med ett nödrop."

"Jag har sällan sett ett hjärta blöda så för andra hos någon som inte själv haft inteckning i deras olycka."

"Så sant som det är sagt. Där hade jag det väl förspänt, Emil, om än ingen annanstans. Har jag inte härmat Leopolds verser så till den grad att hyllningar till mig är det närmsta han kan komma att hylla sig själv? Akademiens dubbla pris fick jag härom året, två gånger tjugosex dukater. Det lundbladska i fjol, femtio riksdaler rakt ner i börsen. Det är inte kattskit för den som måste hanka sig fram som livegen hos poliskammaren. Nu? Fy satan. Nu har jag bara ännu ett hundår att se fram emot. Ett i ändlös rad."

Winge slår sig om axlarna med handflatorna för att vispa blodet till värme. Det syns på honom att hans dryckjom satt spår han aldrig kommer bli kvitt, så nykter han är.

"Och på Indebetouska? Vad nytt?"

"Gyckelkonster och djävulskap leker tafatt. Regimen ser spioner i varje hörn. Härom dagen fick man ögonen på en italiensk språklärare, som man inbillat sig smitt planer för att bringa hertigen om livet. Edman själv gav Ullholm order om att personligen häkta mannen och förpassa honom till rätt sida gränsen. Så långt kan man tycka att allt vore dumt nog; karln var allmänt känd som en saktmodig man som hellre öppnar fönstret än slår en fluga ihjäl. Men icke! Ullholm, den åsnan, tog fel på dörr i trapphuset och jagade en överraskad finsk officer ur famnen på sin käresta med hugg och slag. Först när den arma italienaren stack ut näsan genom sin sovrumsdörr för att försynt fråga om han kunde stå till tjänst med något kom missförståndet i dagen. Till tack för sin omtänksamhet buntade man ihop honom och satte honom på första bästa skuta hem till Rimini. Helt utan prövning inför lagen, givetvis, vem behöver sådant när vi har regimens godtycke? Finnen blev befordrad för sveda och värk. Vanstyret börjar stå folk upp i halsen, sanna mina ord."

"Nå."

Emil Winge rycker på sina tunna axlar. Hans inställning förråder varken förvåning eller särskilt intresse. Blom harklar sig och byter spår, och förbannar sig själv för att irritationen över landets situation i allmänhet och hans egen i synnerhet nu får honom att staka sig i det lilla tal han tillbringat förmiddagen med att förbereda. Han famlar i rockfickan efter det han söker.

"Men allt går inte i moll. Jag har en teaterbiljett till övers för dig. En premiär, rentav. *Den försonade fadern*, på Arsenalen, sista lördagen i maj. Författaren gjorde succé med sin första pjäs, och förväntningarna på denna är höga. Vad sägs? Det skulle göra dig gott att se annat än blodstänk och groteskerier. Låt oss gå i sällskap. Vi har loge, givetvis, så vi slipper nöta armbågar med kreti och pleti."

Winges ger honom ett kallt ögonkast.

"Varför sådan uppvaktning? Det är olikt dig, Isak. Och jag har föga intresse av sådana ting."

Blom ger en suck, inte förvånad över att hans förhoppning om nådigare svar kommit på skam, och stoppar tillbaka i rockfickan den biljett han nyss visat upp.

"När du kom till mig bar det mig emot att ta dig till nåder, det ska jag villigt erkänna, och jag tror inte du kan klandra mig. Sedan dess har du visat ditt värde i kammarens tjänst. Du har varit oss behjälplig med stort och smått under de månader som gått sedan i höstas; så mycket att jag har svårt att minnas allt. Jakten på Ruuths försvunna kvitton, liket i den låsta kammaren. Alla som befattat sig med rättsliga ting vet att när en kvinna blir ihjälslagen är hennes karl skyldig lika säkert som amen sjungs i kyrkan, men du fann undantaget från regeln, och dig förutan hade gesällstackarn mist huvudet och mördaren gått fri. Utan din insats hade den försnillade fahnehjelmspressen ännu myntat falskt."

"Liksom teaterbiljetten antar jag att smickret har sitt skäl."

Blom slänger upp sina händer i kapitulation.

"Du är en udda fågel, Emil, men det finns en framtid för dig hos oss, om du vill. Inte ens Ullholms agg mot Cecil skulle längre ligga dig till last med dina bedrifter i åtanke."

Han gillar inte ögonkontakt, Winge, men sticker åt Blom en vass blick innan han återgår till att betrakta myllan som bär dem.

"Du vet mitt svar."

Blom, som hållit andan, släpper luften i ett bolmande moln genom vardera näsborren.

"Ja. Ja, jag vet ju det. Men det vore alla till otjänst om jag inte ställde frågan än en gång."

Winge suckar. Han ser trött ut, matt och frusen, och yngre än han borde, om än medfaren. Han hade givit mycket för en sup.

"Varje gång far fick bud om någon av Cecils framgångar var han glad en stund, travade upp och ner i trappan och viftade med brevet som en fana. Än en gång hade verkligheten bekräftat hans tankar om hur hans avkomma bör fostras. Han hade stöpt ett snille; här fanns belägg, ännu en kvist till förnuftets lagerkrans. Sedan fick han syn på mig, där jag satt i min vrå vid pulpeten som vanligt, slagen i barndomens osedda bojor. Han sneglade över min axel, på alla bläckplumpar jag lämnat över pappret, på alla de uppgifter jag låtsades att jag inte förstod, och på de svar jag med sådan nit gjort felaktiga på det sätt jag visste skulle reta honom mest. Jag kunde känna hur hans vrede steg som en feber tills han inte kunde hålla sig längre, utan tog mig i nacken med ena näven och knycklade pappren i den andra, gnuggade mig i synen med dem tills näsan sprang i blod. Andra gånger skulle han spela schack, och själv förde han pjäserna så illa att det var en utmaning att ställa mig själv i matt. Sällsynt var den kväll som inte slutade i ett kok stryk, med någon av de hasselvidjor han skar nya varje söndag, för att torkan inte skulle beröva dem tyngden och snärten. Jag bär märkena ännu. Min rygg är lika randig som en ladugårdskatt och lär så förbli så länge jag lever."

Det är Bloms tur att titta bort, vända blicken ner i gyttjan för att ge Emil hänsyn i sitt förtroende. Själv anar han vart det barkar.

"Kan du då begripa, Blom, hur illa det svider i de gamla ärren att tvingas bära Cecils skjorta?"

Blom svarar med sin rodnad, vrider ansiktet mot vinden att kyla den kind som hettar.

"Du anar kanske varför frågan kommer nu."

"För att villkoren för vårt avtal är på väg att uppfyllas."

"I någon del åtminstone, ja. Jag har gjort som du sagt. Du bad mig göra förfrågningar om denne Tycho Cetons ursprung. Svaret har dröjt, för vintern gör postgången lika osäker som alltid, men jag har det nu."

Förväntan tänds i Winges ögon, hunger så naken att Blom tappar tråden.

"Och?"

"Ett gammalt respass gör gällande att Ceton första gången passerade Kattrumpstullen på inresa året sjuttionio, och avseglade söderut samma år. Om hans återkomst har jag hittills inte hittat uppgift, arkiven är som brukligt ett moras. Han har inte låtit sig upptas i någon församling vad jag kunnat se."

"Och avreseorten?"

"Anges som Saxnäs. Kyrkby i Hällbo socken, om geografien inte sviker mig. Åt Bergslagen till."

Winge lyfter fickuret ur västen, redan med en fot vriden mot det steg som för honom bort. Blom skakar på huvudet.

"Jag vill tillstå att jag inte helt och fullt begriper vad du har för nöje av den vetskapen. Så vitt vi vet är Ceton kvar i Stockholm. Tullarna är alla varskodda. Svarar han mot din beskrivning kunde han lika gärna ha namnet sitt skrivet i ansiktet."

"När stod du vid tullbommen sist, Isak? Det är inte ofta jag mött en tullbetjänt som inte är antingen full eller upptagen av kortspel, och ännu mer sällan en som håller poliskammarens bestyr högre än sina egna. Jag har gjort allt som står i min makt för att röja hans gömsle, till ingen nytta. Antingen döljer han sig bättre än jag kunnat ana, eller så har han rest. Mycket pengar kan han inte ha kvar, och vilken tillflykt har den panke annat än hos dem som kommer föda honom av blodsbandens förpliktelser?"

"Är det ett halmstrå som är resan värd?"

"Ända sedan i fjol har jag sjungit samma visa för dig, Isak: Du underskattar denne man. Du förstår inte vad han är kapabel till. Du såg aldrig Erik Tre Rosor lealös på sin potta med skallen borrad, såg aldrig en brudkammares kristallkrona fläckad av blod, vet inget om blommors väldoft odlad på bräddfull grav, såg honom aldrig styra en annan att sätta kniv till friskt kött. Värre kommer. Jag hyser inga tvivel. Om vi inte tar honom först. Kunde jag och Jean Michael få mer hjälp vore saken en annan. Än en gång ber jag dig att göra detta till poliskammarens prioritet."

Blom skakar på huvudet.

"Omöjligt. Skälen är desamma som förut. Mecenaterna flockades kring Hornsbergets barnhus. Spreds nyheten att dess byggherre misstänktes för dylikt skulle mäktiga män kräva Ullholms huvud på ett fat. Hade ni belägg vore saken en annan. Det, eller en säker chans att gripa karln själv så att förhör kan hållas. Men ingen efterlysning."

"Jag hoppas att jag aldrig kommer frestas att påminna dig om min varning, Isak. Jag bävar för vad han tar sig till, och aldrig blir grymheten värre än mot de värnlösa. Han har ett sätt att vinna förtroenden, och släpps han blott nära nog hugger han som en orm där livet är som vekast. Jag far, medan tid är."

Blom slår ut med händerna i lika delar maktlöshet och frustration. Och så är Emil åstad, lämnar Blom ensam kvar att framföra sitt avsked till en tom gårdsplan inför det stilla regn som nyss börjat falla.

"Likt förbannat är det som om Spöket på Indebetouska höll dig i trådar och fick munnen din att gå."

5.

DET ÄR EN aning i ögonvrån, inte mer, ljusets skifte i en rymd som böljar liksom över solvärmd jord. Antydan av rörelse. Emil sluter ögonen. I det mörker som är hans ensamt behöver han inte synen för att veta dess skepnad.

"Låt mig vara. Du är ingenting. Du är bara min vurm klädd i minnen. En sup så vore du väck, dränkt som en katt i en enda brännvinskopp. Blev inte priset högre än jag vill betala skulle jag inte tveka."

I sitt sinne ser han inte den Cecil som väntade honom i gränden i fjol, inte ett rosslande lik solkat av dödsstundens kval, utan den bror han minns från deras sista år tillsammans, den lysande studenten som återvänt till föräldrahemmet blott som en gäst för att fira helg, i blomman av sin levnad och med framtiden för sig, till hälften hans närmaste syskon, halvvägs till någon han inte längre känner.

"Allt detta är efterbörden av ditt verk. Du är som en schanker vars röta inte ens döden kunnat rena. Hade du inte bett Jean Michael om bistånd för två år sedan hade inget av detta skett. Men nej, du behövde hans hjälp. För att säkra den gav du honom ett syfte, och vad kunde han väl göra efter din död annat än sitt bästa i ett läge långt bortom hans färdighet? Han begrep lika mycket själv, och du hade ju lärt honom vad man gör i en sådan belägenhet. När det hände dig skaffade du dig en hjälpreda, och han gjorde detsamma. Han valde illa. Jag kan inte klandra honom med annat än mina egna tillkortakommanden. Jean Michael vill ju väl. Men det räcker inte. Hundra barn har det kostat livet."

Väderleken måste ha skiftat än en gång, blåsten bara en försmak av något oväder utifrån skären i öst. En plötslig rysning jagar Emil på fötter för att gnugga värme i sina överarmar med handflatorna.

"Jag far åt norr nu. Blom har funnit Cetons födelseort. Jag kan inte veta säkert vad som väntar mig, men give att lyckan står mig bi i mina möten. Mycket annat finns heller inte att göra, och Stockholm står mig upp i halsen. Hur du kunde välja att verka här övergår mitt förstånd."

Han ser över sina ägodelar och finner få som är värda sin plats i hans kappsäck.

"Flickan Anna Stina vill inte lämna Jean Michael i fred, fast hon ingenstans finns. Ett avslut måste till, av vilken sort det vara må."

Han börjar fylla väskan, utan urskiljning. Den är stor nog att rymma allt och mer därtill.

"Kärlek av någon sort är det helt visst. Jag avundas honom inte. Om hon avvisade honom förr, vad skulle hon inte göra nu? Hans skuld är stor, och i vad mån det yttre lockar så brände lågorna honom illa."

Emil ruskar på huvudet.

"Men jag är inte skyldig honom någonting. Från mig har han ingen rätt att vänta sig mer bistånd. När tiden kommer låter jag honom göra sin del. Det är nog, sedan är vi fria att gå skilda vägar."

Cecils gyllene fickur tickar i tystnaden. Emil minns hur Cecil kunde se ut när hans logiska resonemang mötte känsloargument: på en och samma gång förorättad och medlidsam. Minnet gör honom ilsken, oförmögen att hålla rösten dämpad och stadig. Han ser sig själv i spegeln när han talar. Det blir enklast så, trots allt. De har alltid varit lika, han och Cecil, så lika nu att det kunde vara brodern han tilltalade.

"I hela mitt liv har alla velat att jag skulle vara som du. Först nu, när de fått som de vill, vet jag hur lite deras uppskattning betyder. Taskspel och lögner, kammare som stänkmålats i rött; jag vill inget hellre än att vända dem ryggen. Jag vill bort, och ju snabbare, desto bättre, så snart det som måste göras blir gjort. Hela mitt liv har förslösats, inlåst, än av far, än av mina syskon, än av brännvinet, än av mig själv. Men ingenting nytt vill gro förrän det gamla röjts bort. Det är vad jag gör, inget annat. Jag vill leva också, jag som andra. Allrahelst så långt härifrån som vägarna bär mig. Jag vill inte vara du, Cecil. Jag vill vara mig själv nog, där andras göranden och låtanden kvittar lika."

Han lutar sig närmare. Hans brors blick möter honom ur spegeln.

"Och snart är du borta, Cecil. Du är inget annat än en vanföreställning. När detta är över tjänar du inget syfte mer. Vet att varje steg i detta sökande går i Kains fotspår vad mig anbelangar. Med Stockholm bakom mig ska jag glömma dig."

Ute på gatan någon som skrålar en visa, full redan. Emil kan sånär känna den i strupen, brännvinets heta smekning, dess väg nedför strupen, djupt in i honom som en glödgad pil att sprida ljus i mörka vrår och visa dem välsignat tomma; en lindring han berövats och saknar, aldrig mer än i stunder som dessa. Han blundar och sänker rösten till en viskning.

"Jag ska visa att ni hade fel, du och far båda. Jag ska visa att de vägar ni tog inte är de enda. Det slut som kommer ska bli på mina villkor."

6.

HAN SER HENNES ansikte överallt, men aldrig är det hon, och aldrig blir det så tydligt som i drömmen. Därför skyr han sömn. Under vintermånaderna var vakan enklare, för hur Cardell än låg gjorde det ont, och i tryck mot filt och halmmadrass var det som om lågor tändes mot hans hud på nytt. Svetten fångades i stinna blåsor, oförmögen till flykt, och bäst var att förbli sittande. Nu saknar han sina blemmor, för de håller honom inte vaken längre. Skinnet har läkt efter förmåga, gamla sår blivna ilsket röda fläckar som spritt sina mönster över hela honom, där de är som värst knöliga som stelnat vax på ett ljus som brunnit ojämnt. De ilar vid beröring, ett konstant obehag, men Cardell tar föga notis. Den dräkt av smärta han en gång bar är borta, oförminskad bara i vänsterarmens stump. Det är som om den vore kvar i tråget där Erik Tre Rosor mötte livets slut. Cardell lade all sin tyngd för att ge tränäven den kraft som behövdes, nog för att få honom själv att skrika, han som knep ihop till och med när fältskären trubbade benpipan med rasp.

Han kan inte vaka för alltid. Sömnen gillrar bakhåll till slut, kopplar sitt livtag när han lämnar en blotta. I drömmen springer han genom eld, i famnen Karl och Maja, ömtåliga små kroppar. Han löper mot trappan, han faller, han tappar sin börda. Med pyrande hår försöker han samla åter det som gått förlorat. Hans hjälpande hand bringar fördärv var den kommer åt, det slår lågor från hans huvud, han drivs på flykt, ingenting släcks av hans tårar. Hennes barn är döda, felet hans. Han ser henne som hon måste ha varit, utanför, vid härdens gräns, katastrofen än värre som den målas i hennes ansikte, och han inser att också hennes liv gått förlorat ur hans valhänta grepp. Hon andas, hon rör sig, men det är inte liv. Gång på gång ber han om hennes förlåtelse, men det är som om han talar ett språk hon inte längre förstår, och vad han än säger kan han inte nå henne. Hon är dövad av en sorg så stor att den krymper honom till ett obetydligt knott, ett meningslöst surrande i hennes öron.

Men för stunden är segern hans. Hela dagen har han trampat stadens gator i samma gamla ärende, snart är kvällen här, och med den ska han ta till gatorna på nytt, alltid orolig över att den timme han försakar kullerstenen ska bli den då hon passerar. Sjöfolkets ord ekar i hans sinne: en gosse tog henne i handen, ledde henne tillbaka till staden mellan broarna. Det oråd han anar är som ett håll i sidan.

På dörren en knackning, ett läte så främmande att han väntar tills det återkommer för att förvissa sig om att det inte är någon av trapphusets andra dörrar som avses. Han reser sig, lämnar dörren öppen för den som nu tvekar att kliva över tröskeln.

"Emil. Seså."

Han vinkar in sin gäst.

"Du hade tur som hann upp mig, om tur nu är rätta ordet. Jag skulle just till att gå."

Cardell lyfter sin tränäve från golvet, dess virke svartnat av eldens bett. Med intränad möda börjar han lägga remmarna rätt för att fästa dem om eget kött. Gång på gång gäckar de honom, slinker ur hans grepp och tvingar honom att börja om. Winge kan bara vända sig bort, varken tillfrågad om hjälp eller mån om att erbjuda den.

"Blom har lyckats uppbåda Cetons hemort. Jag far."

Cardell nickar.

"Är det allt?"

"För stunden. Visar han sig i staden tar vi honom. Poliskammaren är varskodd genom Bloms försorg, om än diskret. Händer något får jag veta."

"Du har varit om dig och kring dig."

"Jag har gjort vad jag måste, inte mer."

Skuldfrågan gör dem sällskap, som alltid, objuden av dem båda men aldrig fjärran. Brända barns kalla tystnad. Cardell rycker på axlarna, och med rörelsen slinker remmarna ur sitt läge än en gång.

"Det var inte menat som pik. Jag önskar att jag hade åstadkommit tillnärmelsevis lika mycket."

"Ingen lycka ännu?"

Palten ruskar på huvudet medan han trär läder genom spänne och söker det rätta hålet.

"Hon är som uppslukad av jorden. Kanske är det just vad som hänt. Kanske söker jag en grav. Det ändrar inget."

Winge ser sig om i kammaren, mer försummad än någonsin.

"Saknar du någonting? Slantar?"

Cardell frustar.

"Jag har så jag klarar mig. Det är inte mycket jag behöver."

Winge mottar beskedet utan förvåning.

"Nå. Vill du mig något, sök Blom. Röner min resa några resultat hörs vi snart igen. Några veckor lär det ta. Kanske kommer jag med värmen."

Han dröjer vid tröskeln med något mer på hjärtat. Cardell kan inte begripa vad, men ger sig till tåls.

"Du ser ut att läka gott, efter omständigheterna."

Cardell grymtar till svar.

"Jag har hört att Sergel vill hugga den farnesiske Herkules i marmor och tar emot granna karlar för nakenposering vid Rännarbanan. Jag passerar där ofta. Var gång tänker jag att idag är dagen de ropar in mig, men än så länge har jag fått gå besviken."

"Jag vet inte vad för metod du använder dig av i ditt sökande, Jean Michael ..."

Cardell avbryter honom, matt redan, matt av hur Emils närvaro får hans samvete att ömma mer än annars, matt av insikten om hur mycket han själv kunde behöva hjälp av någon med större skarpsinne, och hur lite han förtjänar den.

"Jag traskar gatorna upp och ner, varje vaken stund. Jag frågar efter henne, till föga nytta. Alltför många svarar mot samma beskrivning. Tidvis låter jag mig ledas åstad, när jag inte tycker mig bjudas något val."

"Hade Cecil varit bland oss hade han rått dig att gå tillbaka till grunden, gång på gång om nödvändigt: börja med vad du vet säkert, tills du hittar något där att ta dig vidare."

Cardell söker Winges blick och håller den för en stund, för första gången sedan han kom över tröskeln.

"Men det är han ju inte, Emil. Inte sant?"

7.

MAJ MÅNAD KOMMER, och ännu ger vårens kvardröjande svalka den förlovade sommaren god kamp. Fastän sista frostnatten bjöd året farväl i mitten av april vägrar kylan ge med sig. Några dagars värme ger hopp, bara för att förbytas i kalla skurar. För Cardell och många med honom är detta väder det värsta Stockholm kan uppbringa, knappast bättre om våren än om hösten. Staden mellan broarna ligger klämd mellan hav och sjö, till rov för vindens nycker. Det blir inte tillräckligt kallt för att betvinga vätan; i frost och i snö kan man klä sig efter förstånd och hålla värmen, men mot detta kvävande gråväder hjälper ingenting. Är det inte skyfall så duggar det. Fukten kryper in på huden, kyler märg och ben, blöter jackans tyg tills den hänger om nacken som en drunknads famntag. Allting höljt i grått, som om varje färg lakats ur världen, som om vädrets gudar bestämt sig för att visa Reuterholm halvmesyren i hans överflödsförordning, till harm för baronen själv och hans undersåtar till lidande. Väderleken slår sig på lynnet. Till mans blir man sur och vresig, ordkarg och innesluten. De som kan håller sig inne. Cardell späker sina våta sulor mot gatans kullersten och lervälling, outtröttligen.

Det dröjer innan han gör verklighet av det råd han fått, men så snart ordens innebörd sjunkit in tycks det som om vanan att lyda sitter i ännu: Har han inte tillbringat alltför många av sin krafts dagar med att bli vrålad i synen av fältväblar, styckjunkare och rustmästare, så till den grad att han bara behövde sluta ögonen och drömma sig hädan för att fullborda skenet av att stå näst bogspröt i mötande kuling? Den som lär sig behärska anstöten hittar inte sällan en poäng fördold bland svordomarna. Mot Stora Skuggan styr han sina steg, en dag då molnen hastar av och an för att ytterligare beskatta solstrålarnas fattigdom, mot gläntan dit hon kallade honom i somras att sitta barnvakt.

Han tar sig vägen norrut tills han känner Träskets unkna motvind i näsan, viker av uppåt Lill-Jans. Några kor betar i sin hage närmast Brunnsviken. En tiggargubbe sitter vid vägkanten och håller sin mössa mot honom i kortlivad hoppfullhet. Två stentorn håller bommen; han passerar utan annat respass än uniformspersedlarna, till en kollegial nick från snokarna. Bakom ligger tullhuset själv, en enda våning under tak som dignar av sprcäkt tegel. En väg sträcker sig i båda riktningar jämte tullplanket, vars eftersatta underhåll lämnat glipor nog att välkomna alla som plägar gästa staden inkognito och till apostlahäst, och i förfallets takt är det bara en tidsfråga innan någon prövar tullfritt inträde med häst och vagn. Bortom diket på vägens norra flank tar träden vid, först med en barrikad av snår och buskar, oskyddat ben till gissel. Några famnar djupare in öppnar sig terrängen. Höga gallerier sträcker sig åt alla håll, ekarna behärskar jorden i kraft av sina kronors skugga där allt liv kväses. Sist han satte ner stöveln här var i vintras, och det med jämna mellanrum, men aldrig fann han något spår av en människa, den han sökte allraminst. De skildes åt, Anna Stina förgät sin jordkula och kom aldrig åter. Snön föll, och gjorde saken än lättare att leda i bevis. Inga nya spår korsade någonsin dem han själv lämnat.

Det tar honom en stund att finna sin orientering. Skogen är ett levande och föränderligt ting, och har man inte turen att få sikt på en känd kulle eller den rätta stenbumlingen blir vägen osäker. Den snö som töat har lämnat nya rotvältor och avtäckt ett golv av multnande fjolårslöv. De blad som kommit nya slokar blöta i rå luft, allting höljt i vårens jordiga dunster, där det som växa skall gör sin måltid på vad som stöp i fjol. Han irrar kring en god stund innan ett viltstråk leder honom rätt.

Jordkulan är inte som den var. Här finns spår att läsa. De grenar som en gång gjorde en dörr är brutna och kringkastade. En mans eftermäle om någonsin han sett ett. Marken är sur och full av avtryck. Mån om att inte fördärva någonting innan han hunnit dra sina slutsatser sätter han sig på en fallen stock där han får överblick. Hjärtat bultar, för de tydligaste spåren är små, och nyliga. Han försöker dra sig till minnes när regnet föll senast. Igår? Ja. Ingen nederbörd har trubbat avtryckens kanter. Nere vid eldstadens ring av stenar finns fler av samma sort, och under en bruten granruska hittar han en gömma åt en bucklig stekpanna och lite annat geråd svept i tyg. Svårt att säga hur länge de legat.

Han läser spåren bäst han kan, följer dem så långt de går att urskilja och väljer därefter minsta motståndets väg efter eget godtycke, längs en stig som tidvis förlorar sig i intetsägande barmark, men tar vid där stammarnas rader ger sitt lov.

En ängsmark öppnar sig på skogsbacken, klädd i knäckta bruna strån som vinden rest efter att snön hållit dem vikta. Det dröjer en stund innan han ser hennes rygg, böjd över en fläck på marken, svept i en färglös filt och först svår att skilja från ett ensamt rådjurs päls. Lika kvick är hon i flykten: alltför länge blir han stående maktlös att bryta återseendets förtrollning, tills hon hunnit märka vikten av hans blick. Med en tyst svordom sätter han efter.

Lika gäckande som ett skogsrå är hon borta. Det bästa han kan göra är att springa en stund, för att därpå stanna och lyssna medan han tvingar kvar sin hastiga andning i lungorna, välja den riktning där hennes lopp genom skogen förråds av torr kvist och störd gren. Klumpigt kastar han sig fram med tränäven framför sig för att freda ansiktet. Likväl piskar grenarna honom över hals och nacke med glödande rapp. När han inser att jakten är förlorad stannar han upp för att hämta andan, böjd framåt, stödd på svidande lår och med blodsmak i munnen. Ljudet är fjärran nu, men riktningen en annan, och med ens minns han knytet jämte elden, tar markens sluttning till vägmärke och sätter fart rakaste vägen tillbaka varifrån han kom.

Flåsande dundrar han in i lägret, gör halt i tid för att inte sudda nya spår. Granruskans kupade barrnäve ligger ostörd till värn över sin skatt. Han är först tillbaka, men när hjärtats dunder stillnar i öronen väntar honom bara skogens sus. Kanske tog han miste; antingen är knytet inte hennes, eller så offrade hon sina ägodelar hellre än att genskjutas. Han lufsar tillbaka uppför kullen, mot jordkulan. Vatten porlar ur jorden där skogsbäcken bryter fram, men inte högt nog att dölja hennes andhämtning, så tyst den är, och med varsamhet lutar han sig närmare.

Hon står så upprätt det låga taket tillåter, med ryggen mot den packade jord som ska föreställa bakre vägg. Framför sig håller hon en kniv, så liten och medfaren att den bättre tjänar till bestick än till vapen. Så snart hon ser att hennes gömsle är röjt sveper hon undan det tyg som tjänat henne till huva, som vore det till hennes hjälp att blotta sig. Det tar en stund att belägga det han ser och friskriva skuggor och synvillor, men när så är

71

gjort sänker Cardell sina spända axlar i uppgivenhet. Flickan är en annan, nu som alltid. Från dold källa under trasslig kalufs rinner ett eldsmärke över pannan och ner i det magra flickansiktet. Ilsket rött har det tagit till vänster vid ögonbrynsbågen, förmörkar ena ögat och gör dess blå glimt skrämmande i sin skärpa. Besvikelse och lättnad om varandra suger musten ur honom, och han söker en kullfallen stock att frälsa svullna fötter från sin vikt.

"Kom ut du. Jag misstog dig för en annan. Vill dig inget ont. Du har mitt hedersord."

"Hade jag för vana att ta främlingar på orden skulle mitt liv varit kortare ändå."

"Mickel Cardell är mitt namn."

Ett i sänder lyfter han de tunga benen över stocken för att visa henne den sida av honom som andra plägar uppskatta mest.

"Så. Var snäll och stick mig inte i ryggen med din synål."

Han ger henne tid till reträtt. Han räknar tyst ett långsamt tjog jämnt innan han vrider på huvudet och finner henne stående utanför jordkulans öppning, kniven ännu i näven, men sänkt.

"Du är här än."

"Mina saker är kvar nere i backen. Du sitter i min väg."

Han grymtar irriterat, för matt och modstulen för att flytta sig. Svetten har börjat stelna under skjortan, munnen full av språngmarschens järnsmak.

"Så gå runt, då."

När han hör hennes steg tror han att det är just vad hon gör, men istället hittar hon en plats på samma stock som han, om än tillräckligt långt bort för att förbli utom räckhåll.

"Jag blev bränd redan i mammas mage. Men elden tycks ha hunnit upp dig också."

"De säger att den röde hanen fikar efter allt som är vackert. Lågorna lämnade mig i fred så snart de insett att jag inte var mycket till byte."

"Du och jag båda."

Han tar orden som en förevändning att skärskåda henne, och finner att hon talar osant. Dragen är rena: höga kindben och snedställda ögon av en sort som erinrar honom om landskapen på Baltsjöns andra sida, även om ingenting i hennes tal sjunger den visan. Den röda fläcken är av en sort som vänder blickar bort, men för den som dröjer sig kvar förlorar den snabbt sin makt.

"Jag är ingen allmoseinrättning hemlösa jäntors självkänsla till stöd, men sitt för fan inte där och utmana mig i den grenen. Du har tur. Det måste du väl förstå. Med det ansiktet omärkt hade världen visat dig mindre nåd ändå."

Hon sitter tyst en stund innan hon byter ämne.

"Jag har hört ditt namn förut."

"Jag är förvisso inte okänd i staden mellan broarna, men jag kunde aldrig ana att min ryktbarhet hade spritt sig utomtulls."

"Anna Stina viskade det i sömnen ibland."

Strupen snörs åt om varje möjligt svar, andan täppt som av ett försåtligt slag som tagit illa i maggropen. Flickan gör honom välgärningen att vänta, sysselsätter sig med någonting som hänger i byxlinningen medan han hämtar sig.

"Vill du ha tobak? Jag har lite sparat för byteshandels skull."

Cardell har sett tillräckligt av flickans ägodelar för att uppskatta erbjudandets värde, alltför stort för att kunna tacka nej ens om han haft mål i mun nog att avböja. Hon sträcker honom en tygpung ur en hand mager som en avlövad kvist, och han tar så lite han törs utan att såra henne. De skurna bladen är torra och gamla, smulas till korn under hans fingrar men finner likväl sin plats innanför kinden efter att han tuggat en stund.

"Så du kan mitt namn redan. Än ditt, då?"

"Lisa."

"Angenämt."

Tungan känns svullen i hans mun, trög och ovillig, och magen kittlar av rädsla för ett ila valt ord, en felställd fråga, nog för att fördärva denna sköra stiltje. Istället blir det hon som för, han som följer.

"Karl och Maja. De är döda nu. Inte sant?"

Hellre hade han tagit hennes kniv i veka livet. Kan inte svara annat än med en kort nick, och hon ekar samma gest i resignation över infriad förväntan.

"Jag har sörjt dem redan, hela vintern lång. Ända sedan vi skildes åt. Jag såg det i mina blad, även om man knappast behöver vara synsk för att spå barnadöd."

Smärtan är en kardus som sprängs i strupen. Bikten vill ut med en glödgad kulas iver.

"Skulden är min."

Lisa tittar bort för hans värdighets skull.

"Skuffas lagom under oket. Den är inte din ensam. Jag svek dem först. När de behövde mig som mest packade jag mitt knyte och försvann i natten längs stigar de inte kunde följa. Jag stod gudmor för dem, vet du, i brist på bättre. I min trasiga skjorta fann de sin första svepning. De såg livets ljus nere i backen, intill stenhärden."

Han ser sin skam speglad i henne, men hon bär den långt bättre. Hennes ögon skvallrar om vakna nätter hemsökta av det skoningslösa samvetets kval, ändå förmår hon hålla rösten stadig, tuktad av en styrka som sånär får Cardell att skygga.

74

"Vart tog hon vägen?"

"Jag skulle knappast vara här om jag visste. Hon lämnade mig utan att säga vart eller varför. Jag var här och sökte i vintras till ingen nytta. Nu är jag tillbaka än en gång, i hopp om nya spår. Än du? Vet du något?"

Lisa pekar åt jordkulans uppbrutna och kringkastade grenar.

"Nej. Men andra har letat här, kanske i samma ärende."

För första gången hör han tvekan i hennes röst.

"Varför ..."

Hon börjar om när orden stockar sig.

"Varför söker du henne nu?"

När han inte kan svara fångar hon hans blick och håller den fast, och Cardell finner att han inte skulle kunna vrida nacken om han så ville. Det är som om han stod naken, oförmögen att skyla sig, och blodet stiger upp i ansiktet tills öronen blossar. Först när Lisa slår ner sin blick bryts besvärjelsen.

"Hon talade i sömnen. Jag tror hon smidde sina planer i drömmen. Där fanns ett annat namn jämte ditt. Mer främmande."

Hon prövar stavelserna om och om igen, och Cardell söker i minnet efter det som felas, letar sig bakåt genom en två år gammal trojaborg av minnen. Anna Stina Knapp, spinnhuset, Markattan, Kristofer Blix undergång på Gullfjärdens nattgamla is. Gossens osända brev. Cecil Winges röda leende på källaren Hamburg. Till slut måste han ge upp. Han är vilse, kan inte finna det han söker. I frustration suckar han åt en känsla närbesläktad med en han känner desto bättre: När klådan sätter an i en lem som inte längre finns att klia. En hög vind ruskar trädens kronor, dyker genom grenverket och driver fallna löv framför sig nedför backen. Ännu en tid sitter de tillsammans innan han följer dem bort.

8.

VÄGEN ÄR INTE lång sedd till sträckan, men det finns andra sätt att räkna, och det är med illa dold irritation som Magnus Ullholm hastar så kvickt värdigheten tillåter över Slottsbacken och in genom valvet till inre borggården. Poliskammarens lokaler har ända sedan hans tillträde i början av förra året fyllt Ullholm med hopplöshet av en särskild sort, men slottet har sin alldeles egen variation på samma tema. Över det Indebetouska huset har alltid vilat känslan av en undantagsstuga, ett förverkligande av den styvmoderliga behandling som hans myndighet alltid fått. Slottet är snarare en modell av riket i stort: ståtlighet i förfall, förvirring, dumhet odödliggjord i sten, stelnad till en kloss som inrymmer en labyrint av gångar och rum, varje passage reglerad av rang och rutin. Själv känner han sig malplacerad, fast han är aktsam på korridorer och trapphus kan han svära på att kontoren byter plats med varandra från månad till månad. Så polismästare han är måste han utstå en kammarherres blick av humor saltad med förakt innan han pekas rätt denna gång, knackar på dörren och visas med en lättnadens suck in till Johan Erik Edman på sin expedition. Längre bort nedför korridoren hör han justitiekansler Lode gorma diktamen åt en sekreterare som påpassligt skjuter till dörren då han blir varse besökaren. Också Ullholm stänger bakom sig, ju fler dörrar mellan honom och Lode, desto bättre.

"Herr expeditionssekreteraren. Hur står det till?"

Edman slår ut händerna över ett skrivbord fyllt med papper och skrivdon av alla de slag.

"Vi nackar gustavianerna, en efter en. Greve Ruuth ska inför skranket innan månaden är slut. Vi tar honom för förskingring."

"Är han skyldig?"

Edman skrattar.

"Vad spelar det för roll? Den som ställer en sådan fråga har missförstått prioriteringarna. Men han har onekligen gjort saken lättare för oss genom att slarva bort salig kungens gamla kvitton. Ruuth stod ytterst ansvarig för rikets finanser, och utan bevis för vart pengarna tagit vägen kunde han lika gärna ha stoppat dem i egen ficka. Kan han inte återbetala får han sona på fästning. En bruten man blir han oavsett. Förutsatt att jag någonsin får detta anförande färdigskrivet."

Som svar på Edmans höjda ögonbryn sällar Ullholm ett uppvikt brev till högen på skrivbordet, och sjunker själv ner i karmstolen avsedd för tillfälliga besökare.

"Det är en depesch, från Dülitz. En löpare kom nyss med svetten lackande. En av hans handgångna män säger sig ha fått korn på flickan Knapp."

Edman låter blicken flacka över arket, men tappar snabbt tålamodet och vänder sig tillbaka till Ullholm.

"Varför grep han henne inte på plats?"

"Karln tog en bajonett i knävecket vid Uttismalm och har sedan dess fått vänja sig vid att bli omsprungen av de flesta. Men han hade dem under uppsikt en god stund inne på teatern, tecknar för sitt nöjes skull och fångade hennes porträtt med kol på baksidan av en tidning, jämte hennes beskyddare."

"Så var lämnar det oss?"

"Dülitz är ingen dumbom. Så fort han fick bud satte han folk att speja på broarna. Knapp är kvar i staden. Jag sätter folk på att duplicera teckningen, ser till att den sitter anslagen i tullbåsen liksom i stadsvaktens baracker. Varje knekt kommer att lära sig känna igen henne."

Edman reser sig och går bort till det höga fönstret, med utsikt över Helgeandsholmens stallar och Strömmen, ännu vild i sitt flöde, skickad av våren till storms mot de brobyggets knotor som nu bundits samman av hala plankor.

"Har hon Rudenschölds brev kvar i behåll skulle det göra min lycka. Står inte Ruuthens namn där att läsa ska jag äta mina skor. Rättegången skulle kunna kortas med veckor, och hans kumpaner föras bakom lås och bom utan dröjsmål. Den gustavianska sammansvärjningen i sin helhet röjd över en natt."

En knackning på dörren, en tjänare.

"Mina herrar, förlåt mig mitt avbrott, men herr Edman har själv insisterat mången gång på att hålla sig à jour med det senaste. Man säger att Köpenhamn står i lågor."

9.

FRÅN GÄSTGIVERI TILL gästgiveri går färden. I någon fjär-
dingsväg bortom staden förblir vägen bred nog att låta ekipagen
mötas utan bestyr, men snart smalnar den till ett snålt spår råd-
bråkat av tunga hovar och vagnars hjul, lerigt och vattensjukt.
Ser han en milsten varannan timme har han tur. Hans kusk är
en sävlig karl som gnolar entonigt i takt till sin kuses fjät. Gång
efter annan möter de resande söderut på platser där hjulaxlarna
inte låts trängas i bredd. Någon måste backa, och än mer tid slö-
sas i halvhjärtade gräl om vem som äger förtur. Emil Winge kan
inget annat än att maktlös betrakta uppträdet och svepa vad tyg
han äger om sig bäst han kan, tacksam åtminstone för att denna
första skjuts erbjuder tak att skyla honom undan duggregnet,
och lappar av skört läder att fästa för fönstren när vinden ligger
på. Bland hans medpassagerare finns de som är mer koleriskt
lagda, som motar sin rastlöshet genom att lägga sig i, och där-
med ytterligare sinkar färden.

Första natten tillbringar han i ett utvärdshus halvvägs till
Uppsala. Det respass Blom utverkat har myndigheternas tillå-
telse till fri logi, men längre inåt landet blir han snart varse att
lagens arm är kortare än sig bör. Mången gästgivare skakar på
huvudet, och ursäkterna för att klämma honom på reda pengar
är många och väl inövade. Dylika papper har setts förfalskade

förr, och utan att kronolänsman själv attesterar kan man inte bekosta sig god tro. En del stödjer sina avvisanden på bristande läskunnighet. Gång på gång ställs Emil inför valet att sova på höskullen eller att slanta, och efter att ha stått på sig en gång för principens skull inser han kampens hopplöshet och låter sig hellre skinnas. En del av honom har svårt att klandra dem. Han vet att hans blotta uppenbarelse inbjuder till tvivel. De ser hans blick flacka över brännvinstunnan, känner hans sort.

Varje dag tar honom längre norrut. Skjutsen är olika från en socken till en annan, liksom gästgiverierna. Ofta saknas hästar. De måste skickas efter från tjuriga bönder som lämnar av ök som fått slita sig löddriga i skog och på åker. Han vänjer sig vid att vänta i timmar, lutad mot spisputs som knappt görs ljummen av brasor pliktskyldigt tända med så få vedträn som skammen tillåter. Öppen vagn oftast, men ibland får han sitta till häst själv, grensle över en klövjesadel dignande av säckar och paket. Han förfasas över kreaturens mankhöjd, mer än nog för att bryta nacken av den som faller, särskilt som rytmen av deras tröstlösa lunk gör en sirensång som ständigt hotar att vagga honom till sömns.

Det är ett främmande land han kommer till, även om språket känns igen. Här ute har folket slagit rot, de lever och de dör på samma markplätt som grävs upp för att anförtros deras sista vila. Resenärer som han är någonting ogudaktigt och ärelöst, även om de mynt han erbjuder alltid möts av utsträckt hand. Han presenterar sig som artigheten bjuder, men vad är väl det namn värt som inte kan knytas till en plats, sättas i sammanhang, beläggas med blodsband? Ett ljud blott, tomt på mening. En främling är han, illa sedd. Detta är bäckahästens rike; näckens, lyktgubbens, mörksuggans, vittrans och huldrans domän. Här lägger man järn på sin tröskel i hopp om att få sova lugnt, bäddar vaggan med katekesen under kudden för att skrämma trollen. Emil är förskräckt först, men det är svårt att hålla sig förmer än världen runt omkring, och skogen är stor och mörk. Inte ens den sol som står som högst förmår skingra dess skuggor. Om natten fylls den av främmande läten och former. Han kan inte säkert härleda dem till räv eller råbock.

Vägvisningen är en uppgift förbehållen den som kan avvaras. Lytta eller unga, flickor och pojkar för klena för tyngre arbete, i par om han har tur, då grindar ständigt måste öppnas och stängas för att medge passage över betesmarker. Annars måste han själv klättra ner från sin sittplats och brotta de långa störarna ur sina fästen och tillbaka. Där markerna röjts för åkrar motas vägen undan, tvingas till vindlande bana som vittnar om tjuriga grannfejder. Man har underlåtit att bryta bort sten, och lämnat underlaget till försåt för hästhov och vagnshjul. Där marken blivit sank har några hala tallar lagts till spång bara om de har tur.

En etapp tar han till fots då dagen synes lång framför honom och ingen häst står att finna. Han får snart anledning att ångra sig. Den blöta våren, stinn av tö, gör vägen till en å bräddfull av porlande smältvatten, och varje försök att vingla fram torrskodd i vägrenen är blott en risk att snubbla och falla raklång i leran. Bakom honom, på den plats han nyss lämnats med löfte om ännu en försinkning, har gårdsfolket samlats, förenade i skadeglädje och med tillrop som ackompanjemang till varje balansakt. Han väljer att vada hellre än att bjuda dem fortsatt spektakel, sur ända upp på knäbyxorna innan vägen blivit honom hundra alnar lång.

På dess sidor murknar gärsgårdarna i djupa pölar, likt fällda master från en flotta som gått i kvav, kantrad längs sin slaglinje. När han når en sånär torr backe uppe i skogen är middagstiden förbi och ljuset börjar sakta vika mot lång kväll. Stigande oro målar timmen senare än den är och får honom att betvivla fickurets vittnesbörd, och i Emil spirar en rädsla av en sort han glömt, väsensskild från den han känner desto bättre. Han är en varelse van vid andras närhet och väggar till värn, men skogen är vild och hänsynslös, och tilltagande mörker mättar den med uråldrig fasa.

Cecil säger gör dig inte löjlig. Hans brors ton är mästrande och ger inget förtroende. Skymningen hotar att göra stigen omöjlig att skilja från marken runtom, och de bläckade granar som märker riktningen grånar allt mer. Då och då fångas ljuset i en tjärn eller ett kärr och det glimmar till mellan stammarna. Vattnet ligger rött i sina sänkor, öppna sår i mossans hull. Vilse här vore han förlorad. Tanken på att tvingas tillbringa natten under träden skrämmer honom i skavande språngmarsch.

Han känner brasröken sticka honom i näsan innan målet kommer i sikte bakom en krök, en nedsutten storstuga behängd med mossa, med stallar och uthus, gluggarna mellan byggnadernas korsvirkesknutar igensatta av plank nog att famna en sluttande gårdsplan. Tacksam kommer han under tak att torka sina våta kläder, upprörd men nu rustad med tålamod som räcker mer än nog till väntan på hästar och vägvisning, och med ny förståelse för den tariff han avkrävs. På morgonen väntar en mager gosse på honom, och de gör en tidig start, en av många som återstår honom än.

10.

BULLER FRÅN NEDERVÅNINGEN, av en sort som väcker onda minnen: Polen, hans ungdom, förföljelse, och för några kvalfyllda ögonblick av förvirring är Dülitz en yngling igen, snärjd i våta lakan och med hjärtat i halsgropen. Sansen, i den takt den återvänder, lovar inte stort bättre. Åldrande lekamen gör sig påmind på de sämsta av sätt. Gubbkroppen tjänar ännu, men klagar desto mer. De obetydligaste ting lämnar krämpor efter sig, nacken känns stel och korsryggen låter sig inte krökas lättvindigt. Nu har larmet spritt sig till gatan, och medan Dülitz knådar livet åter i den arm som somnat under honom stapplar han till fönstret i tid för att se Ottoson med benen på ryggen, kvick i steget som alltid, ena handen för en näsa slagen i blod, på väg inåt malmen i en sådan fart att varje nytt kliv hotar att sluta som kullerbytta. Dülitz undrar vilka räkenskaper som nu hittat hem, sluter ögonen och vill hjärtat till att sakta ner innan han sveper sin rock över nattskjortan, drar regeln åt sidan och börjar gå nedför trappan. Han hör Ehrling jämra sig nere i salen, gnuggar det sista av sömnen ur ögonvrårna och kliver genom dörren. Morgonen är nära, gryningsljuset tillräckligt för att lysa arbetsdagens början för de flitiga. Likväl tarvar han en stund för att ta in tablån.

Ehrling ligger vid väggen, så liten en stor karl kan göra sig, flämtande som ett djur i saxen och med sin bräckta arm kramad intill bröstet. Handgemänget kan inte ha varat länge, men har gått hårt åt möblemanget: ett bord vräkt åt sidan och lämnat på högkant, blodstänk på tapeten, stolar förstörda och undankastade. En av dem står ännu, till tron åt den segrare som nu ger sig tillkänna.

"Jean Michael Cardell. Tog mig längre tid än jag vill medge att erinra mig ditt namn, men nu är jag här."

Han är andfådd och läcker i strida droppar, och det ger Dülitz någon ynka tröst att hans husfolk inte stått sig alldeles slätt i sin förnedring.

"Och ditt eget namn, är det ett jag borde känna sedan förut?"

"Än Anna Stina Knapp, då? Eller Blix, beroende på hur hon presenterade sig."

Dülitz nickar sitt ja åt detta lösen. Figuren framför honom tonar sakta fram ur motljuset, och ger en butter nick till svar på hans gest mot en av de fallna stolarna. Den första han reser vaggar ojämnt på brustna ben. Med den andra har han bättre tur, och sätter sig mittemot. Ansiktet framför honom hade fått mer luttrade män än han att ta sig i akt. Håret är avbränt, huden är ärrad och svedd, och han ryser åt de kval som skadan antyder.

"Låter du min dräng löpa, så vi kan tala ostört? Hade det funnits någon förstärkning att varsko hade Ottosson gjort det allaredan. Själv är jag gammal och sitter inom ditt räckhåll."

Han får en grymtning till svar och kan inte annat än att tolka den som bifall. Inte heller Ehrling behöver andra besked, utan ålar påpassligt över tröskeln med pipande andhämtning, medan Dülitz tar fristen i anspråk för att värdera sina möjligheter till underhandling.

"Så du vill ha fatt i flickan. Du vet kanske att du är i gott sällskap?"

En ansats: förvåning, alltför sent behärskad. Dülitz är van att läsa andra, och vet med ens att han träffat rätt.

"I fjol höstas fick jag besök av polismästaren, med ingen mindre än Johan Erik Edman i hasorna, båda i samma ärende. Jag har sökt henne sedan dess, med föga framgång."

"Ta det från början, och i maklig takt. Jag är inte klipskare än jag är vacker."

"Kristofer Blix, är han bekant?"

"Ja."

"Nå. Flickan kom till mig för att hon behövde pengar. Hon kallade sig hans änka. En enda rar vara hade hon att bjuda till försäljning; året innan hade hon flytt ur Långholmens spinnhus, genom ett hål under muren som förgätits efter att det lämnats för att tappa grunden på fallvatten. I fjol hyste spinnhuset en namnkunnig gäst för några få dagar endast, och å en klients vägnar gav jag flickan uppgiften att ta sig in samma väg hon en gång sluppit ut. Hon kröp in under mörkrets beskydd, när månen var ny."

Mannen i stolen flyttar sin vänstra arm, och först nu ser Dülitz att något inte står rätt till där. Näven är svedd till kol, handleden rak och stel. Båda bär färska fläckar hans hantlangare till minne. Det är inte en levande arm, och en vidskeplig skräck inför det som inte är mänskligt får Dülitz att tystna.

"Så du sände henne till spinnhuset. För det ensamt kunde jag dräpa dig på fläcken."

"Jag hör väl själv hur det låter, i detta rum, när jag sitter här och du sitter där, men jag bedyrar att jag inte ville henne illa. De flesta jag befattar mig med går i kvav av självförvållad nöd, hennes make inte minst, men hon kom till mig självmant och bad mig om hjälp. Tvåhundra riksdaler ville hon ha för sina barns skull. För sådana slantar köper mina principaler krökta stavar av elfenben att klia sina ryggar med, och de hade villigt betalat det dubbla och mer därtill. Jag erbjöd mig att förhandla upp summan å hennes vägnar, men hon nekade."

"Hur mycket hade du tänkt behålla själv?"

Han väljer sanningen, tar risken att vinna i förtroende det han förlorar i förakt.

"En tiondel. Av en annan hade jag snarare tagit hälften, eller mer. Men det var något visst med henne."

"Och för allt vad du vet ligger hon under muren ännu, fastklämd i sin grav."

Dülitz skakar på huvudet.

"Nej."

"Hur kan du veta?"

"Mitt folk har varit till spinnhuset. Med möda fann vi en bland paltarna som var där när man ertappade flickan på gården vid morgonsamlingen, och som vi omsider kunde göra mer orolig för vårt missnöje än för vaktmästaren Petterssons, vars förtroende han ogärna ville bryta. Petter Pettersson själv tog hand om henne, och sedan de språkat ledde han ut henne genom porten och lät henne löpa. Då samme palt svurit att han känner flickans ansikte väl har jag ålagt honom att hålla ögonen öppna, och han säger sig ha sett henne en gång sedan dess, i sällskap som blev varse upptäckten och smusslade undan henne kvickt som ögat."

"Var? När?"

"Man gav premiären av Lindegrens *Den försonade fadern*, om du följer teatersäsongen. Trettionde maj. Han såg dem i folkhavet på parterren."

Dülitz ser hur den vanställde går förlorad i sina tankar, flackar med blicken medan han tuggar på en nagel och spottar flisorna på golvet. Han ser sitt tillfälle, lägger händerna på knäna och förblir sittande så, stilla.

"Låt oss säga att jag bär en dolk i fickan på min rock. Damaskerat stål, handtag i pärlemor. Den ligger där jämt, för säkerhets skull. Mitt gebit kan innebära risk, och jag lever efter devisen att hellre bära vapen och inte behöva det än tvärtom. Stor är den inte, men nog så vass. Jag må inte vara någon värdig motståndare i envig, gammal och vek som jag blivit, men som gosse lekte jag bältespännare ibland, och någon skada kan jag väl göra, kanhända illa nog att sinka dig betänkligt i ditt sökande efter flickan, en uppgift du som sagt delar med andra."

"Så?"

"Jag har vissa tankar om det som hänt. Jag inbillar mig att de kunde vara dig till gagn. Jag delar gärna med mig till alla vars välvilja jag kan räkna med, särskilt om de därefter visar lite hänsyn och lämnar mig att ombesörja städningen av mitt arma tjäll."

För andra gången väljer Dülitz att ta den bibehållna tystnaden för medhåll, och lutar sig närmare för att inskärpa värdet av det sagda.

"Flickan skickades in för att smuggla ut ett brev från Magdalena Rudenschöld, under en av de få nätter hon satt inhyst på spinnhuset innan man flyttade henne bakom säkrare lås. Tvekslöst med ett budskap avsett för Armfelts sammansvurna. Kanhända nådde flickan aldrig sitt mål, kanske har brevet gått förlorat sedan dess, men den risken har ingen råd att ta. Alla söker henne: de konspiratörer som först givit mig mitt kontrakt, likväl som Reuterholms drängar. Alla söker de ett brev som kan bli till fnöske under riket självt. De börjar bli desperata nu. Varje vecka hörs rykten om anställda försåt mot hertigens liv; de sammansvurna vill röja honom ur vägen, honom och Reuterholm och hela förmynderiet. Hur flickan lyckats hålla sig undan dylik uppvaktning övergår mitt förstånd. Varför hon väljer att stå blickstill mellan satan och havet likaså; ville hon kunde hon sätta pris efter eget skön. Någonting måste ha hänt henne."

Dülitz sista gissning är värre än något hot, och den tappar Cardell på vad blodtörst som bestått. Allt som går att vinna här är vunnet denna natt. Han reser sig och torkar tränäven på en gobeläng, där den besudlar en pastoral idyll med rostiga stråk.

"När näst vi ses är jag kanske mer hågad att se efter i fickan din."

"Till dess, då."

Och så är Dülitz ensam igen, och gammal och trött, och till sin förvåning märker han hur händerna skakar ovanpå låren när hans sänker sin gard och ger känslorna spelrum. Det är sent i livet för nya fiender. Hans rockficka är tom, men han inser att det är sista gången den så förblir hitom graven, och fastän en kniv inte väger mycket finner han bördan avsevärd.

11.

"HÖGT ÖVER VÅRA huvuden hänger det vågskålar, gosse. Endera dagen sjunker den ena lägre än den andra, men snart ska det skifta, och när tavlan summeras må de alltid stå jämnt."

Emil måste anstränga sig för att tyda gummans ord, förvanskade av hennes nordliga mål, trängda mellan uttryck som klingar främmande i hans öron. Hennes ålder är omöjlig att gissa. Hon ser gammal ut som tiden själv, liten och krum och tandlös, varje rynka svärtad med sot. Ögon så djupt sittande att deras närvaro bara förråds av en glimt då någon förlupen ljusstråle träffar rätt bland hudvecken. Ännu kan Emil inte säga säkert om hon gått i barndom eller om hon bara föredrar att besvara hans frågor på sitt eget sätt. Praktiska bestyr stämmer till tålamod.

"Sitt inte där."

När regnet börjar viska över nejden begriper han varför. Det är knappt mer än en koja hon har, taket gistet och väggarna lutade mot en skorstensstock i tålmodig färd med att ömsa vad rappning som återstår. Hon matar sin brasa med kråkvirke, en kvist i taget, medan hon tilltalar elden snarare än sin gäst.

Saxnäs ligger vackert, trängd på en ås mellan vattendrag. Byn runt sitt torg, kyrkan alldeles nära. Likväl har han haft otur. Få har kunnat svara på hans frågor, och inte av ovilja, utan av okunskap. Stammande försöker han förstå varför, men man gör det inte lätt för honom. Av sydröna främlingars nyfikenhet kommer sällan något gott, så mycket vet man sedan gammalt. Enda gången man visar byarna i norr intresse är då man misstänker dem om välstånd värt att åderlåtas under fogdars hot. Prästen är borta på annat håll i socknen, och mellan husans obehag och Emils försagdhet vände han på tröskeln utan att fråga efter det gästrum hon så tydligt missunnat honom. Gästgiveriet skämmer namnet: en utkyld stuga med träbänk till säng, och möjlighet att köpa mjölk och fläsk nästgårds. På väg dit siktade han gumman som en huldra på flykt mot sitt skogsgryt, och det slog honom att hon är den enda gamla människa han sett sedan han kom hit.

Varsamt trär hon fångstöglan av klon på en sparv med bruten nacke, och börjar lugga fjädrarna av den lilla kroppen. Fågeln ligger naken i hennes händer, främmande för Emil utan sin fjäderdräkt. Han fascineras av hur lite hull den gömt under sin skrud; en munsbit eller två, inte mer. Hon famlar vid härdens sida efter ett spett att trä upp den på. Tålmodigt vrider hon pinnen för att rosta köttet jämnt, och när hon är nöjd sträcker hon pinnen åt Emil. Han möter hennes blick och finner den både fast och outgrundlig, men anar att han prövas. Varsamt tar han fågeln, river loss en mjäll vinge och stoppar den i munnen. Hon gör samma sak med den andra.

"Du undrar över byn. Jag var en flicka första gången det hände, knappt ens gammal nog att få getterna att lyssna. Mor och far hade skickat mig till fäboden över sommaren, tillsammans med några äldre flickor. Det kom en man. Han var matt och varm. Vi gav honom en bädd, där han låg och yrade. Efter några dagar kom utslagen, hemska blåsor överallt. En karl kom med mat åt oss några dagar senare, såg hur det var fatt, släppte allt han hade för händer och löpte tillbaka samma väg han kommit. Främlingen blev sämre. Dagen därpå kom de från byn och talte till oss från skogsbrynet. Vi skulle stanna. De lämnade oss en spade. Vi förstod inte till vad förrän gästen dog. Sedan fick Kerstin frossan, sedan Elsa. När hösten kom var det bara jag och getterna kvar. Efteråt sade man mig att vår uppoffring hade frälst byn. Att vi varit modiga. Tack vare oss hann man lyfta spångarna ur strömmen och stapla dem för passen, och ingen mer kom till Saxnäs med kopporna. Först efteråt skvallrade en flicka jag kände om att storbönderna lagt en dräng nere på myren med gevädrets lunta brinnande, utifall att jag och mina kamrater inte skulle visat oss fullt så morska ändå och kommit lommande hem efter mamma. Alla visste. Ingen sade emot."

Emil känner det krasa mellan hans tänder, tuggar snabbt för att kunna svälja och förjaga den skämda viltsmaken ur sin mun, samtidigt som han hoppas att hans avsmak inte syns alltför väl.

"Du ser dem knappt bland rynkorna, pojk, men mina kinder är fulla av läkta sår. Man får dem bara en gång, vet du. När kopporna kom härnäst var byn sämre rustad, och smittan kröp från gård till gård snabbare än den gick att hejda. De som ännu trodde sig friska flydde norröver, rakt i famnen på smittan, vars bockfot löper snabbare än mänskofjät. Var och en har sitt eget närmast; hade inte självkärleken vägt tyngst kunde väl ingen farsot spridas. Men gamle prosten var en god man. Han ensam gick in hos de sjuka och gjorde vad han kunde, ödmjuk inför vad öde hans gud mätt ut åt honom. Såg till att de döda kom i jorden, läste rätta orden till avsked. Hade fler betalat vad vi var skyldiga första gången skulle färre smittats därnäst. Av det Saxnäs som fanns är det inget kvar nu. Stugorna må stå som de gjorde, men folket är ett annat. Utbölingar alla. Det är bara jag som minns. Prästen själv dog han också, med böldklasarna dignande från kinderna, men med ett leende över att han fullföljt sitt kall Herren till förnöjelse och köpt sig mark på de saligas ängder."

Hon suckar vid åminnelsen.

"De är hemska, kopporna. De klär människan i hennes sanna färg. Vissa säger att smittan sprids för vinden, andra att den vandrar från skinn till skinn. Alla hittar sina sätt att freda sig. Man skyr gamla vänner, nekar vatten ur sin brunn, vägrar sträcka hjälp i onödan åt den som lika gärna kan ge upp andan innan solen går upp härnäst. Somliga tar till svartkonst, förskriver sig till fan blott de får leva."

Av fågeln återstår bara de ben gumman plockat ur mungipan och staplat i hög på spisens kant.

"Nog minns jag lille Tycho. Det var prästens gosse. Alltid vid sin fars skört, redo att göra som han blev tillsagd varhelst han kunde, även om man nog såg på honom hur rädd han var. Och vem är jag att klandra. Av grifterna uppe i kyrkbacken måste han ha varit med och grävt hälften. Men faderns grop fick han lämna åt andra. Tycho blev sjuk, låg länge i frossan. Kopporna sparade honom, och trodde jag bara världen om bättre skulle jag ana att han visades misskund efter förtjänst. När han kom på benen igen hade gamle pastor Ceton stupat och lämnat kyrkan sin öde. Han grät och grät, men aldrig såg jag någon ligga på sitt yttersta utan att gossen stod jämte, det enda sällskap de hade, för den platsen skydde alla. Soten drog vidare efter hand, och pojken hack i häl. Vart han blev av sedan vet jag inte. Han ärvde och försvann. Jag hoppas att han tog vara på det liv han fick behålla."

12.

GRYNING, SMÄKTANDE SOMMARHETTA i antågande. Cardell
klättrar trappan upp. Någon har varit vid hans kammardörr och
lämnat sitt märke kvar med en kolbits hjälp. Skeppsbron, 12,
dagens datum och ett W till signatur. Winge är tillbaka, således.
Mötesplatsen stämmer lika väl som initialen. Skeppsbron har
alltid varit honom en tillflykt, om än inte längre för samspråk
med sin döda syster, utan för ytans skull, för den öppna himlen,
för det ständiga larmet av allsköns folk som enkom passerar
denna plats mellan platser på sin väg annorstädes. Det är tidig
morgon, och Cardell kränger av sig jacka och skjorta, häller
vatten ur kannan i handfatet, tvättar ansikte och hals rena, tor-
kar sig på skjortan och hänger den på tork. Han håller kam-
marfönstret öppet sedan någon vecka, har kilat fast det på vid
gavel med en vässad pinne, tacksam för varje bris som lockas
in. Fållbänken drar till sig hans kropp som komockan en fluga,
och han vet att om han lystrar till dess lockrop kommer han
att missa sitt möte. Istället förblir han stående, tuggar sin un-
derläpp. Hans tankar är aldrig långt ifrån henne, värre utsatt än
han kunnat ana, jagad av andra. Hans eget sökande gjort till en
kapplöpning. Ändå försvunnen ännu. Om också de gått bet, de
vars resurser är långt större än hans, vad säger det om hennes
öde? Vad armar han har slår han om mellangärdets stickande

oro. Sinnet söker sig till stadens alla avskilda vrår där en kropp kan ligga glömd i åratal, till Slussdammens djuphålor och råttfyllda källarvalv. Hans ögon klipper, sömnen vill inte låta sig besvärjas. Bara där finner han henne, men bara som ett irrbloss, bara för att väckas till lika delar lättnad och besvikelse. Hellre tar han till gatan igen.

Cardell är tidig, men Winge är redan på plats, vankande av och an i egna tankar, inte varse Cardell förrän de står inom varandras räckhåll.

"Ah. Jag väntade dig inte förrän om en kvart."

Cardell rycker på axlarna. Brisen gör ett uppehåll innan den nyckfullt bestämmer sig för att sätta av i ny riktning, och låter Cardell förnimma någonting nytt.

"Du luktar annorlunda."

"Hurså?"

Han måste fundera för att kunna ge svar.

"Granbarr, kåda, tjärved. Lera av en sort som knådats utan hjälp från nattkärlen. Inte som staden."

"Jag tar det som en komplimang, då. Vägen var lång. Det går nog över snart."

"Du har varit borta länge. Midsommar är två veckor förbi redan."

"Locka mig inte till att börja förbanna hästskjutsen, för i så fall kommer vi sitta här över nästa midsommar också. Vad nytt i Stockholm?"

"Inte mycket. Köpenhamn har brunnit några veckor hän, men det kanske du har hört redan? Elden slapp lös i hamnkvarteren. Tusen bostäder väck, själva slottet i aska och tusentals hemlösa har slagit läger i dess ruiner. Än från Bergslagen då?"

"Ingen Ceton, i alla fall. Men ändå något. Jag talade med en som mindes honom som barn."

"Det låter ju mödan värt. En näpen liten dräng, vår Tycho? Rosor på kind, spring i benen, rar mot de gamla och lytta?"

"Man känner andra som man känner sig själv, sägs det. Jag har haft mången timme i vagnarna att begrunda i hur hög grad min egen barndom stöpt mig till den jag är, vem jag kunde varit om saker ställt sig annorlunda. Än du då, Jean Michael?"

Cardell vänder sig bort, står tyst en stund innan han hittar mål i mun.

"En svedd krympling blev jag på egna meriter."

Winge bjuder Cardell en sittplats på en trave timmer, går själv bort till några matroser som delar en pipa sittande på sin egen landgång, dinglande med benen medan träet höjer och sänker sig efter vågornas skön. Om språket kan de inte enas, men ärendet är lätt klarlagt med gester, och mot en nypa tobak i byte blossar en av sjömännen upp glöden tills Emil fått fyr på en sticka och kan få elden i arv. Allt oftare ser Cardell honom röka, detta år. Så var det inte förr. Men nykter är han ännu, och kanske är summan av lasterna konstant. Med den sköra lerpipans skaft i klykan mellan tumme och pekfinger slår han sig ner. Vinden kommer loj från vattnet, het. Bortifrån Beckholmen bärs den fräna doften av sjudande tjära. Han är rastlös, Emil, tycks ha svårt att hitta ett bekvämt läge, och Cardell undrar om han inte försöker köpa sig mer betänketid nu när hans gäst kommit för tidigt. Till slut blåser han röken ur mungipan och repar mod.

"Det är något jag vill fråga dig, Jean Michael. Vi har sällan talat om vår afton i anatomisalen. Ceton skröt ju mer än gärna om sina illdåd, men bara där fick vi vårt enda eget lystmäte. Du, rättare sagt. Jag gjorde vad jag kunde för att hålla dig nere, men inte med fullständig framgång. Vad var det du såg?"

"Det hela. Ceton själv, hans arma kreatur, kvinnan på sin brits."

"Ceton. Hur såg han ut?"

"Som eljest. En ful fan med kinden uppskuren, utspökad till påfågel i krås och dykränger."

"Det är inte så jag menar. Hans min och hans lynne. Njöt han av skådespelet?"

Cardell skakar på huvudet.

"Jag tror han gjorde sig till för studenten. Det jag såg i hans ansikte var någonting annat. Karln verkade vara skräckslagen. Annars är det svårt att säga när han flinar eller ej, och länge trodde jag att jag tagit miste också då, men jag slängde samma ord i hans ansikte när jag schackrade med honom, och en gosse ertappad med näven bland pralinerna kunde inte sett mer skyldig ut."

Winge fyller mer tobak ovanpå den som redan glöder, blåser i piphuvudet för att sätta bättre fyr.

"I sken av vad du såg, Jean Michael, hur tänker du om de historier han berättat för oss?"

"Att han är skyldig till varje sattyg betvivlar jag inte."

"Men hans roll i dem är kanske inte helt och fullt den han målat ut?"

"Kanhända."

Emil lutar tankfullt huvudet bakåt och släpper iväg röken att sälla sig till de molntussar som blåser förbi i rymden ovanför. Cardell är på fötter igen, ännu trött efter natten som gått och utled på att tilltalas i gåtor. Winge väcks ur sina tankar och blinkar som en yrvaken.

"Förlåt mig, Jean Michael. Du har nya blessyrer. Hur går ditt sökande?"

"Dåligt, om än aningen bättre än förut. Ditt råd kom till pass."

"Vill du följa mig till Hammarby imorgon? Låt oss språka efteråt, om du vill."

"Till galgbacken, om en lördag? Varför i helvete då? Jag har sett nog av den varan för denna livstid och fler därtill."

"Dina ögon behöver inte vara på galgen, tvärtom. Kanske står oss lyckan bi."

"Du tror att Ceton kommer vara där? Varför skulle någon som håller sig dold gå ut på ett sådant spektakel?"

"Det var något jag fick höra i Bergslagen. Är han kvar i Stockholm kommer han att vara där. Jag tror inte att han är given något val."

13.

TILLBAKA PÅ KAMMAREN tar sömnen Cardell där han sitter, hänger huvudet mot bröstet och välter ryggen bakåt. Drömmen är en annan än den han fruktat: den är ett minne av svunnen tid, varje detalj lika klar som när det hände.

Han är en gosse på nytt, tretton år kanske, men redan välväxt och förmögen att göra dagsverke jämte far sin, en högrest karl med långa armar och händer som tunnlock, ansiktet låst i missnöjt jämnmod av ett liv i ansträngning till föga lön. Deras torp var ett av de yttersta, granne till den skog vars bortre gräns ingen sett, och där den som förirrar sig aldrig någonsin kommer åter. Stugan en korstimrad koja med mosstätade takstockar, golvet granris och stampad jord. En röjd backe full av sten var hans fars lott, och där tillbringade han sina dagar i kamp mot rötter och sten. Redan som barn var det tydligt för Cardell att stenen var ett levande väsen av sällsamt slag, en människans motsats som levde sitt liv på annan ledd. Med oändligt tålamod strävade den mot jordens yta ur sin födelses grav. Först uppe i dagen fick den sin vila, och rörde sig aldrig mer. Vad kunde väl annars vara förklaringen till att deras åker gav mer sten än säd i skörd varje år? Hade det funnits malm i deras växande rösen skulle de varit rika. Småstenen var en sak, men vart år som tjälen gick ur marken och jorden kunde plogas fann de en ny bumling stor som en karl, en hans far måste förlösa med stör och spett innan arbetet kunde fortgå. En sådan ansträngning kan knappast röna annat än besvikelse.

Cardell längtar till den dag då han är stark nog att möta sin fars nävar med annat än snor och tårar. Därför hjälper han villigt till på åkern, prövar sin styrka var dag jämte far sin, ser skillnaden krympa för vart år. I stugan går deras mor. Han vet inte hur gammal hon är, men hon ser äldre ut än kärringarna med barnbarn, åldrad i förtid av stryk och missfall. I kyrkan får hon skämmas för hälta och blåtiror, oftare under slöja än utan.

En dag svarar han för sig, en dag som alla andra. Ljuset viker och arbetet är sånär till ända. Trött och svart i blicken ger hans far honom ett slag i bakhuvudet när han slinter och tappar spaden, och när Cardell lyfter den igen är det inte för att ta ännu ett spadtag, utan för att slänga den så långt han förmår över fårad gyttja. Han har blivit slagen förr och ofta, för fadern tar sin sons tillkortakommanden personligt, varje besvikelse ytterligare ett korn av salt strött över det sår som är livet självt. Lille Mickel som har så svårt att läsa katekesen för att bokstäverna bara dansar om varandra, Mickel som aldrig är stark eller snabb nog att förnöja, inte i arm och knappast i tanke, dum som ett spån. Nu reser han sig i sin fulla längd, spänner ut det bröst som växt sig brett där faderns har kramats samman, och ut kommer de ord som han länge täljt ner till minsta fåtal.

"Du rör mig aldrig mer, och inte rör du mor heller."

Som vore de båda förberedda kliver de ut på fastare mark och blir stående en stund. Han ser någonting i sin fars ögon han aldrig sett förut, en oro med skam utblandad, som beräknar han summan av alla de slag som stakat ut hans misslyckande som far och som make, en insikt om hur dyr den skuld har växt som nu krävs åter. Men vredens rodnad är alltjämt trumf, och så går de samman och byter slag utan tanke på en morgondag. Efteråt kryper Cardell mot skogsbrynet, förmögen att resa sig först med stöd av en granstam. På åkern är hans far kvar på benen, om än dubbelvikt och blödande. Sedan reser han sig och står rak. Som segrare ger han sin son en sista blick, och Cardell spottar och känner sitt avskeds ord svida i spruckna revben.

"Jag kommer tillbaka."

Så vacklar han längre in bland stammarna, tar stöd mot en och pissar rött, fortsätter, svär inför skogens tystnad att han förlorat sitt sista slagsmål.

Den dagen han infriade sitt löfte om återkomst var det i kronans kläder, vuxen karl skjutsad på vagn. För sent. Mor borta, far ensam, en senig liten gubbe med kullrig rygg och smala axlar. Åkertegen förkrympt när matsäck rättats efter mun, skogen krupen allt närmre i tålmodig belägring. Att slå ihjäl honom hade varit en nåd. De bytte en blick, sedan gjorde Cardell helt om på tröskeln. Han inbillar sig att en snyftning följde honom ut, men vände sig aldrig om för att se, skammen för att ha dröjt för länge lagd på skammen över sin flykt.

Sakta vaknar han, vilsen för en stund, och finner att det drömda minnet släpat gamla känslor upp i nuet. Besvikelse, ilska mot sig själv och andra, tvivel på den frihet som köpts till priset av dåligt samvete. Träldom av ett slag bytt mot en annan. Han blir inte klok på ljusets vinkel tills han lutar sig ut genom fönstret för en glimt av kyrktornet och finner att det är arla gryning. Lördag redan.

14.

"VÄDERLEKEN STÄLLER SIG på rättsskipningens sida."

Dagen är het, solen ensam på blå himmel, och många har sett sig uppmuntrade till utflykt. Cardell låter blicken svepa över församlingen. Samma blandning som man kunnat förvänta sig, ett tvärsnitt av staden med övervikt för de fattiga och de nyss inflyttade. Fångar av högre valör schavotterar inne på torgen för att bespara de välbeställda fläckar på strumporna borta i Hammarby. Cardell har ingen önskan om att se någon hängd. Han har sett det förut, och skådespelet bjuder få överraskningar. Han håller galgen i ögonvrån. Emil pekar med pipskaftet på måfå ut bland folket.

"Han lär göra sitt bästa för att hålla sig inkognito."

"Hur ska vi finna honom, då?"

"Jag tror inte att han förväntar sig oss här. Det lär inte bli honom en angenäm överraskning. Leta efter någon som visar igenkänning, och som vänder sig snabbt för att göra kvick sorti."

De spejar tillsammans en stund under tystnad. Uppe vid galgen gör prästen sitt. Snart är deras chans förbi.

"Jean Michael – din arm, kan du spänna loss den och hänga den över axeln? Det skulle göra oss mer iögonfallande."

"Stympningen är i sanning en gåva som bara forsätter ge."

Cardell gör som han blivit ombedd, varsamt grepp om varje

spänne för att inte väcka det onda som slumrar. Bakom dem knakar bödelstrossen i sin sträckning, och vidare till strypnings-dödens glissando. Winge skiftar rastlös bredvid honom, sträcker på nacken allt vad han kan.

"Inget? Ännu inget?"

Kanske. En karl i rock och hatt, skäggig, som med en knyck vänder på klacken och försvinner bland folket. Cardell kisar och pekar.

"Där. Borta vid galgen. Såg du?"

"Ceton?"

"Kanske, kanske inte."

"Kom då. Hellre besvära en oskyldig."

De sätter fart bäst de kan genom folkhavet, Cardell först som en plogbill i lucker mylla. Fast Cardell traskat mer denna vår än han gjort sedan exercisen är språngmarsch något annat. Sällan prövade muskler protesterar, rygg och lår gör sitt missnöje känt. Han ökar takten genom glesnande led, och snart har han vunnit backen där färre skymmer sikten. Tårögd av damm och fart ser han sitt villebråd kasta sig utför sluttningen, och han själv sätter efter, med sulorna smattrande mot stoftet, varje steg som en smäll mot knäet. Är det Ceton löper han som om hans liv hängde på det – försprånget är fortfarande betryggande, men det krymper för vart steg, och Cardells flåsande mun spricker upp i ett varggrin när han inser att loppet är hans att vinna. Snart kommer skansen med sin tullbom, rest dagen till ära så länge galgbacken bjuder förströelse, och bakom den glesa hus och fri sikt, barmark. Hållet i sidan och blodsmaken i munnen ger han fan i, ökar takten eggad av löftet om segerns sötma.

Kanske kommer den snarare än väntat: Ceton har givit tappt vid bommen, står intill vaktstyrkan som kommenderats hit för extratjänst, pekar åt hans håll. Cardell dristar en blick över axeln, ser att Winge inte är stort mer än en prick på Hammarbyhöjden ännu, svär en ed och sluter avståndet. Så är korvarna överallt i hans väg, med behandskade nävar utsträckta i lugnande hotfullhet. Han har andan i halsen och blod susande i öronen, gör sig inte förstådd, och när orden står sig slätt och han försöker knuffa sig förbi är de på honom, låser armar och ben, tar grepp om nacken och tynger honom tills han faller på knä. Vrede och besvikelse ger honom ny styrka, och de är snart en enda hög av fäktande lemmar, låsta i slingrande fläta. Winge kommer till slut, lika andfådd, och det tar honom tid att gjuta olja på vågorna, skilja männen åt med lugnande ord, förklara vem som är vem och vem som har rätten på sin sida. Svarta i blicken rättar soldaterna till sina rufsade persedlar, och Cardell blänger lika illa. Av den jagade finns ingenting att se.

"Var det han, Jean Michael?"

"Visst fan var det han. Han har låtit rakkniven rosta, men slokhatten flög väck i farten. Helvete. Helvetes jävla piss, guds död."

Emil öppnar munnen, men stänger den igen när Cardell ger honom en trotsig blick.

"Skit. Satans förbannade skit."

Winge nickar fromt. Cardell borstar grus från låren.

"Så. Nu är jag färdig för stunden."

I saktare mak börjar de gå inåt staden. Nervöst tvinnar Winge sin klockkedja mellan fingrarna.

"Detta gör vår olycka fördubblad, Jean Michael. Inte nog med att Ceton slank oss ur händerna, han är också varskodd om våra ansträngningar. Men jag befarar att det är värre ändå. Nu kan vi bara vänta."

"På vad?"

"Till galgbacken går han aldrig mer. Jag tror inte vi lämnat honom något val annat än att finna det han söker annorstädes. Det är bara en fråga om tid innan han lägger ett lik i vår väg som bär hans märke. Det är illa, Jean Michael, illa. Med dylika misstag bjuder vi fjolårets debacle åter."

Winge sparkar en sten tvärs över Postmästarbacken.

"Fan också."

Cardell trevar med handen över midjan, försäkrar sig om att tobakspungen finns kvar.

"Du lär dig."

15.

DET ÄR SÖNDAG, aldrig en dag som är Petter Petterssons lynne till gagn. Kyrkklockorna kallar till mässa, och dånet som rullar över fjärden och inifrån malmen ekar i spinnhuskapellets egen gälla bjällra. Det är ännu ett hån att sälla till den börda tillvaron tycks lägga till hans last vid varje vägskäl. Det är ljudet av andras hyckleri, avsett att ge honom ett dåligt samvete han inte kan värja sig mot. I hans huvud ges klangen ord: Du är sämre än andra, Petter. Till helvetet ska du, Petter, och ringaktning bli ditt eftermäle. Inte ens efter den måttstock du täljt åt dig själv är du någonting att räkna med, Petter.

Värst svider det sista, en åskknall av sanning i sinnets mörker. Han sätter sig tungt upp på sängen, känner huvudet skvalpa och bakfyllan ges nytt bränsle, och vacklar över kammargolvet mot handfatet. Han slår i och doppar ansiktet, håller det under ytan tills lungorna bränner, för att sedan skopa svala handfullar över svål och nacke. Mellan låren skaver könet, bultande och hårt som ett kvastskaft. Det smärtar när han vidrör det, och han vet av erfarenhet att självbefläckelsen inte är möjlig. Den gör hans skam alltför tydlig. Bara om nätterna kan han få lindring, i feberdrömmar där han vaknar med hjärtat i halsgropen och klibbigt mellangärde, likt ett barn som inte lärt sig söka nattkärlet.

Felet är hennes: flickan Knapps. Hon gav honom sitt ord

och bröt det sedan. Ljög honom rakt upp i ansiktet; lämnade honom där som en försmådd brudgum, i sin godtrogenhet ett enkelt rov för kvinnlig list. Hundra varv var det sagt. Hon hade aldrig en tanke på det. Lockade honom i en fälla. Fy fan. Sveket lämnar honom ingen ro, stör honom i sitt värv. Sömndrucken och med mörka ringar under ögonen mönstrar han de svultna spinnhushjonen var dag, måste gnugga ögonen var gång han förväxlar någons ansikte med hennes. Sedan upp till vaktmästarkammaren, där sömnen kommer endast i skov, mättad av gäckande drömmar om det som kunde ha varit.

Han försöker hitta andra. Gud nåde den som minner om henne det allra minsta. Kommer någon från staden linblond och med en glimt av kurage gömd i nedslagen blick går det henne illa innan hon sett slutet på sin första dag. Men till föga nytta. Det är ingen tåga i dem, knappt ett rapp tål de innan de tar till lipen, strax därpå är de förbrukade, och han får lomma iväg, inte andfådd en gång, medan de släpas åstad för att sjåpa sig i sjuksängen. Pettersson vet att han borde lägga band på sig. Han går på för hårt. Att dölja sina drifter under bestraffningens förevändning var aldrig enkelt, men det som en gång var en öppen hemlighet är inte längre någon hemlighet alls. Han ägnar konjunkturen en tyst svordom, förbannar Reuterholm och vad för herrar som nu sitter med abakus över rikets räkenskaper. Hade man förvaltat skatterna bättre till att börja med hade också hans läge varit ett annat, men plötsligt ska allting räknas på nytt, och spinnhusets kvoter är inget undantag. Liggarna nagelfars, och det spunna garnet mäts i alnar. Krooken själv, inspektor Björkmans ersättare som nu räknar sitt andra år på posten, har tidigare låtit verksamheten bero till fördel för stadens kotteri, men dristar sig in på vaktmästeriets domäner och läser lusen av honom och hans kollegor på eldfängd finlandssvenska, röd som en nykokt kräfta i synen och ilsk som en bandhund. Man spinner inte nog. Kvoterna måste upp. Ingen som vet skälen till underskottet säger någonting, därtill fruktar man Pettersson för mycket, men till och med de enfaldigaste av hans paltar begriper att den kvoten aldrig kommer att höjas om Pettersson varannan dag skickar ännu ett spinnhusjon till sjukstugan, vars knutar redan knakar under bördan, och den kost man har att ge är knappast näringsrik nog för att låta såren läkas.

Han försöker odla andra laster för att lindra sina kval. Han håller sig med brännvin på sin vaktmästarkammare, trycker kinden stinn av tobak tills hjärtat slår som hovar i galopp, men det hjälper föga. Tvärtom. Fyllan vittrar hans omdöme, och när någon av töserna slinter med gaffeln eller hålls kvar i sängen av frossa trotsar hans känslor all behärskning. Som på eget bevåg letar sig Mäster Erik till hans hand, dansen börjar och gruset bestänks. Han räknar varven, som alltid. De är alltid så få. Hundra varv. Hundra varv. Det var vad han blev lovad. Men han står bedragen. Än ringer klockorna, fan ta dem.

Vid spegeln tar det beslut form som han ältat i en vecka eller mer: Han måste lägga manken till i några veckor, försöka få lite fason på huset, se över kvoterna och låta hjonen spinna i fred. Bara denna sommar. Till hösten nya tag; kommer tid kommer rön. Han borstar uniformen, och dess många mörka fläckar gnider han med såpa bäst han kan. I fortsättningen dans endast om söndagen, vid middagstid, som seden bjuder. Med något mått av nyvunnen tillförsikt striglar han kniven för att skrapa kinderna lena och rosiga.

Han torkar sina nyrakade kinder och drar fingrarna över stubben. På dörren en knackning.

"Pettersson? Besök."

Hybinettes röst. Är det Krooken igen, kommen i dansskor med nya förebråelser? Han stryker kniven ren mot handduken och lägger den åt sidan.

"Vem?"

"Cardell, du minns. Dagdrivaren. Hoppas du har mage stark nog att hålla frukosten nere, han ser för jävla hemsk ut."

Hybinette må vara svag för överdrift, men den här gången har han gjort verkligheten rättvisa. Det är så att Petterssons ögon tåras av synen. Cardell väntar honom utanför spinnhusporten, rör sig inte ur fläcken, och Pettersson kliver ut för mötet.

"Tjugofyra Cardell, minsann. Du ser ut som om någon trätt en veke genom svålen på dig och glömt den brinnande över natten."

Cardell knycker med nacken, och tillsammans går de en bit bort nedåt vägen, längre från nyfikna öron. Pettersson anar hans ärende, hans hjärta slår som en knytnäve mot bröstkorgen och hans tålamod sviktar fort.

"Sist du kom lommande gällde det flickan Knapp."

"Hon var här i höstas. Du låt henne gå."

Pettersson lägger huvudet avvaktande på sned.

"Kanske det."

"Varför? Och vad hände sedan?"

Petterssons ilska låter sig inte längre tyglas, inte nu när den givits en chans till utlopp. Han ser henne framför sig, i sin låtsade uppriktighet, fräknar och blå ögon och linblont hår, oskulden själv klädd i människohamn. De ord som ekat inombords i ett halvårs tid vill ut allihop, så snabbt att läpparna knappt hinner med.

"Det lilla ludret bedrog mig. Hon svor att komma tillbaka. Bara därför fick hon löpa. En vecka väntade jag, så länge var det sagt. Rörde ingen annan, höll mig kysk för hennes skull. Sedan väntade jag en vecka till. Sedan en till. Så länge trodde jag det bästa om henne, hon som såg mig rakt i ögonen och svor på sina barns liv."

Han spottar framför sig, och Cardell väser till svar.

"Vad var det hon lovade dig?"

"Hundra varv."

"Vad?"

"Hundra varv runt brunnen i svängom med mig och Mäster Erik. Efter det kunde jag ha dött lycklig istället för att försmäkta på min tjänstekammare."

"Jag ska hjälpa dig till nya kvarter, trängre men lugna, med stampat jordgolv och sex fot i tak."

Cardell har klivit närmare, fötterna plötsligt brett spridda, vänsterhanden måttad till slag, och Pettersson ruskar på huvudet för att tvinga sinnet åter till klarhet. Sedan spricker hans kinder upp i ett brett leende. Han sträcker på sig och fyller bröstet för att inskärpa sin storlek.

"Du, ensam, mot mig? Kanske i din krafts dagar, om ens. Men det ska nog mer till än en nyhalstrad krympling för att ta sig an Petter Pettersson."

Tränäven kommer, och Pettersson lutar sig bakåt medan två snabba nävar fångar den i luften mellan dem, och Cardell tar hjälp av sin högerarm, skiftar sin vikt, pressar stumpen framåt som mot en mur av smärta, och under Pettersson knastrar gruset när vaktmästaren trycks bakåt på stilla fötter. Pettersson lutar sig framåt för bättre spjärn, och så står de helt stilla, låsta mot varandra liksom två gossar i stående brottning där ingen av dem förmår vinna fördel. Pettersson är den som talar först, orden tillgjort obesvärade fastän Cardell kan se ådrorna dunka på tjurnacken.

"Inte här, Tjugofyra Cardell, och inte nu. Jag är för mån om min ställning för att dräpa paltar på egen tröskel."

Han knycker med huvudet åt vattnet till.

"Men inte ska du behöva gå odräpt länge. Det finns en strand nere vid Gullfjärden, alldeles här bredvid. Om vi skulle stämma träff där i vargtimmen när månen är full, så vi ser ordentligt? Inte den som kommer, utan nästa; jag har att stå i. Ge dig till tåls och ta sedan med dig din sotiga träkloss och vad annat du nu har som du tror kan hjälpa. Jag tar med mig Mäster Erik. Han dricker sällan karlablod, men det smakar nog likadant, och du kan väl lockas att dansa, du som andra."

Remmarna skär i gamla ärr. Cardell väser för att hålla smärtan ur rösten. Ansträngningen får synen att svartna, men ändå pressar han sig en hårsmån närmare, nära nog att se hur ett solkigt pappersark sticker fram där Petterssons jacka glidit upp.

"En pant. Nog måste hon ha lämnat dig en pant."

Pettersson byter riktningen i sin kraft och bryter omfamningen. Han flåsar på avstånd medan han samlar sig, stoppar tillbaka skjortan innanför byxorna och plattar ut det tyg som skrynklats.

"Ett brev."

Pettersson flinar åt Cardells min.

"För henne var det värt tvåhundra riksdaler. När hon inte kom tillbaka kände jag mig som den värsta hanrej världen skådat. Tills det kom folk och började fråga efter det, och jag lade ihop två och två. Jag kan se på dig att du gjort detsamma. Rudenschöldskan skrev det. Det är värt halva kungariket. Men vad spelar det oss för roll, Cardell? För oss är det värt långt mer. Det är ju prinsessan vi vill ha."

Han spottar i näven och stryker en hårtest från tinningen.

"Hon bar det dolt innanför blusen, intill bara skinnet. Jag håller det ännu under näsan när jag njuter i avskildhet, och inbillar mig att det fortfarande doftar av hennes barm. Skulle inte du gjort detsamma, så säg?"

"Ta med det till dansbanan, så jag kan plocka det av din kallnande kropp."

16.

FRANS GRY HAR suttit på Sista Styvern från arla förmiddag till middagstid med bara sin bittra hämndlystnad till sällskap. Den fördärvar hans nattsömn och tvingar honom att älta förspillda möjligheter: hade han inte varit så full hade han inte låtit sig pryglas; hade han fattat vem det var som gav sig på honom hade han satt sig till bättre motvärn; hade han haft något tillhygge inom räckhåll hade han betalat tillbaka lika gott som han fick. Och sedan några veckor är Lotta Erika tillbaka, hans nesa till ständig påminnelse.

Ända sedan i våras har han sökt sig till krogar av en sort han tidigare undvikit: de lokaler där gamla krigsmän samlas, män som märkts av striden illa nog att göras obrukbara för annat, och vars enda tröst är det berusningens töcken av minnen som de nagelfar efter mening. Förut gjorde de honom alltid nedstämd, såg på dem med fasa och förakt, fjärmade sig som enda sätt att bekräfta att han inte var en av dem. Nu är han i utkanterna av deras sällskap, nära nog att lyssna efter det namn han helst vill höra, det han själv ältar med allt högre ljudstyrka ju fullare han blir. Ikväll gör han det äntligen.

"Och Cardell sedan! Minns ni honom? En hundsfått om jag någonsin mött en."

Gry känner vagt talaren till utseendet, och omsider kommer

också namnet till honom. Fastän han sett karln av och till under de senaste åren har han aldrig unnat Kreutz mer än en flyktig blick, och nu när han skärskådar den forne styckjunkaren förundras han över att han alls förmår ge honom sitt rätta namn. Den han en gång kände har gömts under ålderns mask. Kreutz går rak i ryggen som en lodlina, och snart ser Gry att det beror på att någonting stelnat där som inte vill slakna och tvingar Kreutz att stappla fram med krumma ben och platta fötter. Gry lärde sig aldrig något förnamn. De känner varandra på soldaters vis.

Gry vet först inte hur han bäst ska återknyta bekantskapen. De rundstycken han har på fickan räcker antingen till några supar eller till kvällsvard, inte både och, men hans osäkerhet gör valet åt honom. Drycken smakar illa, ett satans rävgift. Men priset är också lågt nog att tysta all klagan, och har man väl tvingat klunken förbi strupen sprider den sin värme lika gott som bättre varor. Som Gry hoppas ger fyllan mod i barm, och när övriga sällskapet släntrat ut dråsar han ner på den stickiga bänken jämte Kreutz med förnyat självförtroende.

"Klart skepp."

Kreutz kisar mot honom en stund utan att svara. Gry kan i det fårade ansiktet se alla de känslor han själv genomgått alldeles nyss, och tvingas tillstå att inte heller han själv längre är ett mönster av ungdom och skönhet. Åldern och skörlevnaden har garvat vidare det skinn som kriget påbörjade.

"Gry, inte sant? På Alexander?"

"Densamme."

Han bjuder Kreutz en sup, och mer än så behövs inte. På krigsmäns vis är de förlorade i gamla minnen: väderspänningar som kanonskott i kojerna under däck; Viborgska gatloppet;

horan som klätt sig till skeppsgosse; skeppsgossen som misstogs för horan och skrek förgäves. Kreutz står i tobaksbod för småslantar, och spottar i golvspånen vid blotta åtanken. "Föreståndaren är en fähund som får kapten Risberg att framstå som ett under av välvilja. När en kula slog masten av oss tog jag en näve trästickor i ryggen, vet du, och kan för fan inte ens böja mig. Ber någon om låga varor får jag gå ner på knä och famla i blindo. Några glin som blivit varse mitt lyte gör sig ärenden till boden enkom därför, och när jag kämpat mig upp igen är de borta. Sådan är tacken för att vi försvarat riket."

"Nåja. Det var ju vi som anföll."

"Klen tröst."

Konspiratoriskt lutar sig Kreutz mot Grys öra.

"Vet du, jag gör mig ett ärende till Riddarholmskyrkan varje helg för att pissa på muren. Kungen ligger där i sin kista, med stora Svensksundsmedaljen på bröstet, den han slagit själv och låtit hänga i guldkätting om sin hals. Sipprar några droppar ner i kryptan dör jag nöjdare. Inte sällan möter jag andra som haltat dit i samma syfte."

Gry drar djupt efter andan och gör en ansats att komma till sak. Allt fler har börjat samlas under de sotiga bjälkarna, och sorlet börjar besvära hans öron, som ständigt tjuter sedan pjäsernas buller gjort honom lomhörd.

"Jag hörde dig nämna ett bekant namn förut. Cardell?"

Kreutz funderar ett slag innan åminnelsen tänder hans rynkor.

"Ja, den jäveln. Jag mötte honom för ett tag sedan då han satt på Hamburg och skolkade från tjänsten. Vi växlade några få ord. Folkilsk som få, men han har ju alltid varit lite förmer. Jag hade pengar på fickan för ovanlighetens skull, några slantar efter en farbror som måste sluntit med fjädern i testamentet. Så fort

Cardell fick syn på börsen blev det annat ljud i skällan, vi var du och bror på sekunden, och när vi supit tillsammans en stund skulle han låna pengar. Dum och godtrogen som jag är gick jag med på det mot löfte om att få allt tillbaka till helgen, men tror fan att jag kunde finna reversen när jag vaknade morgonen därpå. Och vad tror du den satan sa om lördagen, när jag kom för att förklara min belägenhet?"

"Vad?"

"Han ville inte kännas vid vare sig lån eller revers. Satt där och flinade i nybeckade stövlar. Sådan var tacken till en gammal skeppskamrat. Vi var båda på Fäderneslandet vid Hogland. Sextio kanoner hade hon, och nu räknas de för intet."

"Vad var han för karl på den tiden?"

Kreutz synar besviket sin tomma bägare. Tyst förbannar Gry den angelägna ton som har förrått hans fråga som mer än bara nyfikenhet. Nu sätter Kreutz pris. Gry kan inte annat göra än att be värden slå i, om så på kredit. Han tar en själv också, fast han inte borde, men att se andra dricka medan han själv sitter nykter har aldrig legat för honom. Kreutz smackar med läpparna, belåten.

"Det finns ju underbefäl och underbefäl. Det vet du också. Dels de som strävar uppåt för egen skull, och blir småpåvar som klarar sig väl så länge de inte ger sina hunsade mannar tillfälle att rikta ett vådaskott i ryggen på dem. Cardell var av andra skolan, en vanlig knekt som befordras mer eller mindre mot sin vilja. Illa lämpad för posten. Behandlade sina mannar som vore de hans småsyskon, pjåskade sig i oförstånd. Den sorten blir sällan gammal. Bly eller stål brukar de få i lön för sin möda."

"Och sedan, då?"

"Dumbommar av den sorten reder sig sämre i fred än i krig.

Största nåden hade varit att de fått stupa mangrant. Om inte annat är det samvetet som tar kål på dem. Ingeborg gick ju under med man och allt, Cardell en av de få som fick behålla livhanken. Jag fick intrycket att han tog det som ett straff snarare än en ynnest."

Frans Gry snubblar över orden nu när samtalet lämnat plats för hans ärende.

"Jag ska inte hymla om att jag har ett horn i sidan till karln, jag liksom du. Man kanske skulle kunna hjälpas åt att lindra hans kval, för gott? Du råkar inte veta var han huserar någonstans?"

Kreutz betraktar honom en stund innan han sänker rösten och lutar sig närmare.

"Nej. Men det finns det säkert andra som gör. Jag kan göra förfrågningar. Diskret. Det vore en välgärning för honom och andra."

Kreutz behöver inte Gry till hjälp för att vinka påfyllning, och nu börjar skrålet omkring dem. Man ropar en försångare upp på en bänk, som harklar sig och stampar sin egen takt, en som smittar från fot till fot tills golvet svallar. Karln sjunger varannan strof med klar och ren stämma, och varannan svarar männen för att göra vemodet till sitt; de fullaste vattnar skäggen med tårar.

"På mörka böljan, den svarta flod, där brusar storm och oväder."

"Där vågar jag mitt unga liv på några tunna brädor."

"Och om du vill till böljan gå så skall du noga skåda få."

"Likkistan min, med flagg och vimpel ovanpå."

17.

"MICKEL!"

Först undrar han om det inte är en annan med samma namn som söks, men när han vänder sig vinkar en flicka åt honom och lösgör sig från en skock kamrater. Korgflickor alla, i tät skock nära husmuren, var och en klädd i den nyans av grått som deras arv beskärt, med tyg över håret. Lotta Erika kommer över kullerstenen med den tomma korgen i handen. De möts halvvägs, kliver in i skuggan under Börsens kolonner för att slippa solen i ögonen. Sommaren är het, stinn av iver att ta igen allt den missunnats av kall vår. Han ger henne en nick.

"Lotta. Hur går det för dig?"

Hon rycker på axlarna, men svaret ser han på henne redan. Inga fläckar av den sort som flockar sig till den som måste sova ute solkar henne. Armarna fria från blåmärken efter hårda grepp. Hullet är friskt och blicken morsk.

"Jovars."

"Och hemmavid?"

Hon tittar bort, spottar över axeln som för att avvärja onda förebud.

"Som Frans stirrar, Mickel. Han gör liderliga ögon var gång han ser mig. Tvätta mig törs jag bara när han är ute, annars är det säkert som amen i kyrkan att han gör sig ett ärende förbi i hopp om att se mer än han borde. Men han rör mig inte, och han gör som han blivit tillsagd."

"Du sparar väl?"

"Allt jag kan. Och hittar jag en tjänst någonstans kan jag väl få ny bädd också."

"Nå."

Rastlös tittar han åt pumpen, väntar på att hon ska komma till sak. Stenlejonens käftar spyr vatten i spann efter spann. I kön munhuggs man av hjärtans lust, en gosse i trasor som utmanats om sin plats underhåller en växande grupp med haranger av färgglada okvädingsord som vittnar om den bästa av läromästare.

"Det är tre saker, Mickel. Jag tror Frans smider på vedergällning. Hur vet jag inte. Han muttrar ditt namn när han dricker, alldeles svart i blicken."

"Värre än Frans Gry har jag fått tampas med i mina dagar."

"Han är en elak fan, och värre nykter än full. Nu vet du."

"Och mer?"

"Du har sagt att du söker en karl som håller sig undan. Jag har spritt det bland flickorna."

Hon vinkar åt en av de andra, som nickar blygt och skyndar fram, niger för Cardell som ger henne en nick till svar.

"Det här är Lisabet. Lisabet, berätta för Mickel vad du sagt till mig."

Flickan är kort och satt, ser ut att vara något år yngre än Lotta.

"Lisabet är lillasyster till en flicka jag känner, som går med korgen kring Gertrud. Seså, Lisa."

"Det bor en karl i Cassiopeja, alldeles nära oss. Han kom i höstas, satte inte näsan utanför dörren på hela vintern. Min kusin bar honom ved och förplägnad för några slantar."

"Jaha?"

"Han bär skägg nu. Men inte när han kom. Då hade han ett hemskt sår på kinden sin."

"Vilken sida?"

Med fingret förlänger hon sin vänstra mungipa.

"Vill du visa mig var?"

Innan de går hejdar Lotta honom med sitt tredje ärende. Ytterligare en flicka vinkas fram, ansiktet ännu märkt av bleknande blåmärken som framträder starkare när färgen stiger till hennes ansikte. Hon håller händerna bakom sin rygg, och sträcker fram sin gåva först när hon står alldeles framför honom. Flickorna håller andäktig tystnad, och Cardell räcker ut sin enda hand för att ta emot det som erbjuds: en rosa fläta där klockformiga blomster fogats samman av gröna stjälkar knutna i mönster om varandra. En fläkt av deras väldoft stiger över torgets stank.

"Vi var ända ute till tullen innan vi fann dem."

Cardell står kvar med flätan i hand, rådvill vad han ska göra av den. Skyggt viker giverskan undan in i flocken av sina egna, och när de skingras förblir han stående en stund blommorna i näven. Det tycks honom att de redan slokar mer än nyss. Han stoppar flätan innanför bältet och följer den flicka som väntat, mot kvarteret Cassiopeja.

18.

DE VÄNTAR I kammaren tillsammans. Längre upp i trapphuset har de lämnat en lånad polisbetjänt redo att spärra flyktvägen på ropat kommando. Karln gör vad han kan för att hålla sig inkognito, rock över uniformsjackan och halsbrickan under kragen. Kammaren är liten men dragig, vinden kännbar genom takets gistna brädor och i mellanrummen där fönstervirke och stenmur förenats av konvenans till ömsesidig motvilja, ett rum av den sort där inte ens en sprängeldad kakelugn lär kunna hålla vinterkölden stången. Draget är av ett elakt släkte; det gör föga för att vädra ut, och heta dunster kommer som tunga suckar ur gliporna var gång nattbrisen tar i. Rutorna är sotiga och dämpar ljuset, smuts och damm täcker golvet, fållbänken ett ostyrigt näste av övergivna filttrasor. Vägglössen hänger i skamlösa klasar, tama och tålmodiga. Det är en alldeles särskild doft, en Cardell känner från celler och förvar: så här luktar det rum där en människa vistats alltför länge, må det vara på Danviken, på Kastenhof, under Ingeborgs däck, i militärens baracker, i valven under Indebetouska. Inte olik hans egen hyrda vrå i fjol vintras. Cardell ruskar på sig som en våt hund för att jaga minnena väck.

"Om detta är Cetons näste så har han mindre att röra sig med än vi trodde. Stockholms hyresvärdar må vara ett ockrarsläkte som fan själv reserverat plats åt i sin varmaste kittel, men inte ens de lär kunna kräva mycket i gengäld för en usel koja som denna."

"Detta är bra, Jean Michael. Bättre än vi kunnat hoppas på. Hade han vunnit sina forna ordensbröders goda vilja hade han huserat bättre."

Emil håller upp en bok mellan tumme och pekfinger, nyss lyft från golvet under sängen. Titelbladet säger inte Cardell någonting. Hans gissning går till det säkraste kort han känner.

"Franska?"

Winge nickar.

"En av de titlar Tre Rosor nämnde i sin text, utlånad att fördriva tiden med på hemresan. Jag tvivlar på att han läste den."

På botten av en kista ligger ett knyte svept i oljeduk, och efter att ha hållit det i vinkel mot ljuset sträcker Cardell det till Winge med ett triumferande leende.

"Jag är ingen heraldiker, men är det där inte Tre Rosors vapensköld så vet jag antingen inte hur en ros ser ut eller så kan jag inte räkna till tre."

Också Winge söker ljuset, slipad stock och blånerad pipa balanserad på ivriga fingrar.

"Eriks pistol, med monogram och allt. Den som Schildt bar med sig till Cul de Sac. Med denna har vi honom, Jean Michael. Nu kan vi binda honom till brott med annat än hans egna rövarhistorier och våra vittnesmål."

Ingenting annat av värde står att finna.

"Vad dyrgripar han kan ha fått med sig är sålda, och bär han slantarna på sig kan de knappast vara många."

Cardell nickar.

"Ja. Kan du inte känna det på lukten? Den sitter ju i väggarna."

"Vad?"

"Desperation."

Intill fönstret står en stol, uppställd för att ta vara på det lilla ljus fönstret ger. Cardell torkar sits och rygg rena och bjuder den åt Winge, som sätter sig för en stund innan han är på benen igen, i rastlös bana över golvet. Själv tar han kistlocket. Det timrade valvet klagar under hans tyngd.

"Sätt dig ner och tänd din pipa. Du syns inte i fönstret, och hellre pyrande tobak än Tycho Cetons ingrodda smuts. Allt vi kan göra är att vänta och hoppas att lössen behagar spara oss någon enstaka blodsdroppe till dess."

Det kryper på hans kropp redan. Halvhjärtat slår han sig över nacke och skjorta, i vetskap om att alla dylika ansträngningar är fåfänga. Han flyttar kistan fri från väggen för att bättra på sina chanser, väntar på att elddonet slutat knäppa och glödens krydda spritt sin doft.

"Det vore gott om vi kniper den satan redan nu."

Winge höjer ett ögonbryn i tyst fråga.

"Två veckor hän har jag ett handgemäng avtalat. Petter Pettersson, vaktmästare åt spinnhuset. Blir det som det är tänkt är vi två som kommer bjudna, men bara en därifrån."

"Är du säker på att det blir du?"

Cardell sträcker på sig.

"Han är välväxt, så mycket får jag ge honom. Men vad vet väl en sådan som han om smärta, annat än den han tillfogar själv? Där har jag det desto bättre förspänt."

"För Anna Stinas skull?"

"Hennes och andras. Karln pryglar flickor för sitt höga nöjes skull. Han vet var hon är lika lite som någon, men jag tror att han söker han också, och finner han henne går det inte väl. I vilket fall som helst har den nacken fått gå oknäckt alltför länge."

"Är detta verkligen så klokt, Jean Michael?"

"Sköt du ditt, så sköter jag mitt. Var det inte du själv som bad mig lösa mina affärer med flickan först?"

Röken gör lite för att rena kammaren. Cardell tar sin blomsterfläta och håller den under näsan, vänder sig bort för att undgå Winges fråga innan den hinner ställas.

Winge röker tyst sin pipa medan ljuset sviker. Endast pipans glöd skrämmer skuggor över väggarna var gång han sätter skaftet till läpparna. När han rökt i botten förblir han stilla och låter kritan svalna, skruvar på sig, otålig igen nu, och kastar ännu en fruktlös blick ner på den stökiga gård som redan ligger skyld i kvällens sköte. En sugga snarkar i sin kätte.

"Saker och ting går mot sitt slut, Jean Michael. Detta år är Reuterholms sista. Vi får snart en kung igen."

"Tror du att det kommer göra någon skillnad?"

"Vanstyret har varit illa. Tidvis ren fars. Dårskaperna har avlöst varandra, alla med värsta utfall. Unge Gustav har kunnat betrakta skådespelet från första parkett. Han har givits alla tillfällen att lära sig av andras misstag."

Cardell fnyser så att tobaken sprätter.

"Vore människan så beskaffad skulle varje ofärdsår vara början på en guldålder av fred och välvilja."

Winge rycker på axlarna.

"Mycket gott har gjorts detta sekel. Tankar har tänkts som lovar en ljusare framtid."

"Jag tänker mig att framtiden är lite som utsikten över Stadsholmen uppifrån Bödelsbacken. Den må se fin ut på håll, men när man väl kommer dit är den mest full av skit."

"Vad har vi annat än hoppet?"

Han lämnar ämnet därhän, ställer sig att spana ut genom fönstret.

"Vad gör du sedan, Jean Michael?"

"Vad menar du med det?"

"Låt säga att vi snart hör Cetons steg i trappan, och kan, som du sade, knipa den satan på hans egen tröskel kort därpå. Rätten gör sitt. Han ställs till svars för sina brott och döms. Än sedan då, för din del?"

"Det beror på."

"På flickan?"

Cardell nickar buttert.

"Och om du inte finner henne?"

"Då letar jag väl vidare."

"Men ..."

Emil Winge hejdar sig, låter frågan dö osagd på läpparna, söker efter bättre sätt att säga sin mening.

"Jag önskar dig lycka till. Vad jag vill ha sagt är att alla ständigt tycks underskatta dig. Ta inte deras missuppfattning för insikt och gör samma misstag själv. Bara du har hågen återstår dig många möjligheter."

Cardell byter tuggbuss och ruskar på sig.

"Än du då, Emil?"

"Jag kan inte ge dig något säkert svar. Inte fortsätter jag med detta, i alla fall. Jag lovar att berätta när jag vet."

"Nog filosoferande nu. Tanken tycks plåga er belästa som snuvan vanligt folk. Allt jag har att sätta emot är en dos folkvett: Sälj inte skinnet förrän björnen är skjuten."

Winge suckar och nickar sitt medhåll.

"Så sant som det är sagt. Låt oss vänta och se."

Nere i gränden vid gårdens gräns är flickan, hon som lett

Cardell till Cassiopeja. Ansiktet mörknar av ansträngning medan hon lägger all sin vikt mot kvastskaftet hon tagit till hävstång. Virket bågnar och knakar, en tunna rubbas och stjälps över ända, och ut i gränden rinner dess innanmäte att smörja kullerstenen hal. Med sitt värv förrättat finner hon en skugga stor nog att välkomna henne, och väntar hon också.

Med gryningen får jakthundarna vända hemåt med oförrättat ärende. Den långa vakan har inte tjänat till mer än att vända dygnet på sitt huvud. Till kammaren kommer ingen. De får nöja sig med att varsko hyresvärden om att skicka bud om gästen syns till igen, utan mycket att hoppas på. Ute i den smala passagen från gården ligger orenheten att sälla förnedring till förlust; väl hemma tvingas Cardell lämna stövlarna i trapphuset för stankens skull.

19.

IKVÄLL ÄR DET Kreutz som bjuder. Han slår i än en gång åt Frans Gry, fast det var länge sedan karln stillade sin törst. Men till en sup är det få som säger nej; är man full nog ikväll redan kanske man har tur och vaknar full imorgon också, sådana mirakler sker från tid till annan. I några timmar har Kreutz låtit Gry smäda Cardell så högt rösten burit; vid det här laget måste det finnas folk ända nere i Järngraven som känner hans agg. Nu har Gry börjat tappa målföret i sin fylla, ord blivna till gurglingar och kreatursläten. Själv är Kreutz desto varsammare. Han behöver nog för att gjuta mod i barm, men inte så mycket att omdömet grumlas och näven slinter. Affärer som dessa är krävande gatlopp där bättre män än han trampat illa. Än mer orolig är han för de två busar han lämnat borta vid dörren, med bara varsin kanna dubbelt öl att svalka tålamodet. Skänkrummet stojar, timmar har ilat, alla fäller de tårar i röken som sticker, och tiden är hög att komma till sak. Han har tagit sin bänkplats jämte Gry, griper honom om nacken med en förbindlig arm.

"Det är inte enkom för att älta minnen som jag kom ikväll, Frans. Jag har gjort mina förfrågningar. Det finns fler än vi som Mickel Cardell trampat på tårna."

Kreutz lutar sig närmare, sänker rösten.

"Jag vet var svinagalten har sin stia, dessutom. Vad säger du,

Frans, ska vi inte slå en lov förbi Överskärargränd innan natten är förbi, och se om udda kan bli jämnt?"

Gry är inte nödbedd, mer viss än någonsin om sin duglighet i strid fast han inte kan stå rakt utan att man håller honom om armbågen. Kreutz nickar åt sitt sällskap att bryta upp, mönstrar dem som kortast på vägen ut. Nej, inte för fulla. Gott så. Två stadiga gossar från öst som han funnit nere i Stadsgården, villiga att lyssna till alla förslag där pengar omnämns, och obrytt jämnmodiga till att låta hyra ut sig till lönnmord snarare än till en herdestund bakom dassen. Båda med varsin egen kniv, just sådana man vill att de ska se ut: gott om bruksspår, stålet grumligt av brynet. Avmarsch, så. Han överlåter Grys bångstyriga tyngd åt sjömännen, som vant bemäktigar sig varsin arm. Att han inte får svar på ett språk han begriper bekommer inte Frans det minsta. Själv tar Kreutz täten, förbi våg och grav, över Slussen, in i staden mellan broarna.

Nere i Överskärargränd blir Grys stridslystna falsksång till besvär, och inte är han i stånd att ta order heller. Promenaden har sinkats betydligt, timsägaren högt upp i Tyskans torn syns med blotta ögat och har närmare till gryning än till midnatt. Till och med östlänningarna börjar tappa tålamodet, och förråder irritationen med himlande ögon och västa svordomar. Porten är lättforcerad, de släpar sin börda trappan upp och Kreutz knyter en näsduk om hakan. Förgäves försöker Gry hålla jämna steg med avsatserna under honom, slamrar med stövlarna och slinter mot deras kanter. Väl utanför rätta kammardörren grupperar de om sig med besvär på det trånga golvet: Kreutz tar Gry i famnen, hans hyrdrängar drar blankt och ställer sig redo för kommando. Med möda vrider Kreutz Gry ett halvt varv, hittar ett grepp där han kan hålla vänsterarmen under armhålan med handen över munnen, halar med ett ansträngt läte sin egen kniv ur slidan och tar god tid på sig för att finna rätta punkten i Grys rygg. Så lägger han all sin vikt bakom spetsen, trycker bladet så långt in han förmår och känner värmen sprida sig nedåt, utför Grys skjorta och byxor, tills skorna rinner över brädden och Kreutz själv måste akta sig för att kliva fel och halka utför trappan.

"Du får ursäkta, Frans, man vill ha dig kvar här i trapphuset för trovärdighets skull. Ta det nu inte personligt, och gör inte detta svårare än sig bör för någon av oss."

Frans Gry gör en klen figur i döden som i livet, till ingens förvåning: några häpna stön och en senkommen insikts skvätt gråt innan Kreutz udd hittar hjärtat mellan motsträviga revben, musten går ur honom, knäna viker sig och Gry skyndar till sina fäders sida, blek och ynklig. Kreutz nickar, och ryssarna spränger dörren som vore den flätad av halm.

Den förste av dem stupar raklång över en kista som ställts i vägen, och knappt har ansiktet slagit i brädorna innan han har en tung klack i bakhuvudet. Den andre får ett halvankare slungat i synen, kniven slagen ur sitt grepp och vräks nedför trappan med huvudet först. En skrovlig basröst ekar nedför trappan.

"Spring, era jävlar."

Cardell är efter dem för att skingra varje försök till omgruppering, ser en annan lura där ute, och innan han hinner värja sig känner han en kvick smärta i sin friska arm, väck lika snabbt som den kommit, bortsköljd i varm väta som dränker hans skjortärm. Han vrider sig runt och sticker vänsterarmen rakt ut i farans riktning. Stumpen bränner till när han möter motstånd. Hårt och stumt, och med ett gnyende till svar. Förbi honom kryper förtruppen ut och kastar sig utför stegen, gnyende efter sin mor med de ord som tycks samma på varje språk, och lämnar ett spår av blod och ömsade tänder. Distraktionen räddar karln som legat i bakhåll; alla flyr de hals över huvud. I trappan ljudet av sulor som piskar stenen. Cardell tror sig ensam kvar på avsatsen tills han snubblar över den döde.

20.

CARDELL RÖR SIG orolig under sin vilas tunna flor. Winge hinner knappt komma ut genom sin dörr innan ett öga slås upp. Palten sitter på golvet med ryggen lutad mot den stenpelare som ger trappan dess nav. Ur en glugg längre upp, på halva våningen, leds morgonljuset in, krökt i båge efter väggens rundning.

"Se god morgon."

"Jean Michael. Du skrämde mig."

"Jag hade påhälsning inatt. Bråkiga gäster. De lämnade mig i sådan hast att de aldrig fick tillfälle att redogöra för sitt ärende. Eftersom de inte gav besked ville jag bara försäkra mig om att något liknande inte var å färde häromkring."

"Har du suttit här natten lång?"

Cardell sträcker på sig och skakar på huvudet.

"En stund bara. Ärligt talat hade jag hoppats på att komma härifrån innan du fann mig. Kåken är så tom att inte ens råttorna gör sig besvär. Här har varit kavlugnt ända sedan jag kom, och jag har vakat förgäves. Jag måste ha nickat till nu på morgonkvisten."

Cardells blå jacka har en mörkare färg över ärmen än brukligt, och undertill glimmar skjortans kant röd.

"Du blöder."

Cardell flyttar armen till sin sida, utom synhåll.

"En skråma bara. Kniven tog i hull och hud. Ingenting att yvas över."

Han kommer på benen snabbt nog.

"Vilka var det?"

"Jag har skakat ett och annat getingbo på sistone. Gör man det riskerar man att bli stucken förr eller senare."

"Så vad hände?"

"Jag hade nyss kommit hem själv, en bit efter midnatt. Jag hade inte hunnit komma till ro innan jag hörde skrål på gatan, slammer i trapphuset. Som anställt försåt räknat kunde man varit diskretare, men å andra sidan räknade de väl med att jag låg och drog stockar för allt jag var värd. Efter en stund kom det två gossar genom dörren min. Vid det laget var det ingen överraskning. Jag har ju försörjt mig som utkastare, vet du, och ut blev de kastade. De lämnade en döing efter sig, helt utan min försorg. Jag kände honom. En gammal stridskamrat vars bekantskap jag hade oturen att stifta åter nu i våras. Att kalla våra förehavanden vänskapliga vore till överdrift."

"Och hans kropp?"

"Jag bar ner den en bit bortåt gatan och satte den i hörnet. Väckte kärringen i gårdshuset att skura rent. Den tjänsten är hon skyldig mig. Vet hur man tiger gör hon också."

"Varför skulle de dräpa en av sina egna?"

"Det vete fan. Han stank som om det var brännvin och inte blod de tappat ur ryggen på honom. Kom hans kumpaner från samma tillställning är det inte omöjligt att han blev stucken av misstag i iver och dålig sikt."

"Är det vad du tror?"

Cardell skakar på huvudet.

"Nej. Hade jag trott det skulle jag ha vilat mig i en bekvämare säng. Men nu vet jag inte."

Winge kliver ut, låser om sig och stoppar nyckeln i fickan.

"Nå. Jag går till Blom för att förhöra mig om huruvida natten rönt några döda. Nu vet jag att avföra liket i Överskärargränd från Cetons samvete, hur som helst."

Cardell följer honom ner, blek i ljuset, och vidare till gränden slut, där deras vägar bär åt olika håll.

"Jean Michael, låt någon lägga om det där såret."

21.

RUTINEN ÄR DENSAMMA varje morgon, oförändrad nu i sommar från när året var ungt. Emil Winge går till mötesplatsen i Cepheus, att vänta in besked. Har natten gått händelselös förbi kommer ingen. Har Isak Blom något särskilt på hjärtat kommer sekreteraren själv, är det något trivialt skickar han hellre en budbärare insatt i de rapporter nattjänstgöringen lämnat åt dem som tar vid när dagen gryr. Underlaget är sällan gott, antingen muntlig avstämning lämnad från dödstrött till nyvaken, eller några knapphändiga ord tecknade i husets dagbok. Bläckplumpar och usel stavning vittnar om poliskammarens bekymmer med fylleri och bildningsbrist. Det bästa Emil kan göra av den information som når honom genom denna viskningslek är att notera vilka församlingar som decimerats, och sedan göra sig en tur från benhus till benhus för att själv göra sig besiktning. Dödgrävarna känner honom vid det här laget lika väl som en av sina egna. En del skyr honom, särskilt nu under sommarmånaderna där de döda förfars snabbt och varje försening av jordfästelsen är en inbjudan till flugor och ohyra. Andra bryr sig mindre, glada över varje uppskov från spade och ryggskott. Han känner en ilning i magen när han ser att Blom redan är på plats, och otåligt mönstrar det solljus som alltför sakta rör sig nedför husväggarnas gula puts. När

Emil närmar sig ger den rundnätte sekreteraren honom en plirande blick.

"Jag språkade med nattbefälet i morse. Man har funnit en kropp. Jag tror den kan vara dig av intresse."

"Var?"

"Jakob."

Glimten i Bloms öga och det enda ord han behöver till vägvisning är nog. Emil vänder på klacken i samma stund.

"Emil? Vänta dig trängsel borta vid bron."

"Varför?"

"Man har samlat korvarna där, snart sagt varenda uniform staden kan uppbåda. Det är väl någon av Reuterholms ränker för att vinna ständernas goda vilja, kan jag tänka. Hela sommaren har det skrivits i tidningarna om att staden svämmar över av de lösa och lediga, och jag anar att baronen tänkt sig att göra någonting åt den saken. Vore jag du skulle jag hålla mig på andra sidan broarna tills kvällen är här, för säkerhets skull. Jag har onda aningar, och det skulle inte förvåna mig om rännstenen målas röd innan dagen är all."

Det har varit hett några veckor nu, och idag tycks värmeböljan redo att firas av med salut. Ända sedan ljusningen har blixtsken kunnat anas borta över skären. Svarta moln rycker fram ur röd gryning. Ett oväder nalkas, och lika dammig som hans väg är nu, lika lerig lär den vara på återvägen. Vid stallarna på Helgeandsholmen mönstrar en irriterad gardeskapten sitt luggslitna manskap, korvarna för sig och också separationsvakten i lösa klungor. Han gormar och går på, pekar sabeln åt paltarna och får sina knektar med sig i hånet. Winge passerar obemärkt, gör sig turen över Slakthusbron, förbi det brobygge som tycks dömt att förbli ofärdigt, passerar operan och kämnärsrätten och bankar snart på kyrkans dörr. En sömnig tornvakt ger Emil det besked han förväntat sig: ja, man fann en död i Kungsträdgården under natten som gått, men skickade liket till Johannes istället. Det är så man sköter sina affärer i Jakob för det mesta, håller sig förmer än andra, och finner man döda vars hemvist är okänd skickar man dem på kärra utåt, bortåt, och köper sig tid åt värdigare bryderier. Han traskar vidare medan vinden från öst jagar det sista av hettan väck. Över honom mörknar himlen, och bakom axeln kommer åskstötarna allt starkare. Svetten lackar, våt strumpa knarrar mot fuktigt skoläder vid varje steg. Snart börjar backarna, och han måste klättra upp på åsen själv innan han når Johannes begravningsplats, lika vacker till sitt läge som usel i sin gestalt. Här liksom annorstädes syns efterbörden av alla de storslagna planer som lämnades därhän för gott då kung Gustav gav upp andan. I åratal hoppades kyrkoherden på att få den gamla träkyrkan riven till fördel för nybygge, men den kupolprydda korskyrka man enats om förkastades vid stundens nyck: Gustav hade kommit hem från utlandet och bestämt sig för att allt skulle vara italienskt. Snabbt tecknade man ett fönsterlöst hednatempel med doriska kolonner och kapitäl, fris och krepidoma, men till och med kungen fick sansa sig vid ritningarnas åsyn, och slantarna kunde han i vilket fall som helst ha roligare för på annat håll. Man lät allting bero. Ännu står träkyrkan kvar, dess fulhet bedagad, hånad av en ring förgätna byggstenar.

Dödgrävarna har samlats i grupp ovanför David Bagares gränd, bland de hus som står som deras informella skråstugor. Höjda röster. Emil Winge förvånas över att se dem samlade vid en sådan tid. Kanske firas en helgdag av någon sort, eller så ska drängar höjas i status och upptas i gemenskapen. Varken eller, visar det sig när han kommer nära nog. De står med ens bleka och försagda, deras röster nyss tystnade, ovilliga att sprida förtroenden utanför egen krets. Till mans ser de bort när han kommer, en enda går honom till mötes. Emil känner honom sedan tidigare, vet att han är den som rår högst över gravarna här, en skäggig karl med armarna i kors. Jan någonting, efternamnet undflyr honom.

"Du har kommit för att bese liket."

"Ja."

"Bäst du skyndar dig. Jag gör vad jag kan för att svära alla till tystnad, men vet av erfarenhet att skvallret hinner över broarna lika snabbt som benen bär."

"Vad står på?"

Dödgrävaren kliar sig i skägget och leder vägen mot sin bod.

"Det beror på vem du frågar. Därav vår osämja. Bäst du ser själv och väljer sida därefter. Gå in du. Jag vaktar dörren, så blir du ostörd."

Som vore lönndomen av största vikt gläntas dörren, och Winge sjasas in, hinner se dödgrävarens ryggtavla förminskas i glipan när han fattar posto utanför. Inne under tak surrar flugorna, inget rum säkert undan dem när förgängelsen lockar. Det dröjer någon minut innan hans ögon glömmer dagens ljus och är redo för halvdunkel. Kroppen på sin bår ligger oskyld, dess svepning på stenen nedanför, tappad och glömd. Gång efter annan måste han vifta undan flygfäna för att få fri sikt. Små varelser dunsar mot hans fingrar, men ständigt kommer de tillbaka, slavar under blodtörst, att kräla över varje sår och droppe.

Liket är naket och smort i olja för att skänka lyster, olja som nu istället klistrar smuts och jord till huden. Emil står still länge med öppna sinnen att ta in vad han ser. Nöjd så börjar han gå i cirklar kring båren, ömsom några steg bort, ömsom nära för att skärskåda någon detalj. Han lyfter en kall hand, armen motsträvig av styvnande muskler, som om liket vore ovilligt att röja sina hemligheter. Saknade förband har lämnat blodiga ränder. Handflatan bär ett sår.

Cecil säger att man har skurit, sedan stämt. Cecil säger såren är ytliga. Cecil säger detta har gjorts för syns skull. Andra handen likadan, liksom fötterna.

Armen låter sig inte rubbas mer, och hellre än att tvinga den går han ner på huk för att bese dess undersida. Han trycker den uppåt för att få en glimt av ryggens hud, där det blod samlats som tjocknat i ådrorna. Cecil säger rött ännu, ingen blånad. Cecil säger döden kom inatt. Cecil säger syna pannan nu, och Emil gör som han blivit tillsagd. Hjässan är märkt i hela sin omkrets, hårets lockar stelnade i rött.

Vid likets högra sida blir Emil stående. Ett sår gapar där. Dess blånade avsats slår sin ring om innanmätets mörker. Det ter sig skändligare än de andra, detta hål som hindrats från att sluta sig och låter det allra heligaste ligga blottat för världen, värnlöst. Emil försöker föreställa sig det verktyg som kan åstadkomma någonting dylikt, till ingen nytta. Cecil säger här, här vann döden sitt tillträde. Banesåret. Cecil säger loda dess djup, skrapa dess botten, och Emil ser sig om efter något redskap som kan vara honom till hjälp. Han får nöja sig med att bryta en sticka ur bårens kant, lång nog för uppgiften, drar ut den på nytt och betraktar dess klibbiga spets med en rysning. En fet droppe där, lik en smältande pärla. Någonting annat fångar ljuset vid sårets kant. På hjässan finner han fler av samma sort, fångade bland trassliga lockar.

Han lindar en näsduk kring sina fynd och stoppar dem i fickan. Väl klar ger han dörren en knackning, och Jan kliver åt sidan för att släppa ut honom.

"Se till att någon kommer för att tvaga och svepa. Ju snabbare liket är i jorden, desto bättre, och bäst är att tills vidare märka graven så att bara du vet var. Jag ser vad du sett; fördubbla dina ansträngningar att äska tystnad."

Jan nickar sin förståelse, och Emil vänder sig för att gå.

"Talar du alltid med de döda?"

Hans genmäle är till hälften en vinkning till avsked, till hälften en avfärdande gest. Jan höjer rösten för att nå honom på hans väg bort.

"Hälsa ödmjukast från mig och tacka för dagligt bröd."

22.

LJUSET SKÄR CARDELL i ögonen. Det är så det börjar. Han kisar, bländad, måste hålla armen mot pannan för att skyla sig, fastän han håller sig på den sida av rännstenen som solen lämnat i skugga. Hörseln vacklar därnäst. Ur stadens ständiga buller svingar sig plötsliga ljud upp i högre rymd: ett vagnshjul skriar på sin torra axel; en tappad järntackas klang mot kullersten; en flickas gälla tjut i osedd glädje eller nöd. De får honom att skygga där han går, han kan inte värja sig, hoppar till liksom skrämd, får dras med blickar av den sort som förunnas fyllon och dårar. Aldrig att dylikt stört honom förut. Han söker sin kammares skydd, släpar med sig en kanna vatten, kavlar upp skjortärmen för att syna blessyren.

Skadan är inte vacker, men inte heller drar den särskild skam över sitt släkte. Varken stor eller djup, mildare än andra han fått vid de oräkneliga tillfällen då det fallit på hans lott att visa ovälkommen gäst på dörren. Ett rött streck kritat med begynnande sårskorpor, inte större än att han kunnat dölja den under en handflata om han haft en till övers, blott den senaste skråman i raden på en arm så märkt att man skulle kunnat lägga ett parti farao på den om kortleken varit mindre. Såret dryper inte var, luktar inte skämt, det angränsande skinnet inte mer svullet eller ömt än det borde. Ingen kallbrand i faggorna, inte av någon sort han sett förut. Ändå är någonting fel. Ute är nattens fjärran muller kommet närmare Stockholm, och värre och värre blir det ju längre dagen lider. Han tycker sig höra vrål och röster bland åskstötarna, som om Tor själv kommit på vagn med alla sina enhärjar i släptåg. Regn nedöst vad dagen lider, i bullrande överflöd.

Hans försök att sova bort sin sot går illa. När han vaknar har han svårt att svälja, och gång efter annan är det någonting som knyter sig i käken, pressar munnen samman tills tänderna skär. Han gräver sina fingrar så djupt in i de spända musklerna som styrkan medger, och efter hand ger de med sig, men han vet inte om förtjänsten är hans eller skoven korta. Han dricker vatten, har svårt att tugga, föredrar hungern. Dagen därpå finner honom än värre. Kramperna har tagit hela ansiktet i besittning, och när de börjar kan han ingenting göra. De drar mungiporna isär tills tänderna står blottade i ett vansinnesflin, och låser sig där minuter i sträck. Han örfilar sig själv i hopp om att chocken ska rubba stelheten. Ibland hjälper det. Oftast inte.

Cardell önskar att han kunde stilla månskärans hunger, men varje natt är den större än den var, fullmånen snart över honom. Det som sakta bemäktigar sig hans kropp sprider sig allt mer, och allt oftare väcks han av att hans högra arm skälver, spänd som en ankartross, vikt in mot bröstet liksom för att freda hans kropp, handleden krökt och fingrarna knutna under vitnande knogar. Än värre är stumpen, där muskler utan fästen slingrar sig under ärrvävnad och sargad hud, den osynliga armen lika ansatt av kramperna i sin fjärran spökvärld.

Emil Winge kommer till honom i en gynnsam timme, tack och lov. Senor spända som harpsträngar har nyss stämts ner, senaste skovet förfarit, och Cardell gnor svetten ur ansiktet med en näve vatten, skjuter undan den söndriga dörr som han ännu inte orkat hänga tillbaka på sina gångjärn.

"Det börjar nu, Jean Michael."

"En kropp är funnen?"

"Ja. Inatt, nära morgonen, i Kungsträdgården."

"Ceton?"

"Jag tror det. Inte vad jag hade förväntat mig, men någonstans anade jag att han skulle försöka överträffa sig själv. Jag behöver din hjälp nu, och din uppmärksamhet odelad. Är du redo?"

Cardell drar ett djupt andetag och svarar med resignerad blick.

"Jag har mitt möte, imorgon. Låt mig få det avklarat, sedan är jag din."

Winge förblir tyst tills hans sökande blick ger Cardell gåshud.

"Så vad har vi att gå på, då?"

"Det vanliga, till en början. Vi får fråga oss runt. Platsen för själva dådet är oklar, och vi gör bäst i att finna den snabbt. Och så finns dessa."

Emil lyfter sin näsduk ur fickan. Av det lilla slagbord som hör kammaren till återstår bara spillror och flis, och Emil håller sitt fynd i handen så att Cardell kan se. Solkatter skyndar kring väggar och tak.

"Vad är det?"

"Skärvor av en spegel."

23.

KVÄLLEN KOMMER, OBÖNHÖRLIGEN. Månens rundel görs fullständig, i den natt då en vecka slutar och nästa tar vid. Det tycks honom att klockorna har ringt till mässa i timmar. Han inväntar nästa kramp med påtvingat tålamod. Ansiktet förvrids först, och med blottade tänder tar varje skov sin början. Nacke, skuldror och armar följer näst, likt en härva rep som sakta dras samman till en enda knop, så svankar ryggen tills kotorna knakar och bröstet stelnar så att varje andetag blir en grund suck, de stora lårmusklerna går i lås. Det kommer och det går. Bäst han kan tar han tiden, räknar för sig själv från det att Niklas slagit storklockan. Han hinner komma till tusen innan lillklockan ringer första kvarten.

Han vet att ett slagsmål kan vara avgjort lika snabbt som ett slag landar, i synnerhet om han delat ut det med vänsterhanden, men också att det slag som träffar sitt mål ofta är tillfällighetens gåva. Petter Pettersson kommer att vara beredd. Om bara krampen kunde skona honom länge nog. Han räknar en och en halv timme utan känning, men nästa slag kommer snabbare, strax efter åttahundra. Allt han kan göra är att vänta.

Cardell påbörjar sin vandring i god tid för att hinna mönstra valplatsen, räknar som förut, låter fötterna hålla takten. Han

142

inbillar sig att promenaden kan göra honom gott, sval som nattluften är efter det regn som fallit, nu när solen dragit den kvardröjande dagshettan efter sig likt en brud sin klännings släp. Nära Ansgarieberget går kroppen i lås och tvingar honom att stanna och invänta nåd. Åttahundrafemtio. Hellre nu än sedan. Allt han kan hoppas på är att besparas kramperna när han behöver sina lemmar som mest, att skovet ska avta och lämna honom någon timmes respit. Han börjar räkna från ett igen så snart han kan röra sig, skakar stelheten ur slaknande muskler.

Tvåhundra. Han är först där. Kvällen är väl vald, platsen likaså. En öppen landremsa mot vars kant fjärden lapar, marken fri från hinder och gropar. Ett fält av svart vatten sträcker sig bort mot staden mellan broarna. Böljan är orolig trots mild vind, guppande vågor kränger som för att ruska av sig stjärnhimlens spegling. Högt över honom vandrar augustimånen mellan molntrasor, stor och rosenröd, dess strålar starka nog att kasta skuggor. Han blir varse andra skepnader på avstånd, på väg mot samma strand. Pettersson måste ha talat bredvid mun: här kommer publiken. Fyrahundra.

Cardell drar åt remmarna som håller tränäven fast, så hårt han förmår utan att snöpa rörligheten. Den satan är sen till mötet. Sexhundra redan. Ett ljud bakifrån röjer hans motståndare. Petter Pettersson går med karbasen under armen, mot en strid Cardell varit viss om att lämna som segrare vilken kväll som helst utom denna. När Pettersson kommer honom närmare stoppar hans min vaktmästaren i steget.

"Det var fan, Cardell, är du så glad att se mig?"

Del 2

Cetons maskerad

VÅR OCH SOMMAR 1795

Mången mor beskriver lasten
för sin oerfarne son
ful som maran, blek som gasten,
och förgiftig långt ifrån.
Gossen hör, och gossen dömer,
efter ytan, efter min,
knips av trollet som sig gömmer
under gazer och carmin.

ANNA MARIA LENNGREN, 1795

1.

STOLTA STAD. EN gång hans lustgård och tummelplats, men en svekfull älskarinna är hon, Stockholm. Hennes ömma känslor är förbi. Nu utstår hon hans närvaro bara på nåder. Hon är omstöpt till en skräckens labyrint, där minotauren stegar kring i jakt, enarmad och oförtröttlig. Tycho Ceton prövar gatstenen endast sällan, och alltid har han slokhatten djupt i pannan, en halsduk lindad långt upp i det skägg som fått växa sig vilt över vintern. En alltför stor rock täcker honom, kragen uppfälld och den fransiga fållen nästan släpande mot stenen, bärgad ur en jättes sterbhus eller satt i pant när hungern blivit värre än kylan. Hans egen mor hade inte känt igenom honom. Ändå ilar han hukad under väggarna längs råttornas stråk, från kvartershörn till kvartershörn, alltid med en blick runt huset för att se vem som kommer från motsatt håll. Ett olyckligt möte och hans saga vore all. Han kan stadens ebb och flod, vågar visa sig under de himlaskärvor som takens kanter beskurit bara i flödets toppar och dalar: när pöbelns trängsel ger honom betäckning, eller när gatan är öde och släckt. Lördagarna är värst: Hela vägen över Slussen och bort över malmen, åt Hammarby till. Men han måste. En osynlig töm leder honom, och människan lever inte av bröd allenast.

Tidvis ser han fönster illuminerade högt över gatan, i palatsen där överdådet fortgår honom förutan, där långborden snart ska skjutas undan för att låta dansen gå. Han minns hur palats och malmgård reste sig över gyttriga kvarter som aldrig förut läts fläcka hans sulor. Där var himlen vidare, ljuset ett annat. Där fanns salar och gemak med höga tak med keruber som svävade nakna i målad rymd, där bladguld och siden skimrade ikapp under vaxljusens smekning. Det Stockholm till vilket han fallit är lusens och råttans domän, med tak så låga att bjälkarna stämplar blåmärken på ouppmärksam panna, där talgdank och rovolja sprider os hellre än strålar. Det ständiga halvdunklet kväver vad färg som slöddret törs spöka ut sig i, och sällar varje litet uppror mot överflödsförordningen till samma gråa töcken. Orenheten som får honom att slinta i steget tycks honom en inbjudan till den sorts dans som anstår en fjättrad björn, de skämda pusterna nedifrån Riddarefjärden där Flugmötets krön tävlar mot Skinnarvikens åsar är inte stort bättre än kammarens kvava cell. Värre än någonsin nu när lorten blottats på nytt under töade drivor och sprucken is. Han stryker längs fasaderna vid Brända Tomten för att se vagnarna stanna för att släppa av folket från landet, de vars drömmar om större och bättre förlett dem hit, och som välkomnas av gatpojkar med artiga bugningar och erbjudanden om hjälp med tunga kistor och koffertar. Skrattande löper gossarna bort med sina byten, flinka och kunniga om alla de prång och valv som villar förföljaren.

Regnet faller ofta denna kalla vår. Stockholm och hennes malmar sköljs av skurar, ibland ihållande nog att binda dygnen samman, ibland i uppehåll där vätan snarare tycks mätta själva luften, och där den som inte kurar intill värmen av en härd snart finner sina kläder hänga i blöta sjok. Under vad skydd de kan hitta sitter duvorna inregnade med burrade fjäderskrudar, tysta och tålmodiga, tills hungern lockar fram dem en efter en och gränden ekar av vingarnas knall. Solen gör sin vandring höljd i skyar, låga och gråa, som silar ljuset snålt och tullar den värme årstiden lovat. Från Stortorget sipprar grumligt vattnet längs rännstenen i ständig ström. Varhelst det finner motstånd fylls en damm, och där pölarna blir stående avlas knott i sina tusenden. Sådan är Stockholms kyss för honom nu, ett vårdtecken från staden mellan broarna som för att märka honom med blemmor och visa att han ingenting längre är värd.

Det händer att han dröjer i portvärme eller under en rutas ljus, vid gränsen mot folkets larm och sladder. Mycket av talet är gammalt, annat är nytt. Anstormande förändring vattnar allas kvarnar. Lösaktig framtid sträcker löften till varje ståndpunkt utan att ställa villkor. I söder är missväxten ett faktum, i år igen, värre än förr rentav; svälten härjar. Förmyndarregimen närmar sig sitt sista år, men få törs satsa sina slantar på att något rike alls ska återstå för den unge kungen att regera. Rikets herrar tycks bli allt mer småsinta och snarstuckna för vart år som går, och varje tung suck över vanstyret hade kunnat bli en skrattsalva om farsen bara inte varit sann.

Icke desto mindre fortgår festen. Brännvinet flödar längs avgrundens rand. Att morgondagen är osäker gör inte dagens rus mindre angeläget, ragnaröks antåg bestjäl inte stundens nöjen på värde. Tvärtom: orsak och verkan är satta ur spel, och bleka döden må vara ovälkommen, men lovar också att avskriva alla skulder. Dansen går vild över solkiga brädor, i desperat gamman. Mot spelbordens skivor smattrar de färgglada lapparna som aldrig förr, och hisnande summor byter börs när den rike ställs på obestånd och han som tiggde bröd igår kan bjuda laget runt. Det är som en feber i staden.

Ikväll har Ceton ett särskilt ärende. Hans slantar är på upphällningen, varje vara av värde satt i pant, den hyrda kammaren snart för dyr. Före månadens slut vräks han ur sin lya, och på gatan kommer han inte kunna gömma sig länge. Han måste ha hjälp, och endast ett halmstrå återstår att gripa efter. Han väntar in kvällen, lyssnar efter de ljud som ger tiden tydligare än någon klocka.

Vid tiotiden var kväll passerar trumslagaren på sin runda genom gränderna, anmodad att kalla till sig korvarna med en virvel utanför var krog som ännu håller öppet. Krögarna sticker åt honom hans sedan länge fastställda tariff för att hålla friden, och häller gärna i honom en sup eller två för den goda viljans skull. Två kvarter från Norrbro är karln så redlös att han fordrar all den hjälp husmurarna kan ge för att förbli på fötter, och någon påpasslig sate har passat på att hugga en gaffel genom trumskinnet för att säkra valuta för pengarna.

Tycho Ceton drar rocken över axlarna, hatten ner i pannan. Han stryker det skägg han anlagt. Ofta när tanken vandrar finner han sin hand vid kinden, som för att försäkra sig om att raggen förmår täcka den mungipa som märker ut honom. Stråna sticker i sårets kanter, och varje gång han blir varse vad han gör rycker han bort fingrarna och stoppar handen i rockfickan. Men handen har sin egen vilja och letar sig snart tillbaka, rastlös och orolig, en spindel i främmande nät. En blick över vardera axeln, och så åstad.

2.

VINTERNS ELÄNDE SKAVER i nära minne medan han kryssar mellan gränderna. Vecka ut och vecka in i kammarens hyrda mörker med bröstet veckat i gåshud trots att han tryckt skulderbladen mot kakelugnen, skumögd i sotet av tranlampans veke med värdens gosse som enda besökare, en knackning på dörren två gånger i veckan för att tömma en släde på ved och lämna några volymer från boklådan, valda i blindo bland vad nytt som hökaren skördat ur dödsbona. Mat från krogen nere i trappan, en och samma simmiga gryta som var dag döpts på nytt. Lössens uppfinningsrikedom ändlös trots att dagen erbjuder få andra sysslor än att klämma dem till döds mellan fingrar som valkat sig för uppgiften. Vansinnet uppdämt i smäktande tystnad, mer och mer olidligt för var dag. Börsen sakta åderlåten enkom för det allra minsta som krävs för att förbli bland de levande.

Folket han möter äcklar honom. De tycks honom som fula barn, mållöst stapplande genom tillvaron utan en vettig tanke. De som kan njuter det kött som alltför snart ska förråda dem, de som redan lider dövar smärtan med brännvin. Den kraft med vilken de klamrar sig fast vid liv som ingenting tycks värda förskräcker honom. Skomakargesällen med skorpiga nävar, sekreteraren som kisar vindögt genom repiga glas på sneda bågar, sprätthöken som prålar med plagg han lurats på till överpris med löfte om att de kommer vinna honom sin omgivnings beundran, pigan som går dubbelvikt över den buktande magens skam. Sävligt fyller de sina platser, fogliga delar av ett sammanhang för stort för dem att se och för invecklat att begripa. Dess syfte förblir dem en gåta från vaggan till graven. Han går åt Skeppsbron, låter sluttningen skynda hans steg. Bortom de sista husknutarna suckar böljan, ankartåg knarrar takten till vågornas spel. Vid Stockholm gräns mot världen blandas främmande språk av varje slag till ett enda obegripligt sorl.

Man låter honom vänta länge efter att han knackar på den rätta porten. Samme betjänt som mottog hans anmälan visar sin högdragna min två kvartsslag senare, med ett ögonbryn höjt en hårsmån liksom i förvåning över att någon skulle nedlåta sig till dylikt tålamod fast varje ögonblicks dröjsmål märker skillnaden i rang mellan värd och supplikant.

"Herrn tar emot nu."

När Ceton tar ett steg mot tröskeln förblir betjänten stående utan att röra en min.

"Inte här. Var god och gå runt till baksidan."

Ceton måste tränga sig mellan husen in till gården. Väta utsöndrad ur husets avskräde mättar lädret i hans skor och grova murar skrapar axel och armbåge var gång han försöker väja från det värsta i detta solkiga dike, förunnat latrinbärarna och husets lägsta. I förödmjukelse stapplar han ut på gården där betjänten åtminstone väntar vid öppen dörr och besparar honom tvånget att knacka på nytt. Han visas in och upp, till ett vackert kontor krönt av ett skrivbord omgärdat av idel vackra ting: en täckt bur där sångfåglar vilar i sin fångenskap; en byrå snirklad med intarsia, vars många lådor lovar allsköns kuriositeter; bokhyllor dignande av vackert bundna volymer arrangerade efter sin storlek, folianter nederst och oktaverna högst. Längs ena väggen står tre skåp arrangerade i grupp, vart och ett krönt av en glasklädd kub där fjärilar av alla sorter sitter uppnålade på sluttande plan klädda i siden. Ingen stol väntar honom. Han måste förbli stående framför sin sittande värd, likt en skolgosse inför magisterns bannor.

Mannen bakom skrivbordet är smal och skallig, med kinderna gropiga av koppors ärr. Han sitter i bara västen, med skjortans ärmar uppkavlade till armbågarna och kravatten lös. Med en min av avsmak synar han Ceton uppifrån och ner, från skornas trådspännen över den alltför stora rockens fläckar och smuts, till skäggets oreda och den stripiga lammskinnsperuken. Ceton har inte gjort någon ansats att presentera sin slitna uppenbarelse i ett bättre ljus, viss om att dylikt knappast skulle göra skillnad. Istället står han rak i sin lort, en eftergift åt vad värdighet som återstår. Den röst som tilltalar honom är nasal och dess ägare gör föga möda för att dölja sitt besvär.

"Tycho Ceton. Hur djupt hava icke hjältarna fallit. Jag hade knappast trott att du skulle förmörka min tröskel igen."

Ceton harklar sig för att bättre låta rösten höras.

"Bolin, av alla ordensbröder är du den jag alltid känt mig stå närmast ..."

"Är det den bästa komplimang du har att ge? Slösa inte bådas vår tid vare sig på smicker eller familjaritet."

Demonstrativt lyfter hans värd sitt fickur ur västfickan, trär guldlänken ur knapphålet och lägger det mellan dem på bordsskivan, mot vars klangbotten det tickande verket ljuder starkare.

"Fem minuter ger jag dig, inte ett ögonblick därefter. Jag råder dig att komma till saken kvickt."

"Ogynnsamma omständigheter har satt mig på obestånd, som

du vet. Skulden är inte min egen; sådant kan hända vem som helst oavsett förtjänst. Vi vet båda att Eumeniderna inte alltid sett med blida ögon på de friheter jag tagit mig ..."

Bolin fnyser ljudligt åt underdriften. Den doft av en instängd vinter som Ceton fört med sig har spridit sig i kontoret, och hans värd skakar sin dosa med luktsalt under näsan.

"Ändå vill jag tro att förra sommarens försoningsgåva var början på ett nytt samförstånd."

Bolin låter ena handens fingrar dansa på skrivbordet.

"Förströ mig som kortast med dina bekymmer, Tycho."

"Jag är bestulen på den förmögenhet jag ansamlat med avsevärd möda. Snart är sista slanten väck."

Bolin höjer ett skeptiskt ögonbryn.

"Och mer?"

"Man förföljer mig, grundlöst. Två jakthundar med vattuskräck, för vilka jag tycks ha blivit en fix idé bortom vett och sans. Jag har skäl att tro att jag lastas för sådant de själva är skuld till. Av allt att döma trakasserar man mig med Indebetouska husets goda minne."

Bolin skiftar ställning i sin stol, och reser sig mödosamt stödd på en käpp av elfenben. Han måste lyfta ena foten från en pall med mjuk dyna, haltar över golvet i bara strumplästen och blir stående enbent framför ett av sina glasklädda skåp, där han låter en van kännarblick mönstra vingarnas stelnade krevad av färg och form. Med en suck gnuggar han ansiktet.

"Jag undrar, Tycho, om du ens vet varför du väckt så ont blod bland bröderna?"

Han tar ett steg tillbaka för att lämna Ceton plats.

"Kom och se. I mitten av den andra raden uppifrån ser du två fjärilar jämte varandra."

"Två av samma sort."

"Endast i lekmannens ögon. *Lepidoptera* båda, förvisso. Pieter Cramer fick hem dem till Amsterdam från nya världen året innan han rycktes hädan. Cramer var den förste att sortera fjärilar efter Linnés ordning, och när han satte dessa två under sitt konvexa glas en i sänder hann han konstatera att varje likhet dem emellan begränsar sig till ytan. Den högra har lärt sig att flyga under samma flagg som sin granne, ty den vänstra är besk i smaken. De fåglar som är lystna på rov har lärt sig att så är fallet, och varhelst de ser vita prickar på brandgul botten håller de näbbarna stängda och beger sig annorstädes efter bättre byten. Den högra smakar utmärkt, men tack vare sin snarlika dräkt tillåts också hon gå oäten."

"Hur kan du vara så säker?"

"Det är än så länge blott min gissning. Men jag har belagt den väl."

"Hur?"

Bolin blottar sina tänder i ett leende, vassa och vitala trots hans ålder.

"Genom att smaka båda, förstås. Nå. Det är inte min mening att lära ut naturalia, utan att göra en parabel."

Bolin vänder sig, ett mödosamt varv stapplat i radie runt det onda benet, och bryr sig inte om att invänta fler frågor.

"Problemet med dig är varken din tanklöshet, dina excesser eller din oförmåga att följa våra stadgars påbud om diskretion. Herregud, om dessa vore skäl för agg inom vårt samfund skulle salarna eka tomma vid sammankomsterna. *Così fan tutto.* Nej."

Han rör sig närmare, men hejdar sig med en grimas när stanken blir honom övermäktig.

"Du är inte en av oss, Tycho. Du ser bara ut som vi. Hur en

annars så klipsk karl trott sig kunna dölja den saken för andra övergår mitt förstånd."

"Jag bedyrar att så inte är fallet."

Bolin fnyser.

"Om du bara kunde se dig själv när backanalen rasar som värst. Det kan du inte. Men jag har gjort det, och andra därtill. Ditt ansikte stelnat som i fasa, byxorna som pliktskyldigast i knävecken och slaknat kön i stilla näve medan andra ger sig hän. Du skyr andras närhet. Vilken sann libertin skulle föra sig så? Staden mellan broarna är liten, Sverige inte stort mer, och till och med från fjärran Barthélemy letar sig tidningar hem. Vi hör vilka skrönor du sprider om dina äventyr, vilka överdrifter du diktat samman. För oss som känner dig bättre rimmar de illa med våra ögons vittnesbörd. Du offrar inte vid samma Fröjas lund, dyrkar inte den Venus som är vår. Nej. Dina bevekelsegrunder är av annan sort. Fåfängt har du försökt dölja dem för oss bak rim och skådespel, och det med repliker du lånat ur böcker du inte till fullo förstår. Förvisso finns korsvägar där våra intressen kan mötas, men till en sådan som du vill ingen sätta sin lit i längden."

Orden ringer i Cetons öron som vore de slag över hans tinningar. Något svar har han inte att ge, blott ansträngningen att hålla bröstet pumpande tycks för stunden övermäktig. Av Bolin får han ännu ett snett leende, sånär medlidsamt, innan hans värd haltar bort till fönstret, vilket han öppnar på glänt i hopp om att någon bris från Saltsjön ska ha förirrat sig in bland gränderna.

"Jag tror ta mig fan att du stinker värre än rännstenen, och det är ingen ringa bedrift i en månad som vår."

Anselm Bolin suger in luft mellan tänderna när han ändrar ställning och trampar illa. Han räknar sitt tionde år som Eumeniderordens sekreterare, och i denna stund som lockat honom att försöka sammanfatta sällskapets essens känner han en förlamande matthet. Åldern har smugit sig på honom, en katastrof så enkelt förutsedd, men förut bara något som drabbar andra. För sen att avvärja nu. I sin ungdom kände han sig odödlig, en känsla han nu minns bitterljuvt, ömsom med saknad och ömsom med förakt. Det ska fan föra protokoll för brödernas kotteri. Torra ritualer där rang ska höjas och högtid firas. Allting i tvedräkt, alltid intriger, jämt politik, till och med inom en grupp vars medlemmar har så mycket gemensamt. Om makten kan man alltid träta, och om pengar, turordning och rang. Fraktioner ställs mot varandra, lojaliteter svänger över en natt, den kniv som igår spetsade egen rygg stöter du så gärna i en annans imorgon, som en svekets budkavle. När det ska röstas om nästa preses växer ränkerna till allmän feber; den inre cirkeln tvingas till hot och mutor för att säkra gynnsam utgång. I år ska mandatet förnyas, till nyår ska man välja. Han är trött, förmår i regel bara passivt betrakta ett spel avsett för yngre män. Fan ta dem. Hans lynne skiftar med ens.

”Även om du blott är en *limenitis* förklädd till *danaus* finns det de bland bröderna som ännu talar gott om hur bröllop firas på godset Tre Rosor.”

Bolin knackar snus i tumvecket ur sin sköldpaddsdosa, drar in kornen och kväver en nysning mot underarmen.

”Hade du kommit som någonting annat än en simpel tiggare hade du gjort det svårare för mig att visa dig på dörren.”

Ceton famlar en stund i mörkret, griper efter den gnista som flyger.

”Kanske finns någonting jag kan erbjuda i gengäld för brödernas välvilja? Ett uppträde av samma sort?”

Bolin snyter sig i sin broderade näsduk.

"Gudarna ska veta att tristessen är stor för tillfället, och med den kommer anspänning. Förströelse vore välkommen. Men det måste vara någonting i särklass. På ett bondbröllop är förväntningarna låga, men här i staden tarvas sofistikering. Fundera lite, Tycho, och skicka mig bud när du vet besked."

Cetons strupe är för torr för att låta stämbanden klinga, och han måste harkla sig och hosta innan han kan få fram ett ord.

"När?"

Bolin betraktar honom en stund, och Tycho kväver en rysning åt den njutning godtycket skänker.

"Vi inväntar din musa. Men dröj inte för länge."

Bolin häktar klockkedjan åter i sitt knapphål, stoppar rovan i västen, men hejdar sig mitt i avvisandets ritual.

"Förresten, Tycho. På sekretären jämte dörren finner du en bunt biljetter jag fått till skänks. Ja, där, under lejonet. Ta en på vägen ut. Själv är jag för gammal för sådant, men kanske föreställningen skänker dig inspiration."

Ceton gör som han blivit tillsagd, lyfter en teaterbiljett ur den hög som hålls på plats av ett stenlejons snidade framtassar. Så visas han på dörren.

"Åtminstone skägget är till förbättring, Tycho."

På sin väg ut drar sig Ceton till minnes någonting som gossen Tre Rosor anförtrott honom på deras långa resa över havet, några ord som Samuel Fahlberg givit gossen till varning, men utan att väcka förståelse: detta är inte första gången man jämfört Ceton med en varelse höljd i annans likhet. Men den gången var de skäl som angavs av annan sort. Han undrar vem som kommit sanningen närmast.

3.

DET NAMN SOM står att läsa på biljetten är ett han hört förut bland rösternas sorl. Unge Lindegren, Uppsalapojken som skaldat så många fräcka dryckesvisor har skrivit en ny pjäs, han som kom från ingenstans och gjorde succé med *Den blinde älskaren*. Det nya stycket är granskat och godkänt, och röster från Dramatiskan gör gällande att man räknar med rusning. Premiärbiljetterna är slut sedan länge, och de som hållit sig framme när det fanns att köpa låter sig övertalas till att sälja vidare för dubbla priset. Han hade kunnat sälja Bolins gåva dyrt, men har avstått. Tycho Ceton ska inte sko sig som krämare. Förr gick han ofta på dylika spektakel, nu är det som om Bolin givit honom en utmaning. Kanske kommer gubben trots allt att linka dit själv, för att se om han antar den.

På dagen faller regn, men himlen klarnar vad det lider. Kvällen kommer, den alla väntat på, och Ceton sällar sig till dem som korsar bron mot Norrmalm och följer Strömmen förbi operan. Där står hon än, hon som en gång kallades Makalös och ännu gör skäl för namnet. Ett sagoslott mellan Kungsträdgården och vattnet, smäckert och sirligt, medan Tessins grova kungaborg ruvar tung och platt i sina märkliga proportioner, vars bredd tycks bestjäla höjden på allt intryck. Makalös står som ett monument över seklet självt: rest sin byggherre till ära, förlorad till staten då penningarna tröt, gjord till rustbod för kung Gustavs ryska krig och nu när sista kulan förslösats hemvist endast åt fåfängan och fantasin.

Fastän det är sista lördagen i maj är det kallt för säsongen. Det passar Ceton: sällskapen kommer tjockt klädda, många med vinterns sjal högt om halsen. Han tar trappan liksom förr, men finner sin väg spärrad av en utsträckt arm.

"Biljetten först, om jag får be."

Vakten i livré skakar på huvudet och smackar med tungan när Ceton sträcker honom pappret, som om han blivit sannspådd i sin förväntan.

"Ståplats går sist in. Det duger inte att försöka smita före bättre folk."

Ceton visas åt sidan innan han kommer sig för att protestera. Han lånar ljus från en illuminerad ruta för att kunna läsa, och först nu blir han varse vad Bolins gåva är värd. En ståplats på parterren, att skuffas för en skymt av scenen bland kreti och pleti. Aldrig förr har han ens tänkt tanken på annat än fond eller loge, och nu är det för sent att göra annat än att förbanna sin godtrogenhet.

Fukten och kylan gör sig påminda trots att han bär varje plagg han äger. Otåligheten gör den värre. Till sist släpps de på, efter att vakterna gjort stor sak av att hålla trappan fri och speja efter senkomna dignitärer. Han knuffas fram i strömmen där varje steg görs kort av att slå i en annans hälar. Det svärs och bråkas, kvinnorna lika fula i mun som männen här i trängselns trygghet. Man släpper på tills parterren inte har rum för en enda gäst till. Ångerfull söker Ceton utgången med blicken, alltid känslig för andras beröring, men den vägen är redan spärrad av alla dem som strävar i motsatt riktning, lutar sig fram i hopp om att bäras närmare scenen. Ridån har knappt orkat vänta på pöbeln. Dess röda sjok dras isär för att blotta vad som ser ut att föreställa en målares ateljé.

Han hör knappt ett ord av skådespelarnas tillgjorda repliker. Annat stjäl all hans uppmärksamhet. Svetten lackar där nyss gåshud stod, han kan knappast röra sig. Folkmassan är som ett hav härjat av osedda strömmar: än trycks han av, än an, maktlös att göra annat än att svaja med. Orena pustar ur andras munnar blåser honom i ansiktet, han tycker sig se hur lopporna skuttar från en axel till en annan, man skriker och skrattar i öronbedövande larm. En frän stank och ljum väta genom sulorna går att härleda till en full karls min av salig lättnad. Det kryper i Ceton av vämjelse, men ingen hör eller ser.

Ovanför dem höjer sig fondplatserna i tre gallerier. På parnassen står det fina folket, med fri sikt och ren luft, gott om plats att svänga lornjetter för att bättre se vilka andra som kommit och hur de behagat klä sig aftonen till ära. Det bjuds snus ur silverne dosor, repeteruren klingar genom sorlet likt änglars bjällror. Många betraktar leende oredan på parterren, pekar åt grannen ut det som är värt särskilt löje. Trängseln därnere gör deras egen rymd njutbar, Ceton själv figurant i det skådespel de kommit för att se.

Så tvingas han genomlida tre akter och ett mellanspel där dansöser ursäktar sin klumpighet genom att visa mer av benen än de borde. Efter föreställningens slut får han vänta länge innan dörrarna slås upp; först ska fonderna tömmas, och man är ingalunda klädd för brådska, vart avsked tar sin tid. Väl ute hulkar han nattluft som för att vädra lungorna rena, döljer tårande ögon i rockärmens veck, vill kräkas men får bara upp galla. Ute på Strömmen flyter månens skärvor strödda på vågtoppar, dess rundel nästan full. Bakom honom pekar Makalös spiror, deras likgiltighet till hån. Han styr kosan tillbaka varifrån han kom, till en kammare för fattig för ljus och med bara hatet inombords till härd, en som inte låter sig dämpas vare sig av maktlöshet eller av fasa.

4.

"KÖPENHAMN STÅR I lågor."

I gränderna nedanför hans rum myllrar folket. Larm och skvaller. En gnista i torkan har ödelagt den danska huvudstaden, av Christianborg återstår sotiga stenhögar. Ett förebud, kraxar olyckskorparna. När brinner Stockholm härnäst, stenkåkarna till trots? De gamla som minns vet att vintervärme och nygräddad limpa kostar mer än de flesta tror: den röde hanen kräver lön för tjänst när man minst anar det. Ceton ensam vet det mer än någon. Från honom har den tagit allt redan.

Sommaren nalkas, och den stigande värmen gör hans kammare än mer olidlig än vinterns kyla. Undan vintern kunde han kura under filt, men från hettan finns ingen betäckning. Luften är kvav och osande, hans kropp kräver tillbaka med törst vad den förlorar i svett. Vad klåda han har blir värre, den som härjar skinnet likväl som den inombords. Tycho Ceton har tappat räkningen på dagarna. När skallen från mässringningen i Gertruds torn skakar kvarteret måste han räkna sex dagar och nätter för att veta att det är lördag, den dag som rymmer hans enda fasta rutin.

Han läser anslagen vid pumpen. Vid Hammarby ska man bjuda en tjuv till att dansa på vinden, äntligen. Galgen har stått försummad veckor i sträck. När det väl gjorts uppträde har det varit kvinnor som dömts för fosterfördrivning, och dem hänger man inte längre, trötta på gatpojkarna som alla trängs under schavotten för att få sig en glimt under kjolen mellan sprattlande ben. Istället är det stupstocken som släpas fram och läggs tillrätta på barmarken. Mästermans hugg med bilan intresserar honom långt mindre än snaran.

Han följer de andra förbi skansen och klättrar backen upp. Stämningen är munter, det är en klar sommardag där solen får vandra över det blå ostörd av moln. Väl framme tränger han sig motvilligt så nära han kan, ser ut ett sällskap där han inte framstår som malplacerad och sällar sig till deras utkant. Rackarkärran kommer snart, till ackompanjemang från kusken som bannar sin häst, och av svordomar från de drängar som måste skjuta på då hjulen tappar greppet i dammet. Ur vagnen för de den dömde i bojor, en ung man med rött hår och godmodigt ansikte. Hans min är först förvånad, men sedan upprymd, liksom smickrad över pöbelns uppvaktning enkom för hans skull. Det rosiga ansiktet skiner upp var gång han leds förbi någon han känner igen, han ler och ropar en hälsning. Galgens grund är rund och murad, med en enkel öppning där en trappa leder till plattformen. Väl uppe spänner bjälkar en trekant mellan stenpelare, var och en med fyra fasta öglor till spjärn för repen att resa sin börda. Fast den dömde har prästens hand på axeln och rackarens grepp om bojorna tycks mannen snarast förbluffad över den utsikt han förunnas, förförd av uppmärksamheten. När domen läses kan han inte låta bli att ta några danssteg och mima till orden, och reagerar knappt när en av drängarna daskar honom i bakhuvudet. Först under tystnaden efteråt är det som om allvaret gör sig påmint. Den strypande öglan hängs om hans nacke, och han ruskar på huvudet, som om det först nu slår honom att de män som omgärdar honom står där för att ta hans liv.

"Vänta, vänta …"

Samme rackardräng som nyss givit honom en hurring vyssjar nu och klappar honom om skuldrorna, lugnande, en tröstens smekning. Knuten dras åt, repets sträckning säkras, och den nick som förfogar över liv och död går från understårhållare till bödel till drängar.

"Vänta. Vänta, vänta."

Drängarna vet att inte dröja tills paniken gör skrik av viskningar, de tar i liksom i dragkamp, lyfter mannen av sina fötter och slår en knop för att hålla honom där innan de stryker sina händer mot byxbenen som för att torka dråpet av sig. Den dömdes min förmår ännu förmedla hans förvirring. De läppar som blånar och svullnar rör sig ännu i tystad bön om uppskov, och blicken flackar av och an utan att finna fäste. Fötterna sträcker sig fåfängt mot brädornas stadga, han skjuter rygg och spänner varje muskel för att bryta de band som håller honom. Sedan börjar han springa i luften, snabbare och snabbare, likt den höna som nackats men vars kramper låtit den fly huvudlös ur sin matmors famn. Varje rörelse ger snaran lov att smita åt än mer. Stinn tunga ryms inte längre i munnen. Och Ceton spärrar upp sina ögon åt skådespelet, ivrig att inte missa någonting medan gåshuden svallar över honom likt en bris på stilla vatten. Skräcken behärskar honom, men han kan inte låta sig titta bort, inte tillåta sig att blinka fast ögonen tåras av ansträngningen. Han söker den döendes blick, glosögd och med rodnande vitor, vars fäste i denna världen redan tycks förverkat. De stirrar in i evigheten, och Ceton söker ett tecken, ett skifte i synen för honom att tolka, en antydan om att de skymtar någonting förbehållet dem ensamt, men stunden är för kort, alltid för kort då den kommer, hur lång vägen dit än varit. Det som nyss var en levande människa stelnar ur sina sista skalv. Vad som än gjort mannen till människa är borta. Det som vajar i repets ände är något annat nu.

Ceton måste anstränga sig för att stilla sin andhämtning då han låter blicken vandra över de församlade, som nu vänder sig om en och en och begynner traska åter in mot staden, glada i hågen. Ceton frågar sig hur de förmår se döden som den hängdes ensamrätt. Alla bär de varsin snara om halsen, och repet leder dem steg för steg mot de galgar som timrats i tusen olika skepnader enkom för dem. De ser dem inte, men Tycho gör det. Hur mycket önskar han inte att han fått vara lika obekymrad som de?

Så stelnar han till, för bland dem som samlas är det två han känner igen. Cardell, den enarmade, med sin trästump ännu svartnad, hängd i sina remmar över axeln, och jämte honom Winge, dåren, alldeles stilla med en pipa i mungipan och händerna knutna om ryggen. Båda två söker med blickarna bland folket, Cardell gör en åtbörd i hans riktning och Winges huvud svajar på sin hals för att söka den utpekade. Ceton hukar sig under andras ryggar, hastar in där kön är som tätast och tvingar benen att lyda fast han skakar i hela kroppen. Han halvspringer dubbelvikt bakom publikens led tills han lägger backens krön mellan sig och platsen där han sett dem. Här lutar marken brant mot skansen till.

Han unnar sig ett uppehåll och en blick över axeln. Den gör honom varse att han inte varit snabb nog. De är efter honom båda. Cardells framfart märks av svordomar, utrop och en böljande rörelse som vore folket ett stilla vatten där en gosse just slungat sin sten; palten vräker sig fram utan urskiljning, skingrar allt i sin väg. Hjärtat kläcker som om det försökte fly bröstkor-

gens galler när Ceton kastar sig utför backen, så snabbt att han
då och då mister fästet och måste glida på sulorna ovanpå jordens
skorpa. Blodet tjuter i öronen på honom tillsammans med den
mötande vinden, som rycker hatten av huvudet när han ökar
takten ytterligare. Under honom vacklar ben som förtvinat i
kammaren över vintern, sidan ömmar som om något huggit en
nål i köttet. Vid tullen står stadsvakten löst grupperad. Bakom
bommen fortsätter vägen utan betäckning, och Ceton känner
redan sina krafter tryta. Han måste tänka, måste finna en lösning,
men rädslan gör hågen trög. En blick bakåt: Cardell så nära att
han kan urskilja färgernas skiftningar där rocktyget nötts ojämnt.
   Snabbt böjer han sig fram, skymd från tullkuren av en häst-
kärra. Han tar några nävar av den torra jorden att smörja över
sina kläder, ny smuts att dölja den gamla, gnuggar handen över
halva ansiktet. Han river västen så att några knappar far. Så
småspringer han fram mot manskapet, gör vad han kan för att
hämta något av sin anda.
   "Kapten! Säg, kapten!"
   Männen avbryter sitt samtal och öppnar sin krets för att
beskåda hans antåg. Ceton stämmer sin röst en oktav högre än
brukligt för att träffa den rätta tonen: en förorättad ädling som
månar om sin värdighet fastän han har gråten i halsen. Han
vänder sig åt karln med de rätta gradbeteckningarna.
   "Kapten, man har burit hand på min person. Jag har tjänst
hos ståthålleriet, och fanns på plats vid Hammarby för att föra
protokoll då rättmätig dom verkställdes, men så snart jag vänt
hemåt slog en buse hatten av mig, gav mig en knuff så jag flög i
diket och sparkade skrivdonen nedför backen. Karln är på örat,
men gjorde sig förstådd nog för att låta mig begripa att han är
svåger till den hängde."

Ansträngningens rodnad på hans kinder låter sig lätt misstas för harmens, och när mannarna inte kan hålla sina flin tillbaka sträcker han sig i sin fulla längd och börjar fumligt att rätta till den trasiga västen som för att återvinna något av den heder som gått förlorad. Han spänner mungiporna i en min av darrande högfärd och låter rösten spricka.

"Fjärran vare mig att överdriva min egen betydelse, men jag vill erinra herrarna om att varje attack mot en av statens tjänare är en attack mot staten själv. Där oskick som detta tillåts fortgå har vi snart revolutionen över oss."

Utan att vänta på genmäle pekar Ceton bakåt uppåt backen. Cardell är ännu hundra famnar bort.

"Där kommer han. Innan jag tvingades ta till flykten varnade jag honom å det skarpaste för att jag skulle finna snar undsättning hos våra corps-de-garde, och hans genmäle ... nej, det bär mig emot att ens låna orden röst."

Vakterna byter blickar, och kaptenen höjer ena ögonbrynet åt honom samtidigt som en av de underlydande ger deras önskan stämma.

"Säg."

Ceton svävar på målet en stund innan han skakar på huvudet i kapitulation, sänker rösten till en förfärad teaterviskning och sätter handen till kinden som för att skyla läpparna undan känsligt öga.

"Han sade att han ingalunda fruktar en svängom med korvarna, ty enda sättet för en stadsvakt att avgå med seger vore om han finge tävla i fellatio."

En yngre knekt som med sitt tal förråder sydlig börd ser sig om från den ene till den andre i öppet oförstånd.

"I vad för något?"

Kaptenen lossar sabeln i baljan medan han börjar samla sin mörknande skara till välkomst.
"Vill någon mondän karl tolka åt Jansson."
De är flera som svarar i kör.
"Kuksugning."

5.

DAGEN BLIR HONOM en plåga. Solen går patrull mellan tak-
åsarna, bränner undan dimmor och skugga, lämnar inget gömsle-
le fredat. Runt Ceton är det som om torkan krymper själva
väggarna, inspärrad som han är i en allt värre stank av smuts
och dammig furu. Ledan tvingar honom upp för att stega golvet
från fönsterglugg till kakelugn, om och om igen. Varje starkt
ljud från gården under jagar honom i betäckning. Han ältar sitt
dilemma, hör Bolins sluga röst i örat. I middagshettan knäp-
per de torra brädorna runt honom, som om någon knackat på
hans bur för eget nöjes skull, för att skrämma tamdjuret åter
på fötter.

Om natten förblir lyktorna släckta i staden mellan broarna.
Solen fullföljer sitt varv alldeles under horisontlinjen, nära nog
för himlen att spara en blånad som bara de starkaste av stjär-
nor kan utmana. Först då höstens annalkande mörker lägger
gränderna i skugga kommer man att tända lågorna igen, spröda
ljuspunkter som visar vägen från kvarter till kvarter, med visk-
ningar från sprakande vekar och vass doft av rovolja. Fram till
augusti är det endast sommarhimlens bleka rundel som lyser
upp, understödd av skenet från gläntande krogdörrar.

Tycho vågar sig bara ut efter att solen gått ner och dunklet lagt
flor över allas ansikten. Tristess och frätande desperation röker ut

honom. En ynklig lov om kvällen unnar han sig, vaksam på vem han möter. Stadens ljud är många men dämpade, då skymningen tvingar de vakande att söka ljus vid härd och talgdank. Barnskrik från vaggor dit ohälsan sökt sig. Ur palatsen violoncellers bastoner till kontradansens ackompanjemang, från torget skrik och rop och ljuden av handgemäng, från Baggensgatan lustans kör, från krogar och källare skrål där lynnet lockat till allsång. Ficktjuvar och missdådare som lurar i prång och portar låter Tycho passera oantastad: de känner både sina bytens ivriga fjät och de döddrucknas ragel, och ser hos honom varken eller, blott en stackare som söker dunklet liksom de själva. Hellre än att löpa det okändas risk viker de av som vore han ansatt av smitta.

Det flammar ett bloss på Stortorget, intill brunnen, och Tycho har sett det förr, många nätter i rad. Det lockar honom allt närmare för var kväll, honom liksom andra. Det folk som skyndar över kullerstenen dras till ljuset likt svärmande knott, en brokig skara som omgärdar lågan och kastar gungande skuggor. Samlingen förblir aldrig långvarig innan ljuset lockar även korvarna, som skingrar de församlade med några barska skällsord. Nästa kväll samma sak, och nyfikenheten drar honom allt närmare. De håller ojämna tider, säkert för att inte göra sig till del av nattvaktens rutin, och vissa kvällar måste Ceton stå och vänta länge i hörnet vid Börsen, eller intill pumpen på torget.

De är varken jakobiner eller gustavianer. Det han hör är någonting annat. Den man som står i cirkelns mitt pekar upp över börsbyggnadens takås mot Storkyrkans spira.

"Det sägs att kyrkan är rymlig, stor nog åt alla. Men det är inte sant. Den är trång, mina systrar och bröder, alltför trång. Och där trängseln blir så stor att inte alla kan beredas plats, där skulle heller aldrig Herren solka sin fot."

Ceton tar några kliv närmare. Snett framför mannen som talar står en kvinna och håller sitt bloss för att visa honom i ljuset. Han är en grov karl, med ett spräckligt skägg där vita strån spritt sig bland de bruna, barhuvad och med hatten i hand.

"Varför skulle Herren välja att tala till sin flock i stela sedvänjor och högläsning av gamla ord, alltid desamma? Nej, mina bröder och systrar, Herren kommer till oss en i sänder, och talar som vore han din käraste vän. När livet är dig som mörkast behöver du bara be med en innerlighet som aldrig förr, och han ska komma till dig, ensam i din kammare, naken och blodig med törnekrona på hjässan och spjutstick i sidan, och sluta dig i sina armar, väcka dig till din nåd. Kom till oss, lyssna till dem som mottagit hans visit och nu delar sin vittnesbörd, och också era ögon ska öppnas."

Många som samlats av nyfikenhet börjar bryta upp när de inser att de lyssnar till en vantroendes predikan. Också Ceton vänder sig för att gå, besviken, men hejdas när han inser att mannens röst nu riktar sig till honom ensam.

"Broder! Vänta, gå inte. Jag har sett dig, jag liksom Herren. Han har inte sänt dig hit förgäves, utan för att sträcka dig en hand i din nöd. Lars Svala är mitt namn. Vill du inte följa oss?"

Ceton tvekar, vänder huvudet bort som för att avvisa en gatans taskspelare och fortsätter sin väg bort över torget. Mannen kliver honom nära nog att spärra hans väg och söka hans blick.

"Mina ögon är skarpa, och Herren låter dem se mer än eljest. Ibland har du kommit nära nog för att låta ditt ansikte nås av vår facklas ljus. De känslor du bär är större än du förmår dölja. Dina kval och din smärta är en vårdkase i natten. Hjälp finns att få. Det är försynen själv som fört våra vägar samman."

Hellre än att tränga sig förbi vänder Ceton och går åt andra hållet. Svala slår ut med armarna som om hans tes just letts i bevis, och hans röst bär ett spår av triumf.

"Se! Inget mål har du, varje kurs lika god som den andra, ett löv i nyckfull vind."

Ceton hastar på sina steg, och med talarens vana höjer Svala sin röst för att inget ord ska gå förlorat i avskedet, allvarlig nu.

"Alltför många lever sina liv som vore det en dröm där ingenting står på spel. Men efter döden väntar evigheten. Jag har vakat vid alltför mången dödsbädd och sett hur insikten kryper sig på först i livets sista timme, och ångern i dess spår. Jag har sett de döende i ögonen just som de får sin första glimt av vad de köpt för sin ohörsamhet. Bli inte en av dem."

Ceton hejdar sig och står en stund stilla innan han vänder åter, och Lars Svala ler under ögon som tårats av ett spirande löfte om att kunna lotsa ännu en själ till himmelriket.

6.

DE VANTROENDES FÖRSAMLING har sin hemvist i bättre lokaler än Ceton kunnat ana, alldeles utanför Kungsträdgårdens murar, vars järngrindar ännu står öppna och ger honom en glimt av vildvuxna buxbomslabyrinter och av orangeriets gula väggar. Åt Katthavet till ligger en malmgård omgärdad av en vid trädgård, där en tillbyggnad rests till bönesal. Det är söndag, samma dag och samma tid som kyrkornas klockor kallar sin flock till bön. I solen flammar de tuppar och kors som kröner spirorna, och klangen tycks falla ner rakt ur himlens blånad. Över malmgården ringer endast en trotsig vällingklocka till svar, gäll och spröd i sin ton, och i glesa rader strömmar de vantroende till, vissa hukande liksom i skam för sin dyrkan, andra går högresta och bär i sin min en stolthet och ett förakt för vad de glatt förkastat. Det är en liten skara, ett trettiotal kanske, som alla ger sin hälsning vid dörren och kliver in. Salen är kylig först, värmd bara av de församlades kroppar och belyst av dess fönster. Snart ligger rutorna skymda av imma. Ceton tar plats ytterst på en av de bänkar som ställts i halvcirkel framför det bord som tycks gälla för altare täckt av broderad duk.

Där bortom hänger Jesus Kristus på sitt kors framför ett lakan som spänts till fond, men det är en frälsare av en sort Ceton inte sett förut. Han är sånär stor som en levande man, om än mager in på bara benen. Det virke som snidats i hans avbild är grovt och ofärdigt, ännu märkt av verktygens egg, men den som hållit stämjärnet måste ha bibringats inspiration och färdighet av sin tro, för av frälsarens lidande har ingen detalj lämnats därhän. Belätet strålar av smärta. Huvudet dinglar över armar och axlar där varje sena stramar som strängar på ett instrument. Där törnekronan stuckit gjuts blodet över panna och ansikte, och hålet i bröstkorgens högra sida är omsorgsfullt karvat för att behålla formen av den spjutspets som nyss dragits loss. Huden är målad blek och mjäll, men varje sår och varje blodsdroppe glänser klarröd i skenet från altarets grova vaxljus. Till synes i stilla bön, med ögonen slutna, står Lars Svala, den man som givit Ceton sin inbjudan. Salen försjunker i det närmaste tystnad den förmår, gemensamma andetag utan samlad rytm, klädedräkters fras och fötter som skrapar mot golvet när kroppars vikt skiftas. Ceton låter sin blick vandra från den ene till den andra. Kretsen är brokig. Trashankars slitna paltor visas sida vid sida med borgerskapets dugligare plagg, gammal trängs bredvid ung och kvinna jämte man. Bara i deras ansikten står gemenskapen att läsa. Lars avslutar sin egen tysta bön, öppnar sina ögon och låter dem svepa över församlingen innan hans läppar spricker upp i ett milt leende.

"Bröder och systrar, vi har samlats denna söndag inte för att höra vad som nedpräntats av de döda, utan för att lyss till dem som själva mött frälsaren. Vem av er vill tala?"

En kvinna kring de femtio börjar rastlöst gunga från fot till fot, tills Svala sträcker ut sin hand mot henne och bjuder henne fram till altaret.

"Elsa Gustava."

På skakande ben stapplar hon fram genom leden som öppnar

sig för att bereda henne väg, och blir för en stund stående att tugga med tandfattiga käkar. Så drar hon ett hulkande andetag och börjar.

"Som liten var jag mycket begiven på det kristliga, men där fattades mig något, och bönen låg inte för mig. Jag frågade min mor om råd, men allt hon kunde göra var att visa mig de ord som andra skrivit, och anmoda mig att lära mig dem utantill och att säga dem var afton innan jag gick till sängs. Senare skickades jag till Stockholm att söka tjänst, och då var det som om himlens röst försvann ur mitt liv alldeles, och jag förleddes av lust och av nöjen. Så en natt, då jag låg och vred mig i ånger över allt jag inte kunde göra ogjort, kom Jesus Kristus och stod där alldeles bredvid min bädd, naken och blodig som om han nyss nedstigit från korset."

Kvinnan har börjat gråta av sin sinnesrörelse, och medan hon fortsätter tala stirrar hon upp över huvudena på de församlade, som om hon såg framför sig på nytt allt det hon beskriver mellan extatiska snyftningar.

"Jag låg alldeles stilla, vågade knappt röra mig, tills han lyfte sin arm och visade mig sin flank där revan lyste röd, och han lät mig kyssa den, jag smakade hans heliga blod och sårets salta kanter var mig en större fröjd än alla de läppar jag satt till mina i liderlighet. Sedan slöt han mig i sin famn, och svor att han skulle vara mig till brudgum allt framledes, och den starkaste njutning jag någonsin känt for genom min kropp liksom en stormande vind."

Efteråt, efter att Ceton lyssnat till församlingens sång, där männens försagda basar blandat sig med kvinnornas gällare ton, och efter att sakramentet fördelats, tecknar Lars Svala Ceton åt sidan, till ett tomt hörn av salen.

176

"Du är skeptisk."

Ceton låter tystnaden föra hans talan. Svala nickar.

"Om inte vår herre, vem var det som kom till vår systers bädd i hennes nöd?"

"En mager fyllbult som tagit miste på dörr kanske, blodig om händerna efter att ha värjt sig mot kullbyttor i gruset, och med kvistar i håret efter en tupplur i diket."

"Ah, raljeri! Är det dig egna kval till lindring missunnar jag dig inte. Men vill du inte ge mig ditt allvar också?"

"Voltaire sade det bäst, även om hans mening var en annan: Om Gud inte funnes vore det nödvändigt att uppfinna honom. Din Elsa Gustavas fantasi kom till hennes undsättning. När dårar ser syner spärrar man in dem, när de fromma gör det heter det religion."

Svala svarar honom med ett milt leende, och i hans svar finns inget tecken till anstöt.

"Vår frälsare har lika många skepnader som de själar han kommer till undsättning. Bland oss finns simpelt folk, och kanske tarvar de en simpel frälsare. För dig kommer han att klä sig i annan hamn."

"Än för dig?"

Svala rynkar sin panna.

"Jag väntar ännu på den dag då han ska komma till mig i köttet, och låter mig smaka lammets blod från hans eget skinn. Men jag låg för döden, för länge sedan, i en frossa som inte lovade någon lindring, skakande av rädsla inför det slut som föreföll ofrånkomligt. Mina synder var många, dobbel min stora last, en som kostat mig vänner och familj, och vad förmögenhet jag en gång haft. Kyrkans präst satt vid min säng och rabblade böner medan han lutade sig åt sidan i hopp om att kunna skymta tornklockan genom fönstret, ivrig att hasta annorstädes. Det slog mig då: Vad är väl hans anhangs lama dogmer annat än hinder lagda på trons väg, tullbommar de rest vid himmelrikets gräns för att berika sig själva med tariffen? Efteråt drömde jag, och den drömmen var ett löfte från en gud av en annan sort, och en vy mot de saligas ängder. Tyst avsvor jag mig min gamla tro och gav mig åt denna nya, och med ens sjönk febern. Snart fann jag andra som jag."

Svala gör en ansats att lägga sin hand på Cetons axel, men rätar ut näven i en urskuldande gest när Ceton tar ett steg bakåt för att komma utom räckhåll.

"Som herde för denna flock har jag lärt mig att känna min nästa. Många kommer hit, hög som låg, och allas vägar är olika. Men du, det är någonting särskilt med dig, en smärta av ett slag jag sällan förut skådat, och lidandets längd görs tydlig av att du så vant förvisar det från ditt anlete. Bara när din tanke strövar, i korta ögonblick, kommer den fram. Det är en hemsk grimas. Jag undrar om du sett den själv. Jag anar också att du inte är en gudfruktig man. Men vet att syndare som du är de vår frälsare sätter den största ära i att lyfta undan lågan. När du tvivlar, känn i ditt hjärta den längtan du har efter det som är heligt, och vet att detta är själva beviset för Herrens existens, ett frö som frälsaren sått med egna händer."

"Är varje drift som ryms i mitt hjärta lika gudomlig till sitt ursprung?"

Svala skakar sitt huvud med ett leende.

"Att skilja det ena från det andra är den utmaning Herren givit. Seså, det finns bröd vid dörren, färskt ur ugnen. Bryt det i vår samvaro, och kom tillbaka till oss snart. Här och ingen annanstans kommer du att finna din tröst. Kom och lyssna till de andra som vittnar, och låt oss därpå talas vid igen utifrån deras exempel. Jag ser ditt tvivel, men detta första steg måste du ta av tillit."

När Ceton tar sin första tugga av den rågkaka som ännu är varm inser han att han inte äter av artighet, utan för att han är hungrig, och knappt längre har råd till annat.

7.

CETON KOMMER SENT hemåt i nattens kvalm, ännu med de vantroendes ord skavande i huvudet. I portar och på tröskelstenar har suputerna sökt sig skydd, än fullare då de lärt sig att det är bättre att byta sina sista rundstycken mot brännvin än att vakna med fickorna vittjade av flinka fingrar. De mest luttrade har vänt fickorna ut och in för att bespara ficktjuvarna mödan, i vetskap om att de mer illasinnade bland gatans pack plägar markera sitt missnöje över fåfäng ansträngning med spark eller slag. Kullerstenen i gränden som öppnar sig mot den gård där han hyr sin kammare är osedd i dunklet, men han kan höra hur hans sulor bryter den skorpa som dagen lämnat över det som skyfflats ut mot rännstenen, tjockare till och med än brukligt, en sommarens skare. Hans sulor halkar i sörjan och skrämmer flugsvärmar på flykt. På gården snarkar en ålderstigen sugga i sin tillbommade kätte, försåtligt behängd med allsköns skrot till larm för nattliga tjuvar. Innan han kliver ur betäckning hejdar han sig, varskodd av något odöpt sinne om en annans närvaro. Månen är skymd; medan han väntar avslöjar stjärnljuset en korthuggen skepnad, och när igenkänningen blivit ömsesidig tilltalar den honom med en flickas röst, sänkt till viskning.

"Herrn?"

Han har sett henne förr, ett av många barn som springer i kvarteret. Liksom hennes föräldrar försummar henne har hon blivit gammal nog att nonchalera de småsyskon hon satts att vakta, vet att de straff som lovats henne sällan blir hågkomna om hon bara återvänder under tider då berusningen tagit ut sin rätt. Säkert ämnar hon göra honom till en stolpe på hennes ofrånkomliga väg mot de Baggensgatans jungfruburar för vilka ödet så tydligt stöpt henne.

"Jag har väntat på herrn i många timmar."

Innan han hunnit svara sätter hon ett finger till läpparna för att tysta honom.

"Och jag är inte den enda."

Hon vinkar honom närmare, och visar honom med gester hur han bäst ska snegla runt byggnadens hörn upp mot sin kammares enda fönster. Det dröjer innan natten visar honom det hon vill att han ska se. På rutans andra sida flämtar en svag glöd, omärklig för envar som inte söker dess närvaro: någon väntar därinne.

"De kom med skymningen. Hade de gästat en villig värd hade de tänt en låga vid det här laget. Istället väntar de i tystnad, och de har ställt dörren i ordning så att ingen ska ana deras närvaro."

Ceton drar sig tillbaka in i grändens skydd.

"Vet du vilka de är? Har du sett dem?"

"Palten Cardell känner jag vid namn. Hans kumpan är tunn och mager; redan på håll kunde man se att han inte var som andra. En till hade de i sällskap, en karl med poliskammarens bricka om halsen."

"Vad förskaffar mig denna välvilja?"

"Herrn har hyrt länge här nu och är en av oss. Vad vore väl staden mellan broarna om inte ens vi grannar höll varandra om ryggen? Men en välgärning förtjänar en annan. Kanske har herrn några slantar till övers i sin börs?"

Med en grymtning väljer Ceton i blindo bland de få mynt han har kvar, viss om att han nu åtminstone kan behålla det han är skyldig för hyran, ty till sin kammare kan han inte längre återvända. Han räcker henne en skilling, men när han vänder sig om för att gå känner han hennes lilla hand på sin rockärm.

"Herrn? Nog har jag förtjänat mer än så."

Hon har höjt rösten något, och i samma stund som han hyssjar henne inser han att han står i begrepp att bli rånad av en som stunden beväpnat med gynnsamma omständigheter. Han räcker henne en skilling att hålla den första sällskap, men hon backar istället och låter hans hand hänga orörd mellan dem.

"De står på språng däruppe, det har jag sett, redo att överraska herrn så fort de hör steg i trapphuset. Råkade jag skrika vore de här på ett ögonblick. Det vore så lätt hänt. Jag är bara ett barn ute efter läggdags, och natten fylld av faror."

"Månen är täckt och sikten är borta, och rundar jag bara ett hörn vore deras möda förgäves, liksom din."

Hon rycker på axlarna.

"Kanske har de tur när de gissar flyktvägen. Oddsen är jämna. Och herrn märkte det nog på vägen in; någon har råkat slå ut träcktunnan i gränden, och klacken slinter lätt i orenheten, särskilt för den som har bråttom."

Han anar hennes självbelåtna leende, liksom omständigheterna kring olyckan.

"Vilket pris vore skäligt?"

"Herrns hela börs och allt annat av värde som han bär på sig."

"Så låt oss kliva bakåt några steg, tillräckligt nära för våra vänner att höra dig ropa, men tillräckligt långt för mig att komma undan om du skulle få för dig att dubbla din vinst genom att varsko mina gäster i hopp om hittelön."

Flickan nickar åt förslagets rimlighet, men hon känner sin världs villkor. Hon stannar på den tum där hon ännu går säker, utom räckhåll för hans grepp om han skulle våga det. Med flyktens första steg förberett sträcker han henne börsen med de sista slantar som han äger.

"Möts vi igen kanske det går dig sämre."

Hon rycker på axlarna åt honom medan hon smusslar undan sin vinst under kjolen, och rösten är likgiltig.

"I fjol hade jag nio jämnåriga kamrater här i kvarteret. Tre av dem firade nyår under jorden, en fjärde tog frossan i vår, en går på gatan, en sitter på barnhuset. Jag griper min chans medan livet bjuder och lämnar morgondagen åt den som har råd."

8.

LARS SVALA HAR en god röst för predikan, en känslomättad baryton av den sort som förmår att bära till alla och envar utan att mödan hörs. De församlade lyssnar med en andakt på euforins gräns, och många som inte lyckas lägga band på sin känslor vaggar från fot till fot i takt till en ohörd puls. Ceton låter blicken fara över den skara som idag räknar kanske femtio huvuden och förvånas: här blandas alla fyra stånden utan åtskillnad. Här finns hantverkargesäller och deras mästare, lätt igenkända på sina grova nävar, krumma ryggar och ansikten som garvats fulla av rynkor av att kisa åt sitt värv i vikande ljus. De står skuldra om skuldra med fiskarfolk, medellösa trashankar, unga präster i svarta kappor. Med ojämna mellanrum fångar ljuset mässingsknapparna på en högreståndspersons välborstade rock och den gyllene klockkedjan som dinglar över västen. Olikheterna till trots bär de alla ett och samma ansiktsuttryck. Cetons tankar går till ett stim fångad fisk som tyr sig till den glipa där sumpen öppnar sig mot deras längtans djup, men inte heller kan han undgå att lyssna till den stämma som kräver uppmärksamhet. Till ordens melodi börjar folket återigen gunga på sina fötter.

"Redan när vi kommer till världen är vi fyllda av synd, avkommor åt ett släkte som förbrutit sig mot vår fader och med rätta förvisats från hans lustgård. Men Herren visade oss misskund, och sände oss i vår nöd sin enfödde son till frälsning med sitt offer. Högst upp på Golgata hängde Kristus på korset, ännu oförlöst i sin gärning, tills en soldat skickades fram för att pröva huruvida något liv ännu återstod. Longinus var hans namn, och han grep sin lans och stötte den djupt i Jesu sida. Så slogs den röda hålan upp i frälsarens bröst, genom vilket hans hjärta äntligen stod blottat för människorna. Vår väg till hans gränslösa kärlek hade röjts, himmelrikets port ej täljd av pärlor och ädelsten utan av sårets kanter i sargat kött, och allt folket föll på knä inför det ljus som strålade ut, och för det heliga blod som ymnigt flöt."

Svalas passion och den värme som strålar ur salens tätt packade kroppar har fått svetten att klistra hans hår till pannan. Han gör ett uppehåll i sitt tal, kliver åt sidan och visar på den enkla kalk som väntar ovanpå altarduken.

"Samma blod dricker vi nu till hans åminnelse, och av hans kött äter vi. Mottag det med andakt, och när koppen sätts till era läppar, slut ögonen och vet att ni lika gärna kunde dricka det direkt ut revan från Longinus lans, likt iglar på den heliga kroppen, samlade att dia för frälsnings skull."

Före nattvarden vittnar de troende. Två ynglingar står framme vid altaret, så lika varandra att de kunde varit syskon. Båda har växande kroppars slankhet i behåll, ingen av dem tjugo fyllda. En av dem är längre och säkert också äldre, och med tvekan tar han ett steg fram efter att ha kastat en blick mot sin kamrat, vars haka vilar på bröstet, med ögon skymda under lugg slutna över tårar som redan börjat rinna utför kinderna, ansiktet förvridet i en grimas. Den äldre drar ett darrande andetag och börjar tala.

"Albrecht är mitt namn, och min kusin heter Wilhelm. Vi kommer söderifrån, födda som undersåtar till Fredrik August den rättrådige."

Hans tal är gott, bara med vissa ord förråder han att modersmålet varit ett annat.

"Vi är båda gesäller, och smide är vårt gebit. Wilhelm är ännu inte gammal nog att göra stort mer än att sköta bälgen, medan jag själv redan börjat forma ämnen med hammare och med tång."

Han snubblar på orden och tvekar, osäker på hur han ska fortsätta.

"Vi ... vårt hem har länge varit skådeplatsen för grannars krig, och när nöden blev stor i vår by skickades vi norrut till Rostock, då man visste att på vattnets andra sida fanns ett land där Lovisa Ulrika gjorts till drottning, och där kanske andra från vårt håll kunde vara välkomna. Vår familj har alltid fruktat Gud, och vi gavs den bästa uppfostran under prästen. Ingen skuld för det som hänt kan falla på dem."

Han tappar sin tråd för en stund, och söker efter de rätta orden.

"Vi skickades bort tillsammans, under löftet att ta hand om varandra, den ene aldrig långt från den andres sida. Men snart blev vi varse att vi var tre med på resan, och att Djävulen var den tredje. Han kastade sitt garn över oss, och vi, vi ..."

I tystnaden hörs bara den yngres snyftningar och församlingens väsen: ljudet av många andetag, vikt som skiftar på knarrande brädor, hostningar.

"Mellan oss spirade känslor som inte bör finnas mellan andra än man och kvinna. Ett köttets lockelse, värre och värre för varje steg vi tog, allt svårare att motstå. Vårt lidande är fruktansvärt, för vi vet båda att våra själar är fördömda i samma stund som frestelsen bleve oss övermäktig. Vi är främlingar här, och visste inte vart vi kunde finna hjälp i vår nöd, tills Wilhelm mindes byn Herrnhut nära vår egen, där en gång salig greven gav fristad åt alla och envar i sin församling. Vår glädje var stor när vi fann att hans skara stod att finna också i Stockholm."

Hans tal blir allt mer grötigt, tills rösten spricker och snyftningarna tvingar honom att sluta. Först efter några djupa andetag har han hämtat sig tillräckligt för att avsluta sin berättelse, nu med blicken fälld och skakade axlar.

"Den mästare vi tjänar i Stockholm har i sin välvilja visat oss till en och samma skrubb, där vi givits en enda fållbänk att dela. Vi törs inte göra så, rädda att förledas i synd, och medan Wilhelm tar sängen har jag bäddat åt mig på golvet. Ändå sover vi sällan. Var natt ber vi tillsammans till Jesus Kristus att han ska ge oss lindring och lösa oss från våra kval, och att den blodige brudgummen själv ska komma och sluta oss i sin famn, och ta all den kärlek i anspråk som den onde vill förleda in på syndens vägar. Vi... vi ber om era böners hjälp för att övervinna den sot som ansätter oss."

Efter nattvarden bjuder Lars Svala Ceton sin tobakspung att stoppa lånad kritpipa. De tänder varsin på församlingsrummets sista talgdank innan Svala blåser ut den, och sätter sig på en bänk i den lilla trädgården. Den sista av de troende har passerat grinden, stärkt av Jesu blod och lekamen. Bortifrån Katthavet hörs tvätterskors bräden slå takt till fiskförsäljarnas rop, och från Kungsträdgården kommer då och då skratt och skrik från flanörerna som sökt buskagens skydd undan gassande sol. Dagen är varm, som alltid denna långa sommar. Svala bryter tystnaden.

"Vad har du att säga om aftonens vittnesbörd?"

Ceton låter den svala röken fläkta över tungan, drar ett djupt bloss och låter den fly genom sin trasiga mungipa, den sida som vetter bort från hans värd.

"Att älska och att älskas tillbaka – långt ifrån varje livstid är förunnat en dylik ynnest. Ödet har sträckt dem tid och möjlighet att tillfredsställa sina begär utan att störa någon annan. De står i livets blomningstid, båda prydnader för sin sort. Det enda jag är benägen att kalla för synd är att de försakar den sällhet som så tydligt satts inom deras räckhåll. Och på tal om synd, vore det en sådan, är det åtminstone en för vilken salig kung Gustav själv inte höll sig för god, för att inte tala om baron Reuterholm. En enda sak kan jag tänka mig som de två kunnat enas om, och det är fröjden i vackra gossars sällskap. Den italienska läggningen spirar varstans. Om dem som hyser den kan man varken säga bättre eller värre än om andra."

"Än evigheten, då? Än själarnas förtappelse?"

"Varför skulle någon gud ha skapat en varelse till sin avbild och fyllt den till brädden av drifter som är honom till missbehag? Given makten, varför framföda någonting som är mindre än fullkomligt?"

"Vår tro lär att vi utstår frestelsen för att självmant kunna träffa vårt eget val mellan gott och ont."

"Är vi ett spel, då, en uttråkad skapares förströelse? Där en ensam är allsmäktig finns ingen plats för andras fria vilja. Han visste vad resultatet skulle bli, och hade med en handvändning kunnat rätta varje fel, istället för att likt ett barn gissla ett döende djur med en pinne för sin nyfikenhets skull. Om deras tro består sextio år hän står var och en av dessa gossar som en ensam gamling, med armen om en krycka där hans älskade kunde ha varit. Genom ångerns tårar ska de blicka tillbaka över ett förspillt livslopp med den enda trösten att inte mycket av lidandet återstår."

"Min vän, vad tror du väntar oss på andra sidan?"

Ceton böjer sig fram för att gnugga en fläck från låret.

"Intet. Vad annars? För mig rymmer tanken ingen fasa. Se naturen runt oss, som inte låter någonting gå till spillo. Inte heller vi går förlorade. Idag är vi människor, imorgon blir vi till maskar, dagen efter flugor. Är inte det en varaktighet? Men inget medvetande återstår, ingen själ, inga hinsides gåvor att vinna genom förment dygd, inget vite för inbillad förbrytelse."

Lars Svala skrattar tyst, och solen står ännu stilla högt mot det blå dit Sankt Jakobs spira pekar.

"Dina ord stärker mig i min tro. Vem annars än Gud kan ha sänt dig i min väg? Aldrig har en själ varit i större nöd än din. Bryt bröd hos oss innan du går."

Girigt äter Ceton av det han bjuds. Svala vänder sig bort för att låta honom stilla sin hunger i fred, innan han ställer sin fråga.

"Min vän, har du sovit ute inatt?"

Ceton mönstrar de kläder han bär, och ser med ens samma sak som Svala. Rock och byxor fläckiga, märkta av gatans lort. Ett försök att borsta det värsta av knäbyxorna ger motsatt resultat, och han ser att också hans händer undgått tvättkaret alltför länge. Han rycker på axlarna, en avfallen herremans enda svar på en fråga som svider för illa för att bevärdiga ett ärligt svar. Lars Svala låter blicken söka i trädgården utanför och förråder inget medlidande när han ger sitt erbjudande.

"Det finns vatten intill köket, såpa likaså. Vi har en bädd här för den som behöver, i ett rum som må vara torftigt, men där allt det viktigaste finns inom räckhåll. Säg till pigan, så visar hon dig, och jag ber henne att lägga fram kläder att låna medan hon tvättar dem du bär nu."

9.

FRÅN GALGBACKEN ÄR han förvisad. Han tar för vana att
traska åt Strömmen till, vänta en stund vid vattnet och snegla
mot Norrbro, där plankor timrats som tillfälliga valv ovanpå
de bropelare som försummats sedan de rests ur sina kassuner.
Under honom dånar forsen ur den svullna Mälaren, och sträck-
er hungriga vågor upp mot honom medan böljans vita drägg
klöser kanalens stenmurar. Ceton följer vattnet ut på Kyrkhol-
men, där slakthusen står i strandbrynet vid pålade bryggor. Han
klättrar en bit upp i backen som sluttar mot kyrkan och finner
sig en plats, alldeles där en glugg mellan husen låter honom se in
på slakthusgården. Ovanför honom slår klockan och förkunnar
början på ännu en sorgedags slit. De yrkesmän vars utseende
snabbt blivit honom lika bekanta som namnen är okända masar
sig ut på gården en efter en, knyter sina förkläden och sträck-
er stelheten ur armar och rygg. Så leder man in dagens första
oxe, som motvilligt låter sig tjudras till pålen, råmande i kla-
gan. Duken som knutits för dess ögon är inte nog för att lindra
oron, då den besitter andra sinnen som alla varslar om ofärd.
Slaktarna byter en blick och påbörjar utan ett ord den rutin
de alla känner. En gänglig gosse lyfter sitt spett och lägger en
lugnande handflata på oxens hjässa medan han balanserar den
vassa udden i vecket mellan tumme och pekfinger. Han nickar

åt djurets bödel, som spottar i nävarna, svingar sin klubba och med vanans färdighet driver det sjungande järnet ett kvarter in i oxens panna med ett kras som av ett vedträ som spricker i hetta. Oxen välter på sidan i chock och blir liggande som en fallandesjuk, alla fyra ben fäktande, och Ceton undrar vad för slags tankar som virvlar kring främmande metall i dessa sista stunder. Kanhända inga alls.

Eftersom det är dagens första förblir slaktmännen stående en stund för att betrakta kramperna, till eftergift åt allvaret i den död som snart ska göras till ännu en vardag. Man nickar gott värv åt varandra. Gossen ger sin mästare ett stolt grin med ansiktet nedstänkt; han fullgjorde sin plikt utan att släppa greppet för tidigt så att slaget missade, inte heller för sent så att klubban slog av honom underarmarna.

Blodet skummar rött över gårdens stenar i en växande pöl, och Ceton följer dödskampens korta ögonblick medan han håller andan, till ingen nytta. Innan kvällen kommer och skymmer spettets ände för slaktaren återstår något dussin djur, kanske ett tjog om han har tur. Inte många att föda en stad, men priserna har skjutit i höjden när grödorna växt illa. Han sätter sig bättre tillrätta medan nästa oxe leds fram.

Efteråt styr han kosan till herrnhutarnas gård, förbi Makalös. I dess innanmäte repeterar man: Högstämda röster bär ut på gatan, och när de gör paus rasslar teatermaskineriets taljor och spel. Någon rister en plåt för att härma ljudet av åska.

10.

BOLIN TAR EMOT annorlunda vid hans återbesök, kvickt avtalat med varsitt nedskrivet bud: fortfarande är det till bakvägen man hänvisar Ceton, men denna gång leds han till en annan sal. Ceton känner ett hopp spira av den sort som fyller spelarens bröst när oddsen höjs och insatserna växer. Lampetter klär väggarna i korridorerna, hans passage sätter lågorna i fladder, deras ryggspeglar strör strålarna av och an, och för några ögonblick luras hans sinnen: det känns som om golv och väggar svajar runt honom, tapeternas mönster och bröstpanelens spånt i plötslig bölja. Än en gång har han vunnit tillträde till den värld som en gång var hans, varje yta som ögat når förfinad, och själva luften fylld av en gång självklara dofter som väcker minnet: potpurri i sina skålar placerade att sprida väldoft, ur linneskåpen lavendel, vin som dekanterats inför måltid, kött på stekning och sjudande grönsaker i kittel, kryddor från fjärran land. Tillförsikten spirar inom honom, ty om inte hans hastigt nedskrivna förslag väckt intresse skulle han aldrig kommit så här långt. Här finns alltför mycket av värde att besudla med blod, och med Bolins praktiska läggning hade saker gjorts på enklare sätt. De hade lämnat honom åt sitt öde, och hade de hellre velat tysta honom med den sorts munkavle som består hade någon hejduk väntat i gränden med namnlöst stål i näven och rånet som förevändning.

Han styrks än mer av att hans uppenbarelse är aningen förbättrad inför detta andra möte. Liksom Lars Svala utlovade har hans kläder blivit sköljda och gnuggade, och även om mången fläck bjudit ett försvar bortom såpans makt har tyget självt återfått en renhetens stadga. Klädd så finner han det lättare att sträcka sig i sin fulla längd. En nött kam fanns på kammaren, skägg och hår nu fria från tovor. Så slås två bespeglade dörrhalvor upp, och han visas in att möta det öde som hans forna bröder valt honom.

De är fler nu, en handfull i samspråk vid fönstret, Anselm Bolin med ena handen vilande på rockskörtens dykränger och den andra på käppens krycka. Han stapplar ett halvt varv runt sitt svarvade elfenben vid gångjärnens klagan.

"Ah, Tycho."

De andra tre nickar åt honom, rödsvettiga i sina prydliga ställ. Van som han är att läsa etikettens nyanser finner han hälsningen avmätt men utan fientlighet. Så bemöts en paria som bär på förhoppning, en löpare återkommen från konvalescens på vilken pengar återigen kan satsas, om än med förbehåll. Han känner deras ansikten sedan tidigare. Två stod gäster på Tre Rosors bröllop och trängdes kring brudsängen. Bolin och de andra byter menande blickar, innan han stapplar över till ett bord intill väggen och demonstrativt skjuter en liten silverkorg med konfekt närmare Ceton.

"Bonbon?"

Ceton känner sorten: söt likör under skal av kakao. Det vattnas i hans mun, men han tuktar frestelsen med en viljeansträngning. Bolin rycker på axlarna.

"Nå. Du känner Tosse, Sneckenfelt och Stjärnborg sedan gammalt. Mellan sig representerar de brödernas hållning i stort:

En talade för din sak inför brödernas plenum, och det med en värme som vann gehör. En gjorde motsatsen. En är rådvill. Själv har jag betackat mig för egen hållning och begränsar mig till att agera språkrör."

Klumpigt men med inövad vana lägger Bolin sin vikt på en stols karmar, och låter sig sjunka ner medan han lutar sin stav mot väggen.

"Jag har lyft ditt ärende inför bröderna sedan jag mottog din depesch. Jag ska vara ärlig, Tycho: Sällan har jag sett vår orden i sådan polemik. De två sidorna föreföll väl balanserade gentemot varandra, och ingen mer medgörlig än den andra. Jag ska bespara dig de värsta av dina belackares omdömen om din karaktär. Det dröjde innan ett något sånär uppbyggligt samtal kunde fås till stånd."

Han harklar sig och byter ställning på stolen innan han går vidare.

"Låt oss lämna gamla antipatier därhän, och nöja oss med att konstatera att du har en historia som inte gått obemärkt förbi, och som skördat offer hos brödrakärleken. Istället ska vi fokusera på ditt senaste upptåg, Tre Rosors bröllop. De som själva bevistade evenemanget redogjorde för goda minnen, och framhävde dig som en omtänksam värd. Till din fördel redovisades också det faktum att denna försoningsgest gentemot vår orden kom till stånd då du ännu befann dig i en stark position, och att din vilja till endräkt därmed kunde betraktas som innerlig. Att du nu kommer till oss nödd och tvungen är däremot svårt att sätta ifråga, och det fanns de som med kraft frågade sig vad för slags man som har så få vänner att han måste vända sig till sina fiender för bistånd …"

Stjärnborg hostar tillgjort och ger Bolin en förebrående blick.

"Nå, det må väl vara detsamma. Tillställningen på Tre Rosor nagelfors i detalj, och jag ska inte hymla om att en mängd kritiska röster höjdes. Flera av bröderna ansåg det hela vara väl vulgärt, renons på den sorts finess i vilken vår orden sätter sin ära. En godtrogen ung man i dvala, en bondflicka försatt i hopplöst underläge. En vidare omständighet är den vinning du själv gjorde på affären i efterhand: pojken lär ha förvarats på Danviken i debilt tillstånd medan du själv täljde guld från förmyndarskapet. Kränkta röster gjorde gällande att du nyttjat Eumeniderna för egna syften och därmed gjort dig förtjänt av brödernas missnöje. Andra prisade din list, och såg manövern som exempel på ditt snille. Till slut nåddes hur som helst en kompromiss."

Bolin slår ut en arm mot sitt sällskap.

"Tillsammans med herrarna här utgör jag din festkommitté, här för att rösta för eller emot det förslag du lägger fram i sin helhet. Om detsamma bedöms vara tillfyllest har vi givits tillgång till en kassa ur vilken erforderliga resurser kan hämtas. Den är väl tilltagen; nöjen av denna sort är ju trots allt vårt samfunds *raison d'être*."

Cetons tankar går till församlingens lånade bädd med sin hårda botten, på vägglössen, på det torra brödet där varje tugga måste sköljas ner med vatten för att passera strupen. Anselm Bolin slår ut med armarna medan han byter blickar med sina övriga gäster.

"Då så. Mina herrar, det finns stolar. Tycho, föredrar du att stå?"

Efteråt lämnar de andra gästerna honom med Bolin, en efter en. Sist Gillis Tosse, som i passagen griper honom om armen och lutar sig nära, med svartnande tänder och röda grisögon, ungdomens kvardröjande slankhet i begrepp att förlora kampen mot de skålpund som vällusten hänger om midjan. En väsande viskning i hans öra.

"Vi har aldrig kommit överens, du och jag, och därför är det med största tillfredsställelse som jag vill säga dig följande. Jag gav dig min röst av ett enda skäl: om brödernas aptit inte stillas av det du ställer på bordet kommer du själv att bli huvudrätten. En sådan som du behöver man bara ge rep nog till låns att hänga sig själv. Och det du föresatt dig må låta imponerande, men det kommer aldrig att lyckas. Tror du annat är du en dåre. Det ska bli mig ett nöje att bevittna ditt fall, och det från bästa utsiktsplats."

Ceton svarar med ett leende, det första på länge, och känner kindens sköra skorpa spricka kring mungipan och smaken av järn på tungan, den gamla, den välkända. De är likar på nytt, han och hans fiender. Nej, inte likar: han själv är mer, långt mer, återbördad.

När de är ensamma sträcker Bolin honom en näsduk, och Ceton håller sidentyget mot sin blödande kind medan Bolin knådar sitt stela ben, utsträckt över en ottoman klädd i sammet, så nära det onda som fingrarna vågar och med ett grin av obehag.

"Några sista saker återstår att avhandla oss emellan, Tycho, och nu finns här gott om lediga stolar. Vill du inte slå dig ner?"

Ceton gör som han blivit bjuden.

"Ärendet du påtalade sist, Tycho: dina jakthundar. Jag har tagit mig friheten att säkra en informatör på poliskammaren, en med kännedom om båda männen. Han var inte billig; vi vet alla att Akademien bara är avskaffad tillfälligt och lär återuppstå så snart unge kungen är mogen. Gamle Schröderheim ligger för döden i detta nu och lär knappast se slutet på sommaren. Jag tvingades lova bort gubbens tomma stol för att säkra min källa, men nu är karln vår."

"Och?"

"I dina hasor har du dels en Emil Winge, yngre bror till den en gång namnkunnige Cecil, sedermera avliden. Denne Winge har tagit sin brors plats i det Indebetouska huset. I kraft av de framgångar med vilka han skött sitt värv kan han inte lätt röjas ur vägen, allraminst utan att frågor börjar ställas av en sort som vår orden alltid undvikit med största varsamhet. *Esse non videri*, som du väl vet."

Bolin lossar sin kravatt utan att invänta svar.

"Den andre är en annan visa. Denne Cardell. En karl som länge levt ur hand i mun, och sällan långt från faran. Fann man hans lik med strupen luftad skulle ingen förvånas nämnvärt. Icke desto mindre vill jag helst att en förklaring finns tillhands för den nyfikne, och jag har i det syftet anlitat ett ombud. Fordom soldat liksom Cardell, löst bekant rentav. Han gör i detta nu sin rond bland krogar där liknande anhang plägar dränka sina sorger, baktalar Cardell utan större diskretion i hopp om att finna en annan som hyser samma agg. När en sådan ger sig tillkänna ska vi förmå vederbörande att klä skott för motelden."

11.

SÅ KOMMER DE bråda dagarna åter till Tycho Ceton, länge saknade men mer krävande än minnet givit. Mycket behöver ställas i ordning, intet utrymme lämnas för misstag. Först nu ser han vilka märken vinterns leda lämnat i honom. Bibehållen tankenärvaro tröttar honom och lämnar honom med en molande värk över tinningarna, och när aftonen blivit sen och han söker sin bädd kastar han sig villkorslöst i Morfei armar, lika utslagen som någonsin en döddrucken under en bänk. Men hans drömmar bjuder honom en försmak av triumf. Brottstycken av det som komma skall spelas upp, varje detalj står över klander, och när han vaknar är det med en bitterljuv känsla som minnet av sömnbilderna smälter bort och lämnar den torftiga verkligheten kvar. Likväl är den en annan än eljest: Lars Svalas trasiga lakan och nötta fållbänk är lättare att fördra nu. Förr var han en enkel supplikant, tacksam för tak att skyla sig, prisgiven åt andras skön. Nu? Armodet är bara den mask han valt. Lössens bett slutar klia med insikten om att de är självförvållade, att en dörr som varit sluten på nytt står öppen och att det som väntar på tröskelns andra sida inte längre skrämmer, utan lockar honom.

I sin kammare lyfter Ceton fram det lilla paket han burit innanför rocken. Redan pappret är främmande, grynigt och grått, av en sort som vittnar om lång färd. Säljaren lät sig inte enkelt hittas. Ceton gick själv till slupen, vars underliga form gistnat intill sjövärdighetens gräns, höljd i en frän stank av kanel som stack i näsan men ändå inte förmådde dölja virkets sura röta. Under dess däck väntade en sjöman åldrad i förtid, så sotig i synen att bara de rynkor som dikat svetten ur anletet förblivit rena, skära snitt på måfå i allt det svarta. Som så många gånger förr påminns Ceton om att girigheten förenar alla män i ett eget språk. Slantar strävar efter nya händer, varor likaså, och trots att ingen kan yttra ett ord som den andre begriper finner man mening. Med grymtningar, gester och åtbörder åkallas affärens ande. Han synade varorna noga, prutade så gott han kunde medan hans motpart vred sina händer och i spelad besvikelse vinkade åt det kölvatten som sträckt sig till världens baksida. Till sist gjordes affär, och båda var så nöjda som kompromissen medgivit.

Nu, i talgdankens ljuslåga, kan Ceton unna sig att skärskåda sitt köp på nytt, och en malande misstanke bekräftas. Någonting är fel. Färgen är inte den rätta. Försiktigt tippar han paketet över ända och skakar det tills tre av de små baggarna landar i handflatan och blir liggande där i stelnad viktlöshet. Kvar bland pappersvecken räknar han för säkerhets skull ytterligare nio, ett dussin sammanlagt. Han håller handen närmare ljuset. De han sett förut har varit mer gyllene i sin färg, och dessa glittrar grönt i en nyans han aldrig sett förut, en som tycks honom overklig, små gäster från en värld mer flärdfull än hans. Han vet att han måste säkerställa deras verkan. På dörren kommer en knackning, och varsamt återbördar han de tre baggarna till sina fränder.

Lars Svala kliver in objuden, harklar sig besvärat och förblir stående medan Ceton varsamt döljer sitt paket i västens ficka.

"Efter gudstjänsten såg jag dig i samspråk med gossarna från söder. Tillsammans gick ni ut i Kungsträdgården, och det dröjde länge innan du kom tillbaka."

Svaret dröjer och solen bländar genom rutan, kammaren het som en bagarstuga medan bjälklaget knäpper i torkan, och när Tycho Ceton vänder sig om halvvägs på pallen mot mannen på hans tröskel glömmer Lars Svala sin fråga för en stund. I ögonblicket föresvävar det honom att hans gamla gäst är borta och att en ny flyttat in. Ceton gnider sin bara haka och vinklar den spruckna lådspegeln för att få en bättre vy.

"Skägget kliade. Jag är glad att bli kvitt det, äntligen."

Trasan han använt till handduk ligger rödfläckig på bordet, solkad var gång knivens egg hakat i sårets kanter. Påmind om rakningen grimaserar han för att sträcka sina nakna kinder, vänstra mungipan längre än sin granne. Med en sista blick i spegeln vänder han sig och ger Svala sin fulla uppmärksamhet.

"Förlåt mig min fåfänga. Ja, jag har tillbringat mången pratstund med Albrecht och Wilhelm. Kungsträdgården är sval om kvällarna, och varje kväll ses vi för att språka. De är beskedliga gossar, och jag är smickrad av deras förtroende."

"Vad vill du med dem?"

"Är jag inte del av gemenskapen, jag som andra? Jag har varit ensam länge. Det är inte att undra på att jag njuter av sällskap."

"Just deras och ingen annans? Av någon särskild anledning?"

"Vad får dig att fråga?"

Lars Svala sätter sig på sängens kant och låter sina fingrar lossa skjortans krage från nackens svett. Han rynkar pannan i irritation.

"Jag är orolig för dem. Vem som helst som någonsin hyst ömma känslor för en annan kan se vilka kval de lider. De har bara varandra, men de vill mer ändå, och kättjans lockelser är svåra i ungdomsår. Vår herre måste se någonting särskilt i dessa två för att kanta deras väg med en sådan prövning."

Han är uppe igen, rastlös, och stegar av och an över golvet så långt som planken bjuder.

"Och jag känner din syn på saken. Jag är rädd att blott ett illa övervägt ord kan knuffa dem in i fördärvet."

"Är din guds röst så vek att min hörs bättre?"

Lars Svala ser Cetons bild i motljus, och de strålar som omfamnar honom lämnar ett mörkt stråk över ansiktet. Han kan inte säga säkert om Ceton hånler eller om det bara är skuggornas spel med ärret som gapar över kinden. Han låter frågan gå obesvarad, och Ceton fortsätter.

"Du ska veta att jag är tacksam över allt jag fått här. Det har varit mig som en välgörande fastetid. Ni har vidgat min värld, och jag undrar nu om jag inte fått allt om bakfoten. Jag har försökt utröna tillvarons beskaffenhet genom andras ögon, och det förgäves. Nu undrar jag om det inte finns bättre vägar."

Ceton lutar sig fram på sin pall, sakta.

"Så småsint han ter sig i sin allsmäktighet, din gud. Som han bekymrar sig för våra ynkliga synder. Låt mig ställa dig en fråga, så prästlärd du är: Tror du att det finns någon hädelse svår nog att rubba honom själv ur hans leda? En som skulle ruska honom från sin schäslong av molntussar och visa sig bland oss dödliga?"

"Vad skulle finnas som han inte sett redan? Han verkar i det fördolda. Outgrundliga är hans vägar."

Ceton öppnar sin hand, och det han håller där skickar en solkatt i Svalas ansikte. Kisande ser han att det är en dukat, gul och skimrande som guld ensamt förmår.

"En gång var du en spelare. Om du vore så ännu, skulle du slå vad med mig om deras själar?"

För ett ögonblick känner Svala svindelns hugg i mellangärdet.

"Skulle du ta den ondes parti, då?"

"Här är bara du och jag."

Lars Svala ryser i värmen.

"Tiden är kommen för dig att lämna oss, min vän. Inget hade glatt mig mer än att ge dig trons gåva, men sprider du oro i den flock jag satts att vakta lämnar du mig inget annat val än visa dig ur hagen."

Minnen kommer oönskade, från druckna kvällars extas, fyllda av farao och lomber, själva livets rus aldrig så okuvligt som under tärningars tummel och när kortlappar vänds, vinst och ruin närvarande i ett och samma andetag.

"Och spelar gör jag aldrig mer, minst av allt om sådant som inte tillhör mig."

"Alla strider är inte våra att välja. Ibland måste vi spela, annars är förlusten given."

Ceton singlar slanten i luften och fångar den flyhänt.

"Vi har kommit varandra nära, vill jag mena, jag och pojkarna. De är enkla varelser båda, men älskvärda i sin enkelhet. Ungdom och skönhet har skänkt dem ett värde, om än förgängligt, och inte mindre intagande då de på de ungas vis är så omedvetna om det. Vet du varför vadet är ett du aldrig kan vinna? Vet du varför de skulle följa mig hellre än dig, ställda inför valet?"

Lars Svala vet, men slår ner blicken i skam medan Ceton vrider om kniven i såret.

"De är välkomna i er krets enkom på nåder. Ni vill stöpa om dem till gudfruktiga små lamm, till andra än de är. Innerst inne hatar ni dem. De må vara förvirrade, men innerst inne känner de sin natur. Under bönen svider deras hud där dömande blickar spiller ur andras ögonvrår. Syndens löfte vilar över dem likt ett orosmoln, och är av en särart som er sort inte kan förlika sig med. Jag ensam ser dem för vad de är, och önskar dem ingenting annat. Jag ensam dömer dem inte."

"Än mer skäl till din flytt. Din tid som gäst är till ända."

Ceton lägger huvudet på sned.

"Jag har en tjänst att be dig om. Den sista."

Lars Svala rynkar på näsan i en förbluffad grimas, som om just dessa ord var de allra sista han förväntat sig.

"Nå?"

"Under min tid i Karibien hade jag oturen att ådra mig en särskild sjukdom, en frossa av svårartat slag. Jag repade mig, men blev snart varse att den är av en sort som jag aldrig helt kan göra mig kvitt. Den ligger blott i träda mellan skov, ständigt redo att blossa upp och lämna mig liggande där knäna givit vika. Kraften i dess angrepp skiftar från gång till gång, och är aldrig lätt att sia."

"Och nu står den i antågande?"

Ceton nickar med spelat allvar.

"Den kommer nu, och natten lovar att bli svår. Vill du ge mig denna sista kväll här, i en kammare jag vant mig vid, där jag kan få vila ostörd? Febern har redan satt in och musklerna ömmar. Så snart benen bär mig igen lovar jag att gå min väg."

Svala tvekar, sliten mellan egen instinkt och de löften som binder hans värld samman.

"Jag ..."

Ceton kämpar för att inte med ansiktet förråda den vinst han vet på förhand är hans, tacksam för sin vanställda kind.

"*En man for ner från Jerusalem till Jeriko, och kom i rövare-*

händer; och de klädde av honom, och sargade honom och gingo dädan, och lät honom ligga halvdöd."

Svala ler motvilligt och avslutar versen.

"*En präst for neder åt samma väg; och då han fick se honom gick han förbi.* Dina bibelkunskaper är det inget fel på, så hedning du är. Nej, denna präst ska inte gå dig förbi."

Åter ensam på kammaren stänger Ceton om sig, skakar åter fram tre av de små gröna baggarna och smular dem mellan tumme och pekfinger över en mugg fylld med vatten, kastar huvudet bakåt och dricker den i botten.

12.

FÖRST INGENTING. SEDAN gradvis, ett främmande brus, spök-lika vågor som slår mot verklighetens rand, allt mer tilltagande tills rummet skakar och synen grumlas. Ceton hör ett okänt läte och inser att det är han själv som skär tänder. Han svettas i allt tätare vallningar, varje del av hans kropp i plötsligt uppror mot de smaragdgröna kryp som kränker dess vätskor. Värre och värre; kammarens skuggor tar hotfulla former, vinklar som en gång varit räta lutar sig ömsom mot, ömsom bort. Han kastar sig av och an i fållbänken, den sträva filten än omslingrad, än avkastad, hör sig själv skratta, gråta och yla, tills hans syn mörk-nar och lämnar honom ensam i en tom rymd.

Ur mörkret en röst, ett jämmer. Med självklarhet hävdar drömmen sin verklighet: Runt honom Saxnäs, han själv inte stort mer än en pojke med ärren efter kopporna ännu oläkta, vaknad ur frossa till en värld där hans far inte längre finns. Mitt bland de döendes stugor en tystnad förbehållen honom ensam. Med faderns röst tiger också gudsorden stilla, och inte ens bönen ger honom längre någon ro. Han går mellan husknutarna i sam-ma ärende som han följde sin far nyss, med vatten i flaska, en trasa att badda febrig panna, bibel och psalmbok i ränseln.

Han följer en stig, en fåra upptrampad i våt snö. Var gång han trampar snett rasar tunga flingor ner och lägrar sig i skarven mellan skons läder och yllestrumpan, skaver för några ögonblick innan de smälter och kyler. Han vet vart han ska, och väl framme sparkar han stugans väggstockar för att jaga snöskorporna av sina sulor, kliver in, och letar sig in i det skumma köket för att hålla en trästicka mot den glöd som blottas under aska. Så finns där ett ljus, en låga spirar i svärtan, och det är han själv som fattar dess källa. En enkel nattljusstake, en pipa i mässing att hålla stumpen över ett fat för droppande vax. En ögla ger hans finger ett grepp.

Han följer ljudet av hostan, blöta, uppgivna stötar mellan hulkande inandning. Lukten sticker honom i näsan. En torftig paulun. Karis Johan på sitt yttersta, ansiktet igensvullet av blåsor. Kroppen rycker till när han anar sällskap i kammaren, och Tycho flyttar sig undan den slappa hand som trevar efter honom. Karis Johan var en stor karl med myndig stämma, en som bar nog för att tillrättavisa en felande dräng på åkerns andra sida. Skålpunden har rasat av honom tills det enda som återstår är en klase ben i en alltför stor lädersäck. Av rösten finns bara grunda suckar kvar.

"Ulrika? Min Ulrika, är det du?"

Tycho har slutat svara de döende. De är bortom samspel. Johans hustru kallnar i sin grav sedan en vecka, men han själv är så långt gången att glömska och hopp satt förnuftet på undantag. Tycho sitter på sin pall intill sängskåpet länge, ger akt på varje andetag, söker då och då efter hjärtats slag över handloven. Han har vakat jämte sotbäddar nog för att ana dödens ankomst, och när Karis Johan börjar rossla glider han ner från pallen, repar modet att öppna ett svullet ögonlock. Fåfängt försöker pupillen fly bakåt undan ljusets sveda, tvingar honom att ta hjälp av båda händerna för att tvinga ögat att förbli uppspärrat. Gubben stretar emot och sporrar Tycho till hårdare grepp, hårdare än han måste när den avsmak för beröring han känt alltsedan tillfrisknandet utmanar hans omdöme. Han lägger sin tyngd över den döende och håller andan, väntar med fingertopparna blöta av tårar. Så får han dödssucken rakt i ansiktet, en sista oren dunst ur det som nyss var mänskligt, och det är över, han själv inte klokare än förut. Ögat glider till vila på stelnande muskler, och ansiktet bär ingen vittnesbörd. Där dröjer varken fasa inför skärselden eller sällhet över en skymt av pärleporten, endast tomhet, dåtid. De ger honom intet, dessa torftiga hädanfärder i yra och ynkedom, värdiga liven själva i sin nedrighet. Han måste ut, bort, att söka sina svar fjärran i världen. Ute har det mörknat. Den bit himmel kring vilken fönstret slagit ram rymmer ensam stjärnor i tjog. Han känner deras vikt på sina axlar, vackra och likgiltiga. Tycho dröjer på knä jämte sängen. De böner han lärt som gosse kliar på tungan av vanans makt, vill ut. Endast halvhjärtat förmår han mumla dem. Så med ens ett lyse i kammaren, och ur skenet får han svar.

"Min son, hav förtröstan, jag finns här hos dig."

Mörkret viker, en skimrande hand smeker hans axel, och han vänder sig och ser sin far klädd i ljus och med pannan krönt av en strålkrans, ansiktet milt i segerviss fromhet och fritt från vätskande bölder. Först känner han triumfen hos en övertygelse bekräftad. Sedan kommer skräckens dråpslag, en istapps spets huggen i hjärtat, en smäll över pannan hård nog att förblinda. Han öppnar sin mun för att stamma sin fråga.

13.

EN KALL, FUKTIG duk ligger an mot hans panna: Lars Svala
håller den på plats medan Ceton kränger med huvudet på kud-
den, och lyfter bort den först när de får ögonkontakt och han
anar en glimt av sans där. Morgonljus faller genom rutan, strålar
i skarp vinkel genomlyser ett moln av damm i slö kullerbytta
över golvet.

Alla Cetons lemmar är på plats och svarar som de borde.
Mellangärdet är en enda dunkande värk, som en ond näve som
knutits med all kraft och vägrar ge tappt. Han känner varje hjärt-
slag som vore det en hammare med höften till städ. Han flyttar
filtens trasväv för att skyla sig bättre, och Svala vänder taktfullt
blicken bort. Ceton prövar sin röst, sprucken och skrovlig först.

"Hur länge?"

"Hela natten lång."

Ceton ser hur trött han är efter sin långa vaka. Svalas ögonlock
hänger matta över mörka påsar.

"Du får förlåta mig mitt intrång. Dina kval blev ljudliga. Jag
fruktade att du skulle göra dig själv skada."

Svala räcker honom en mugg vatten, och fyller på mer ur en
kanna efter att Ceton torrlagt den.

"Är skovet över? Känner du dig bättre? Din panna är inte
lika het längre."

Med värkande muskler sätter sig Ceton upp, och svänger benen ner på golvet. Han ömmar över hela kroppen, men ingenting är förlorat, ingenting trasigt.

"Ja. Värre har det sällan varit. Allt är ett töcken."

Svala reser sig och gnuggar sitt ansikte.

"Ursäktar du mig? Ska jag få någon sömn innan dagen skyndar vidare mig förutan måste det bli nu."

Ceton nickar till svar.

"Ja, givetvis. Och tack."

"Nytt brunnsvatten finns i fatet. Jag bar upp det för inte en timme sedan, när du tycktes utom fara."

Han hejdar sig med ena handen på dörrens vred.

"Jag ..."

Så ändrar han sig, predikanten, med en ruskning på axlarna, öppnar och stänger om sig.

Ceton väntar tills han hört trappans virke sluta sin knarrande sång, likaså stegen över gruset under fönstret, innan han stapplar dubbelvikt till det naggade handfatet, kavlar av sig knäbyxorna och ställer sig på tå för att komma åt att ösa sitt ömmande kön, låst i blånad kramp och styvt som en påk. Efter hand lindras det värsta, något av blodet drar sig tillbaka och svullnaden går ner, och han måste skratta åt allting, åt de främmande baggarna med sin underliga gröna färg. Inte för att de var av fel sort, eller för gamla, utan tvärtom, färska, fulla av den särskilda kraft som inte givits tillfälle att tyna i någon apotekares urna. Han tog för mycket. Alldeles för mycket. Han har mer än nog för det syfte han tänkt sig, en enda borde räcka, en och en halv för säkerhets skull. *Kom*, tänker han, öppna händer vid sidorna som inför utdelningen av oblaten, *kom, nu är allt förberett.*

14.

HAN HAR SKAFFAT sig skrivdon, bläck och papper, och fyller ark efter ark med listor på allt det som måste göras, ständigt vaksam över den rätta ordningen. En dräng har han fått till låns av Bolin, att springa de ärenden som måste göras i dagsljus. Till de apotekare som stått sällskapet bi förr, efter kurer av en sort få frågar om och alla nekas; själv skyr Ceton ljuset, korsar tröskeln först när de långa skuggorna blir ett med skymningen. Han går till operans verkstäder, där skräddarna sitter med benen i kors och med ryggarna krumma över hans beställning. Ingenting lämnas åt slumpen, mycket måste ändras i den takt det växer fram. Fel tyger, alltför vida snitt. Ibland träffar han Bolin där. Gubben har tinat betänkligt, har svårt att hålla sig borta, förmår inte dölja sin spirande iver över det som också i hans sinne börjar anta sin rätta skala. Hemma i staden mellan broarna väntar hans fjärilar försummade, en stelnad svärm med vingarna spridda i låtsad vind, var och en svävande på egen nål.

De går tillsammans ner förbi brobygget. Strömmen är dåsig och slö i kvällshettan, himlen så ljus att bara Sirius och Capella förmår bjuda aftonrodnaden kamp, och Bolin haltar jämte honom ner under Makalös torn där de stannar i lä för en stund och betraktar den glesa dungen av master ute vid Skeppsbron och på Saltsjöns redder. Få. Färre än i fjol och året innan. Så har det varit ända sedan skrotet i kungens rygg sög sista andetaget ur majestätet: fjolårets mardrömssiffror årets fåfänga dröm. Handelshusen går på knäna. De som har nycklar till skrinen förskingrar kassorna med obönhörlig logik: lika bra att åderlåta de döende innan blodet härsknar alldeles. Bolin kopplar samman händerna på käppens skaft bakom sin rygg.

"Hur fortskrider dina förberedelser?"

Ute över vattnet jagar fladdermössen kring vant och tåg, deras irrande flykt och snabba kast omöjliga att ta miste på.

"Efter förväntan. Allt är i sin ordning."

Bolin släpar rastlöst sitt onda ben i bekvämare läge, kliar låren under den damask som knäppts från knäet ända ner över skon, tycks osäker på hur han ska få sagt det han vill.

"Du vet likväl som jag hur svårt det är att hålla saker och ting under lock i en så snäv krets som vår."

"Vad du menar, Bolin, är att du inte förmår bevara en hemlighet."

Trots skumrasket tycker sig Ceton ana hur gubben byter färg när blodet stiger i kinderna. Han kan se det framför sig: Bolin smittad av entusiasm inför Cetons förslag, dess detaljer bubblande i strupen tills vinet blivit omdömets sappör, och ut strömmar allt. Endast för edra öron, för det inte vidare. Bolin har satt sitt rykte på spel, och oavsett om Ceton avgår med triumf eller misslyckande kommer Bolin att få sin beskärda del. Så snabbt har deras positioner skiftat. Maktens berusning sköljer över Ceton, främmande efter så lång avhållsamhet, och i stundens yra känner han nästan tacksamhet mot gubben. Han ler ett leende som inte går att ta miste på, och ser Bolin rysa av olust.

"Det är mig egalt."

Bolin kisar på måfå ut bland skeppen.

"Jag får lov att tillstå att jag kunde ha sagt mindre. Nåja. För-
väntningarna växer sig höga, bröderna talar knappt om annat.
Jag är bara mån om att allt fortlöper som avtalat."

"Det finns ingen anledning till oro. En enda sak återstår för
mig att försäkra mig om, sedan kan vi sätta dag och timme."

"Skådeplatsen? Hur går dina tankar?"

Ceton vänder Strömmen ryggen, tills Bolin följer hans blick
och tolkat innebörden.

"Arsenalsteatern, Makalös? Är du från vettet?"

Ceton skakar på huvudet.

"Inget annat duger. Vi vill ju inte göra någon besviken, allra-
minst nu när du själv bidragit till att göra förväntningarna till
vad de är. Jag hyser inga tvivel om att de rätta kontakterna kan
uppbådas bland brödernas skara. Är du vänlig och gör förfråg-
ningar å mina vägnar, Bolin?"

Bolin slår ut med armarna i en gest till hälften irriterad och till
hälften uppgiven. Han harklar sig och spottar besvärat, svajar
rastlöst av och an innan han kan sporra sig till det ämne som
står på tur.

"Jag undrar om det inte vore dags för dig att söka nya kvarter,
Tycho. Jag har iordningställt en svit hos mig. Alla bekvämlig-
heter finns att tillgå. Vi delar en dörr, men den har jag låtit ställa
en bokhylla för så att du kan känna dig ostörd. Vad sägs? En
garderob väntar, fylld av kläder jag tror du skulle uppskatta."

Ceton ögon smalnar inför generositeten.

"Ett lägligt erbjudande, och lockande i sanning. Till den grad
att man undrar vilken tagg en sådan ros kan tänkas dölja."

Bolin fäster blicken i backen för att dölja sin rodnad.

"Mitt försåt gick inte som beräknat. Resultatet var en malör
av rang. Jag får tillstå att jag underskattat det tilltänkta offret

betänkligt. Nu görs situationen än värre av att denne Cardell är varskodd om faran, och jag kan inte med gott samvete missbruka de välvilligas resurser mer på såpass gillrad mark. Inte utan starkare mandat. Jag kan bara beklaga."

Bolin är snabb att fortsätta.

"Lite tidningar har jag i alla fall som kanske kan vara dig till någon hjälp. Min källa berättade att Cardell sedan i höstas tillbringat all sin vakna tid i jakt på en flicka, ett förrymt spinnhushjon, och det med en min så skyldig som hade han sålt hennes själ till hin håle."

Ceton nickar sin förståelse.

"Jag kan nog gissa vems mor hon är, och vari skulden består."

"Cardell har inte haft någon lycka så långt. Men Johan Erik Edmans handgångna män vid poliskammaren söker också en flicka, ett likaledes förrymt spinnhushjon, i ett helt annat ärende. En palt som avdelats till premiären av *Den försonade fadern* för att hindra hororna att runka av slöddret i parterrens mörka vrår skymtade henne i lokalen, jämte en gosse som föreföll ledsaga henne, kanske rentav hennes kopplare. Min informatör kan berätta att det rör sig om en och samma flicka i båda fallen; hennes namn är Anna Stina Knapp. Innan kriget gjorde krympling av honom sprang vår observante palt ärenden för bröderna Martin i hopp om att få sin begåvning upptäckt, och än idag bär han med sig kol och papper vart han går. Han hann teckna parets avbild. Man har anslagit kopior i alla tullbåsen, hos korvarna och i häktena."

"Vill du be din kontakt om en kopia av skissen?"

"Taget. Och upp med hakan, Tycho, går våra planer i hamn och bröderna tar dig till nåder ska väl ingen av dessa båda herrar behöva bli alltför långlivad."

15.

"SATAN SÅ VARMT här är."

Magnus Ullholm stjälper peruken av skallen och torkar pannan med lammskinnet. Edman sitter i bara skjortan vid sitt skrivbord, rocken hängd över stolsryggen och västen hopvikt ovanpå. Han fläktar sig med en pappersbunt.

"Ändå har vi skugga här halva dagen åtminstone. På södersidan ligger vartenda rum öde. Den som irrar in där vid middagstid spricker som ett troll."

Han lyfter ett glas, och innehållet klirrar då han vaggar det.

"Vi har åtminstone djupa källare där isen ligger packad i spån."

Han dricker med vällust, klunk på klunk tills allt är slut, ställer det ifrån sig och låtsas som ingenting några ögonblick innan han bjuder sin gäst att ta för sig ur kannan. Ullholm läskar sig under tystnad medan Edman ser på.

"Så ingen flicka ännu trots veckor av spaning. Den gustavianska sammansvärjningen fortlöper ostörd."

Ullholm flämtar en stund efter luft sedan han tömt sitt glas, gör sitt bästa för att kväsa tillfredsställelsen med nedslagen min.

"Våra ansträngningar fortsätter."

Edman grimaserar sin avsmak.

"Än övriga förfrågningar?"

"Vi har ju gott om informatörer kring jungfruburarna. Eller, rättare sagt, korvarna och mina egna karlar har order om att pliktskyldigast ställa rutinfrågor medan de knullar på krita. Vi har sökt flickan Knapp den vägen länge, jag tog för givet att hon slagit sig på horet igen. Men icke, av allt att döma. Kvarterskommissarierna har nagelfarit sina hushåll efter hyresgäster som svarar på beskrivningen, men ingenting där heller. En del annat matnyttigt har dock flutit upp. Har rykten om balen nått dig allaredan?"

"Vilken av dem? Folk gör ju inget annat än dansar, värmen till trots. Hur de orkar övergår mitt förstånd."

Ullholm lutar sig närmare, ivrig över ynnesten att få komma först med så saftigt skvaller.

"Den är några veckor bort ännu. Och här rör det sig om ditt eget grannskap. Man ska ställa till med horbal i norra slottsflygeln. Med prins Fredriks goda minne, i de salonger som drottningen övergivit för säsongen."

Edman stryker en bångstyrig lock ur sitt klättrande hårfäste, lutar sig framåt och flätar fingrarna samman framför sig till vagga för hakan. Efter viss eftertanke snörper han på munnen.

"Hovet kommer att skandaliseras, tungorna smattra året ut. De svagsinta kommer att låta sig förströs, statsfruarna tjattra som en flock höns, prinsen skickas till Tullgarn för att skämmas. Reuterholm kommer att rya och larma, ingen annan som betyder något lär bry sig nämnvärt. Vi kan verka i fred. Gott! Låt hororna smörja statens hjulaxel till omväxling."

Hans ansikte stelnar i en min av tillfredsställelse, innan han finner sig på nytt.

"Vad rör detta affären med flickan?"

"Jag har fått ett hugskott."

Ullholms konstpaus tjänar endast till att irritera, och Edmans ton är nog för att svepa det belåtna leendet av hans läppar.

"Ut med språket då."

"Allmän räfst bland de medellösa. Vi spärrar broarna och låter håven svepa staden mellan broarna ren, ett kvarter i sänder. Paltar, korvar och mitt eget folk i gemensam styrka. Jag talar med Lode, han med Reuterholm. Det kommer inte bjuda någon utmaning att få det att framstå som god statskonst. Löst folk har inga vänner. De ligger alla till last."

Edman tuggar en tumnagel medan han överväger förslaget.

"När?"

"Jag tänker mig dagen efter balen, en fredag. Från arla gryning, dagen lång, så länge vi behöver. Det lätta gardet kommer att vara ur vägen, kvar i samma sängar där de fullgjort sitt värv. De dignitärer som befann sig på balen likaså, och med svår huvudvärk. Bara slöddret kvarstår. Vi sätter spärr på varje bro, går kvarter för kvarter från Slottsbacken och söderut, rensar varje trapphus, vind, prång och obevakat utrymme. Kvarterskommissarierna driver varje hyresvärd ur sängen att räkna sina gäster. Folk av god vandel undantaget, givetvis. Var och en som inte kan svara för sig driver vi till Slussen. Där sluts nätet. Sedan räknar vi agn från vete, och var och en som befinns vara lös och ledig skickas till rasp och spinnrock. Finns flickan Knapp i staden mellan broarna finner vi henne där också, trängd bland sina likar."

Edman nickar sitt medhåll, räknar dagarna som återstår i huvudet.

"Använd fristen väl. Slösa ingen ledig stund. Sätt ditt skrivkunniga folk på att uppvakta tidningarna med klagomål på tiggare och lösdrivare, och se till att varenda en går i tryck. Driv opinionen. Vakta broarna. Håll mig à jour."

216

16.

DET BÖRJADE MED kaffet, baron Reuterholms överflödsför-
ordning från i fjol somras. Förbudet möttes av samma lydnad
som varje dekret av den sorten: nonchalerat av de rika, förbru-
tet av de törstiga, utnyttjat av de driftiga. I det sällskap som
samlade de utländska sändebud som förpassats till den höga
nord för sina synders skull var denna skymf mer än äran kunde
uthärda: inte nog med att diplomatien tvingade dem till för-
nedrande uppvaktning av förmyndarregimens nyckfulla på-
fåglar, nu skulle man inte ens kunna lindra plågorna med det
svarta guldet. Reuterholm, en uppkomling vars enda mandat
låg i hans tillgång till hertigens uttråkade öra, ignorerades, och
på diplomatiska klubben nöttes kaffeservisen lika flitigt som
någonsin. Snarstucket blev regimen varse föraktet mot svensk
lag, och kåren i sin helhet kallades inför överståthållaren under
förespegling att dryfta nya politiska utvecklingar. Istället skäll-
des dignitärerna ut för kaffets skull, och man anade föga vilken
gåva man gav sina långväga gäster, en förevändning att i indig-
nation bjuda avsked till detta sönderfallande rike, denna forna
stormakt som nu vacklade likt en drucken längs avgrundens
rand. Så stod riket ensamt, avskuret från kontinenten, samma
Sverige som redan levde på allmosor från utlandet och förlitade
sig på främmande makts välvilja för gamla tiders skull. Från

Östersjöns andra sida anade man raspet av ryska slipstenar, en viskning om snar vedergällning för förra decenniets oförrätter. Den ryska flotta som förpassats till botten av Svensksund hade återuppstått, större och bättre, redo att kasta loss. Det enda försvar Sverige hade att sätta emot var sitt armod. Vad hade man för val? Reuterholm inledde underhandlingar med revolutionens Frankrike, Europas kallbrand, och nu har det hänt, det obegripliga: Sverige har erkänt den nyfödda republiken, i utbyte mot påfyllning av statens sinande kistor, varje given slant skördad ur de diken där huvudlösa lik staplats två famnar djupt. Sverige, ensamt i Europa, jagad i famnen på allas fiende för dumhets skull.

Men bröderna talar hellre om andra saker, ty Reuterholm är en fårskalle, riket går åt helvete och var och en gör bäst i att se om sitt eget hus. Augusti månads värme halstrar Stockholm med oförminskad styrka och gör staden olidlig; plymen av flygfän som belägrar stadsholmen syns med blotta ögat långt utifrån malmarna. Ändå är bröderna fler än de borde nu när september står för dörren. I vanliga fall skyr de staden och söker svalka annorstädes, styr kosan ut mot fjärran sommarnöjen inåt landet, men rykte och förväntning har kallat dem samman i förtid. De ses i grupper av olika sort, som gäster i varandras salonger där man dricker sitt kaffe obrydda, ty är inte varje brott som belagts med böter enbart att betrakta som tillåtet den som kan betala för sig? I avskilda hörn av balsalar där särskilda handslag låtit dem finna varandra, i slutna sällskap som samlats i något *petite maison* dit man kallar kopplerskorna för att visa upp vad nya varor missväxten jagat in från landet, färska töser och gossar som må vara tunna i hullet men som ännu förskonats från stadslivets blemmor och märken, de som ännu har lite liv i sig, en fåfäng glimt av hopp om att det pris för vilket de säljer sig för kommer att kunna köpa dem något bättre och göra nätter som dessa till undantag blott. De för vilka yrket inte blivit slentrian och som ännu förmår visa känslor av lust eller av rädsla, eller av båda, eller av den ena följd av den andra. Varor av den sorten förgås snabbt, de härsknar och betingar ständigt lägre pris, och innan man vet ordet av har den blyklump som drömmarna hängt om deras fötter dragit dem ända ner till en botten från vilken ingen återvändo gives.

Men bröderna njuter medan tid är, och för den som kan betala tycks möjligheterna oändliga. Också nöjen av den sorten fordrar sin omväxling. Man tröttnar på samma typ av annorlunda saker. Man tror sig ha hittat någonting nytt att förströ sig med, men så kommer morgondagen, och det som en gång glänste så tycks med ens matt och enahanda. Nyfikenheten är därefter: Vad är det han har i görningen, Tycho Ceton, den vanställde saten? Nog är karln från vettet oavsett hur man helst plägar mäta, men hans många märkliga infall och hugskott kan väl tjäna till förströelse, och dum är han inte. Bolins drängar läcker som såll, säljer allt vad de vet billigt så länge man bara sprundar ett fat och låter dem dricka sig redlösa. Ceton har köpt spanska flugan. Beskedet kommer som en besvikelse. Vem har inte begagnat sådant förr? Visst står lemmen stadigt om dosen är den rätta, men det kliar och svider också, och vittnar inte själva åtgärden om någonting i grunden undermåligt? Oddsen sjunker i vadslagningen om Cetons framtid.

Om en sak blott tycks de alla ense: detta uppträde saknar förlorare, oavsett utgång. Är spektaklet tillfyllest blir alla nöjda, om inte kan man alltid fröjdas åt Cetons fall. Man är beskäftig på hans bekostnad, bara halvt på skämt. Gillis Tosse teaterviskar.

"Bjuder han inte till förnöjelse har jag alltid undrat hur många sjömanskukar som ryms i den där uppskurna käften, och blir det för trångt kan man ju bredda andra mungipan också."

Alla skrattar, men den tryckande hettan rymmer en otålighet, en väntans frustration. Snart måste vädret skifta. Sommaren kan inte vara för evigt, någonstans jäser ett åskväder till urladdning. Stormen nalkas. Ingenting kan vara säkrare. Och med en kittling kommer beskedet om att ett datum nu är satt, inbjudan spridd av gamle Bolin själv, så ivrig att han förefaller vandra med lättare fjät på den giktstinna fot som retat honom så länge någon kan minnas. Man har funnit en lokal, inte vilken som helst. Fräckheten! Man repeterar, under största hemlighetsmakeri.

17.

BOLIN HAR KONTAKTER, och genom att låta en försupen mecenat gå i borgen för arrangörernas vandel är Makalös deras, den nya kungliga teatern. Förhandlingar av denna sort har alltid varit Anselm Bolins gamman, och med väl inövade steg styr han samtalet med teaterns föreståndare tills det framstår som om idén om nattliga repetitioner och en midnattspremiär är hans motparts eget förslag. Nu kan man komma och gå som man vill, ostörda och osedda. Priset går lätt att förhandla ner, inte för att bröderna har det skralt, utan för principen. Det finns mängder av detaljer att säkerställa, för bröderna är vana vid det bästa och godtar ingenting annat. Salongen måste fejas i tid till premiären, och det noggrant, ljusen tändas. Föreställningen är av privat sort, inga utomstående får dröja sig kvar. Städningen efteråt ombesörjer man själv, och bedyrar att faciliteterna kommer att lämnas i samma skick som de intogs. Föreståndaren skrockar åt hemlighetsmakeriet. Liksom alla som företräder en begärlig lokal i Stockholm har han uppvaktats av sin beskärda del av stadens många ordnar, den ena mer excentrisk än den andra, och han blinkar förbindligt åt Bolin. Säkert är det någon sorts erotisk komedi som ska spelas, en där aktriserna är utstyrda i flortyg så tunt att bröstvårtorna kan skymtas rakt genom klänningen, underhållning av den sort som uppskattas av gubbar vars liderlighet består fastän mandomens glöd falnat. Bolin kan inte förmå sig att blinka tillbaka, låtsas hellre vara stött över att så lätt ha låtit sig genomskådas. Överenskommen summa byter händer.

Ceton har stegat scenen på längden och bredden, besett kulisserna och valt en för vardera akten. Bolins dräng och ännu en inlånad medhjälpare, dövstum från födseln, har fått en genomgång av de delar av Johan Schefs nybyggda teatermaskineri som behövs för ridå och kuliss, ett gytter av rep, block, taljor och klapprande träspakar, hjul och vevar som breder ut sig under, över och bakom scenrummet. De som för knappt två år sedan besåg premiären av *Den svartsjuke neapolitanaren*, sprungen ur salig kungens egen penna, talar ännu om hur de inte kunde begripa hur man lyckats uppföra en italiensk dalgång inuti huset, komplett med ett götiskt slott i bakgrunden, sköljt av regn och skakat av åska, innan de själva fått se dekoren skifta och visa att allt blott varit en snillrik villa för ögat. Till första akten har Ceton funnit ett lantligt sceneri där en väg slingrar sig bort i fondens djup, mot en fjärran stad omgärdad av murverk, under en himmel som kan belysas till att visa oväder eller blott harmlösa vita moln. Själva scenen har han lämnat nästintill tom, här finns bara en sorts matta sydd för att markera vägens sträckning ut mot salongen. Står man ovanpå den faller vrångbilden platt, men han har besett effekten ur olika vinklar från salongen och funnit den trovärdig nog, särskilt i skumt ljus. Till andra akten, en mörknad olivlund, full av knotiga träd på huk över en dunge. Men det är speglarna som bjuder honom störst bekymmer: han är mån om att allting ska synas så väl som möjligt. Lånet av de stora speglarna var inte lätt, inte heller att hitta ett enkelt förfarande att få dem på plats och det i rätt lägen för att kasta sina bilder ut mot åskådarna. Var och en kostar en förmögenhet, och måste hanteras därefter.

Det är med en upprymd känsla Ceton vandrar ut i mittgången bland ståplatserna, avdelade i sina skrank. Salongen välver sig över honom, balkongerna klättrar mot taket i tre rader, var och en dekorerad med en utsirad girlang som löper i hängande bågar från rader av stiliserade lyror, ömsom vita och ömsom gyllene på ljusblå botten. Allt kan ännu kallas nytt. Färger och bladguld lyser klara. Inte ens på de platser där endast de mest ihärdiga förmår damma finns tillstymmelse till orenhet, sotet från feta lågor har inte hunnit slicka taket solkigt. Här är fullt av dofter, av repens hampa och av friskt virke som nyss sågats och täljts, av färgernas pigment och av logernas potpurri. I takt med att huset åldras ska allt förgås i samma sura stalldoft, stanken av smutsiga människokroppar inträngda så tätt samman som de kan förmås utan att kräva återbetalning av sina biljetter. Men dit är det långt, och Ceton avser inte göra återbesök. En sista gång går han igenom allting i sitt huvud, från början till slut, hans egna uppgifter och de andras. Hans hjälpredor väntar gäspande uppe bakom scen, ivriga att få gå hem, och han släpper dem efter att ha prövat deras förståelse med frågor tills varje svar är till förnöjelse. Han sträcker på sig själv så snart de lämnat honom, rullar huvudet från axel till axel för att lindra förväntans anspänning, och så kliver han ut på scenen för att öva det sista i ensamhet. Han bugar för sin publik, honett, ett kliv snett bakåt med ena foten, ena armen framför livet, den andra ut åt sidan. Igen, och igen. Han kan redan höra deras jubel. Han bugar så djupt att inte ens första raden kan se hans hånleende.

18.

NATTEN KOMMER OCH samlar bröderna. Män i mask kring midnattstimmen är ingen främmande syn runt stadens teatrar och palats, maskerader är åter på modet efter den korta sorgetiden i ekot av skotten på operan. Man kan åter spöka ut sig i bindel och domino utan att skällas för jakobin, och staden ger sig åter hän åt sin älsklingssyssla, för endast under maskers skydd kan man umgås lika otvunget, i vetskapen om att den vars hand man smekt i menuetten kan vara vem som helst, och du själv likaså. Sådant sporrar till dåd som annars vore omöjliga. Den tafatte blir burdus för en kväll, den kyske vågar liderligheten, den försagde prövar en vers. Med ögon genom hål skurna i silke och papper gör man sin avsikt känd. Bländverket är svårt att göra fullständigt. Staden är liten, och på sina manér avslöjar man sig lätt. Men man gör vad man kan. Grevinnan och sällskapsdamen växlar klänningar. Greven lånar en korprals uniform, borgarsonen en harlekindräkt. Med ens kan de alla tillåta sig ett äventyr som är delvis en annans. En kyss, ett famntag bakom gobelängen, en vän för en natt. Kring en sanning enas alla: den som är skön kan vara fattig, men den som är ful måste vara rik. Man träffar sina val för att närma sig det man hetast åstundar.

Bröderna är av en annan sort. De flesta känner varandra,

men maskerna hör till seden. Inte samma mask två gånger, lyder regeln. De finns till låns för den som vill, men många kommer i sådant som sytts nytt. Markattor, getabockar, riddarhjälmar, pestläkare. Vissa ensamma, men många i små sällskap nyss komna från den tillställning som ännu pågår uppe i norra slottsflygeln, där man läskat sig, stillat den värsta hettan, dryftat kvällens förväntningar och försökt gissa dess tema. Man klär inte upp sig i förtid; de flesta gör sig en lov in i Kungsträdgården, där häckarna växt sig spretiga och tappat formen i längtan efter en sax som ståthållarämbetet sparat in på, och när de återvänder är de höljda i nya hamnar. På avstånd röster och toner från Vauxhallen där man slutar en bal, med ystra sällskap dröjande i den varma kvällen utan att göra sig någon brådska. En ensam violin har övertalats att fortsätta spela utan ackompanjemang, och den som gnider senorna måste ha mutats med brännvin, för om spelmän vet alla att ju fullare och gladare, desto mer går tonen i moll. Trädgården är vildvuxen och full av skuggor där nattfjärilarna stryker, i vetskap om att mången karl inte fått den lov han frågat efter och är beredd att slanta för kvick upprättelse. Brödernas närvaro lockar dem åt Strömmen till. Man jagar dem på flykten med maskerna på och muntra rovdjursskrin ur strupen, i visshet om att natten bär mer förfinad sällhet i sitt sköte. Palatset står i vinkel mot trädgården bakom, och famnar i skymningen en plan där man kan låta sitt vatten mot fasaden i avskildhet medan Mars huggen i sten blickar ner från sin avsats ovanför porten, flankerad av blindfönster.

Kvällen är vacker, och Makalös pryder sin plats som alltid, tinnar, torn och skorstenar pekar åt stjärnorna, det sluttande takets järnplåtar en trappa till himlen själv. Mången röst har höjts om slottets olämplighet som teater, då varje sten i dess fasad tycks vigd åt blodtörsten: En fris radar upp kanoner, mörsare, fanor, fältläger, kavalleri i skritt med värjor fällda. Lejonmasker och kapade turkhuvuden, romerska krigare med hjälmbuskage. De som drömmer sig tillbaka till ärans fält begråter Makalös öde, skäller henne som hemvist för träsvärd, pappsköld och harnesk av siden. Men relieferna är bröderna till förnöjelse, än en gång passande för stunden.

Firmamentet mörknar och lånar slottet det okändas tjusning, en plats som stigen ur fabler. Från Jakobs torn ropas timmen midnatt. Vid stentrappan står Bolin själv i hjortkrona och päls. Ingen kommer över tröskeln utan att fatta hans utsträckta hand med det rätta greppet och ett viskat namn i hans öra, men en del har överförfriskat sig till indiskretionens gräns, och han lägger dem på minnet för reprimand. Med dem han känner så väl att ingen mask kan lura honom byter han en menande nick. Han döljer det väl, men i magen vänder det sig av förväntan och av den fara i vars väg han ställt sig självmant. Han undrar hur han lyckats försätta sig i sådant läge, men förmår inte känna någon ånger. Det var länge sedan han sist satte någonting på spel, så länge att han glömt den tjusning som endast risken bjuder.

"Är du redo?"

Ceton sitter i den lånade kammaren, två trappor upp i sydöstra tornet, en av dem som annars är förbehållna skådespelarna till förberedelse och mellanaktsvila, med Albrecht på en stol framför sig. Ceton räcker honom ett glas och slår i vin ur en butelj, inte för mycket, men nog att något förjaga skräcken för att tala inför publik. Pojken kan inte dölja handens skakning, och Ceton stämmer sin röst därefter, mjuk och förbindlig till uppmuntran.

"Du har ingenting att oroa dig för. Jag har sagt det många gånger. Denna församling är av annan sort än den du sett förut. Svalas flock är simpla i anden. Torftiga själar kan inte hjälpa att sätta sig till doms. Även om de förklär sin tystnad till fromhet skulle de hellre ge dig sina förbannelser än sin förbön. Ikväll är lyssnarna hugstora och välmenande. De vill höra din berättelse. Spara inga detaljer. Din röst kommer att bära bättre än du tror, för våra gäster är här för att lyssna, och salongen är byggd för att förstärka stämmor från scenen. Var inte rädd, för du är bland vänner."

Albrecht prövar ett nervöst leende och dricker av vinet. Ceton mönstrar hans kläder för tionde gången. Inför första akten är de desamma som han står och går i, med nötta knäbyxor och linneskjortan sotig och märkt av gnistloppor ur härden. Ceton har inget fickur, men har de inte passerat midnatt ännu måste det vara snart.

"Det är dags. Kom, låt oss gå. Jag följer dig till scenen, och jag står alldeles intill bakom ridån hela tiden."

Bland irrgångarna bakom scenrummet är det tomt. Bolins med-hjälpare har intagit sina platser vid estraden, men vägen dit ligger öde. Två trappor ner, och så vidare under marken. Salongen vilar på tredubbla bottnar, med en genväg för skådespelarna att passe-ra kulissvagnarna drivna av linor till en vals. Det vilar någonting spöklikt över dessa övergivna rum, dessa platser som finns till bara för att göra skådespelens fantasier möjliga. Maskineriets hängande lod knackar i sina trummor, oroliga i en byggnad stor nog att hålla sig med egna vindar. Scen och salong må vara förträffliga, men här nere skymtar överallt det våld man gjort på huset. Golv har brutits upp och väggar rivits, trappstegar tänkta som provisorium gjorts permanenta när kassan sinat. Korridorer som en gång hade ett syfte är nu återvändsgränder fyllda av bråte. Vissa av dörrarna har spikats igen, andra lyfts av sina gångjärn. Det nya har gjort sitt rov på det gamla, och här, under ytan, är resultatet frånstötande. Ceton lyser deras väg med sitt ljus, ständigt vaken på att Albrecht följer i hans fotspår. Snart hör de sorlet, röster samlade i hundratal som visar dem den rätta vägen. Bolins stämma tar brösttoner för att höras.

"Mina herrar! Tystnad för en tragedi i tre akter!"

Intill ridån tecknar Ceton åt Bolins dräng att de ska till att börja, som i sin tur klappar sin dövstumme kumpan på skuldran tills förståelsen smittat. Motvilligt kramar Ceton Albrechts överarm med handen i hopp om att gesten ska inge mod.

"Gå ut nu. Var inte rädd. Vänta tills de sett dig och tystnat. Berätta sedan. Kommer du av dig, se åt mig så ger jag dig några ord att börja om på."

Med tvekande steg korsar Albrecht den gräns som skuggan av ridån ritat snett över scenens tiljor, sakta och avvaktande som ett skrämt djur. Ljuset faller på honom, och Ceton hör ett skifte i sorlet nere i salongen när de uppmärksamma varskor sina grannar om att det nu ska börja. Sedan väsande hyssjningar åt dem som är vana vid att tala till punkt. Till slut, tystnad av den sort som bara ett rum fyllt av människor kan erbjuda. Ceton kan inte motstå att kika ut bakom ridåns fåll, och där ser han dem, för första gången på länge, bröderna samlade i all sin majestät. Spridda efter rang och lynne, på de tre raderna, i parterren. Katter, lejon, narrkåpor. Ceton har förberett Albrecht väl. Pojken vet vad han har att vänta sig. Ceton har lovat att det är värt det; församlingen har sina egenheter alldeles som herrnhutarna i Kungsträdgården har sina, och vari ligger väl harmen så länge allt görs till den högstes ära? Skillnaden är att denna församling kommer att höra hans ord uppmärksamt och med sympati, och om någon är i stånd att hjälpa är det de.

Gossen är allt Ceton hoppas på. Hans känslor är så innerliga som om han bar dem naken, oförmögen att dölja någonting. Rösten darrar men bär, tårarna kommer, men stör inte, utan förhöjer känslan. Han påminner dem om kärlek av en sort de glömt, de som någonsin förunnats den. Ungdomens oskuld och uppriktighet, dess förhoppningar och löften. Han berättar om sina fäders tro, om den blodige brudgummen som hittills nekat inkarnation, om herrnhutarnas säregna sårmystik. De följer varje steg från Preussen till Stockholm, hans gesällskap. Han visar det prov på sitt arbete som han själv tagit med sig, redan hamrat till den rätta formen. Ånger och smärta. Wilhelm. Ceton hör tystnaden byta ton till andäktighet, ingen vågar hosta ens, knappt ett andetag låter sig höras. Han anar att maskerna ute i raderna antagit nya roller, då de döljer också tårar. Pojkens enkla ord skapar resonans också hos den mest världslige. Många sedan länge levrade hjärtan blöder på nytt, och i förvirring spirar en ilning av smärta i en lem man trott kapad och glömd. De påminns om kärlek av en sort som inte längre tillåts spira bland cynism och excesser: innerlig, ren. Så sluter han sin saga, böjer huvudet när orden tryter, och för ett ögonblick skulle en nåls fall eka mellan balkongerna innan applåderna kommer, snart förstärkta av bifallande rop och visslingar. Förvirrad av gensvaret ger Albrecht Ceton en frågande blick medan han torkar sina kinder på skjortärmen, och Ceton härmar en bugning tills pojken förstår och tar efter. Med en gest kallar han Albrecht tillbaka av scenen, och leder honom åter till logen att förbereda kvällens andra akt. Han hör Bolins röst höja sig över bullret.

"Champagne väntar i foajén, mina herrar! Vi gör pausen en timme lång."

19.

CETON LEDER ALBRECHT tillbaka den väg de kommit. Pojkens lättnad är påtaglig, ett matt rus efter en prövning som gått över förväntan. Väl tillbaka i kammaren dricker han villigt det han bjuds utan att ifrågasätta, samma champagne som bröderna, om än spetsad. Ceton smickrar, svärmar, är uppmärksam på verkningarna, uppskattar tiden för att dosen ska bli just den rätta.

Bröderna står ute i hallen och långt upp i den breda trappan, läskar sig och släpper fria de tungor som måst vila. Vad de fått var inte det de förväntat sig, och stämningen är uppbragt. Man vet inte vad man ska tro, många tycks ovilliga att säga något alls. Rodnade ögon i svullet hull antyder mer sentimentalitet än någon förr anat. Andra är upprörda, tycker sin tid slösad, men också de vet att en andra akt stundar och vill inte ta parti för eller emot innan föreställningen är över; kanske leker han med dem, han som man aldrig vet om han ler eller inte, och hellre tiga än säga sådant man i efterhand måste ta tillbaka. Kring drycken kan alla enas. I avvaktan på andra akten överväger välviljan; ledan är ju deras främsta gissel. Allt de velat ha har varit dem tillgängligt sedan barnsben, men i den friheten vilar bekymmer av egen sort, för vad göra när sista önskningen är uppfylld? Med vad ska livet fyllas när all nyfikenhet tycks tillfredsställd? Hos madame Sachs vid Röda Bodarna kunde man undfägnas med det oväntade, men det etablissemanget har gått ur tiden sedan länge, keyserska husets så lustfyllt bestänka väggar nu klädda i bokhyllor fulla av apokryfer och vantroendes sångböcker. Bröderna ältar vad de fått höra, leker gissningslek kring fortsättningen. Ju mer man gissar, desto mer sprider sig oron, för i all förväntans spår hänger skuggan av besvikelse.

Bolins dräng har riggat för andra akten. Speglarna, kulissen, allt det andra. Från logen räknar Ceton bjällrorna som erinrar om föreställningens fortsättning, en, sedan två, sedan den tredje. Han trugar i Albrecht några klunkar till, gossen nu bortom förmåga till motstånd, lik en sömngångare, men ännu vital, ännu kapabel. De går åt scenen igen, Cetons viskade ord till uppmuntran i en aldrig sinande ström. Gossen måste ledas vid handen.

I salongen har man äskat absolut tystnad. Ljusen är släckta, endast mitt på scenens golv bjuds en glänta av ljus. Albrecht är så medgörlig och omtöcknad att Ceton kan luta honom mot en vägg innan han går före ut på scenen. I nävarna har han redan de verktyg som tillverkats efter hans beskrivning enkom för denna kväll. Den ena en hammare, den andra en sorts syl, smidd i ett enda stycke. Ett handtag smalnar av i en spetsig kon, noga måttad efter längd och grovlek. Han svettas, måste torka av vardera handen på knäbyxans lår och sedan söka nya grepp. Hjärtat bultar hårt, han vet att detta är den kritiska stunden för honom, alltid så äcklad av närheten till andra. Sovrummet intill Blecktornet flimrar för hans blick, och han ger sig själv ett nyp i armen för att besvärja dess syn. Ett djupt andetag, och scenen är hans. Tio steg, inte mer, till dess mitt. Allt är förberett efter hans instruktioner. Han finner den plats han söker, räknar högra sidans revben nedifrån. Ett ensamt födelsemärkes svarta prick tycks markera platsen. Så sätter han sylens udd mot huden, känner kroppen spänna sig vid dess kalla beröring, måttar med hammaren och slår. Skriet kommer dämpat. Det kräver mer kraft än han kunde anat, hullet bjuder motstånd, och han tappar räkningen på sina slag innan sylen trängt in djupt nog och bröstkorgens tröga galler makat sig undan tillräckligt. Äcklad ser han den röda strömmen bubbla och sörpla när lungan inunder finner en ny luftväg. Så är det gjort. Han skyndar åter till Albrechts sida, motar hans lydiga kroppshydda ut på scenen och lösgör hans ombyte, den linnesärk som ensam skyler honom, snörd i ryggen. Tunga armar låter sig lätt träs fria. Naken leds han ut, hans väg utpekad av den mandom som den spanska flugan härdat.

Wilhelm ligger utsträckt framför honom på scenens mitt, fjättrad till ett kors som lagts i rätta höjden ovanpå bockar som klätts i lövverk, palmblad av siden lånade ur rekvisitan. Han vilar i speglars omkrets och med endast ett smalt höftskynke om blygden, smord i en olja som får hans mjälla hud att skimra när den darrar. Späda lemmar mäktar föga mot de rep som binder dem. Vacker, så vacker. Håret struket bakåt, och på bleka tinningar har en törnekrona lockat enstaka röda droppar, händer och fötter märkta redan. Frälsarens anlete har målats med omsorg på den duk som lindats runt hans huvud, munnen stoppad med trasor därunder. Ceton leder Albrecht de sista stegen, ser in i de rullande ögon där förvirring och begär dansar på förnuftets ruiner, lutar sig mot hans öra.

"Den blodige brudgummen väntar. Se hans sidohåla öppen bara för dig. Där finns din frälsning."

Sårets vekhet bjuder inget motstånd. Ceton tar några steg tillbaka medan det börjar, aktens ljud salongens enda. Som en förtrollad håller han andan och törs inte blinka, för när som helst kommer det, ögonblicket han inväntat, det som så länge förvägrats honom. Han lyssnar efter själva skapelsens uppror, gudomlig vrede nog att skaka firmamentet, sätta marken i gungning och spräcka jorden i nät av klyftor. Wilhelm rister av kvävd hosta lik skall från en hund i en källare, suger efter luft under sin mask. Vid hans sida lackar svetten om Albrecht, varje muskel spänd av ansträngningen. Ceton tvingar ögonlocken att förbli öppna fast ögonen tåras av scengolvets drag. Håret på hans armar står rakt upp, rysningen griper honom om nacken. Under aktörerna slutar pölen att vidga sin gräns. Så kommer sista sucken, ett utdraget väsande när lungornas bälgar ger tappt. Blodet rinner inte mer, hjärtat står. Ännu en tid fortsätter Albrecht som om ingenting hänt, men köttet svalnar om honom, och till och med genom ruset begriper han att någonting är fel, någonting har gått förlorat bortom räddning. Och Ceton vågar för första gången skifta sin blick, ser sitt eget ansikte i spegeln, förvridet i en stelnad mask av skoningslös rädsla medan ovationerna börjar bakom honom och aldrig vill sluta. Någonstans hör han Bolins tjut.

"Paus! Paus inför sista akten! En timme!"

I Cetons hand hänger hammaren kvar. Han reser den mot sin egen avbild.

Del 3
Räfst

Så, ädle Reuterholm! Jag dig berömma vill,
Och få med varje år, fördubblat skäl därtill.
Må du min väckta sång allt högre ämnen giva!
Och må historiens duk poetens vittne bliva.

CARL GUSTAF AF LEOPOLD, 1795

1.

DET FINNS OKÄNDA vägar som bara välkomnar de få, och Elias tecknar deras karta i sinnet, hjälpt av sina ögons vittnesbörd och kännedom om egen förmåga. En tunna står mot en vägg ute i gränden, högt nog att ge stöd åt en fot mot en stenkant blottad av fallen puts, ett steg som låter små fingrar greppa en fönsterkarm; en källargluggs galler är rostigt nog att låta sig krökas och släppa förbi den som är tillräckligt mager. Elias är ingenting om inte smal, snart tolv år gammal men med barndomen förlängd av hunger, kort i rocken och tunn över midja och bröst. Litenheten är en tillgång han nyttjar medan den består. Ännu kan han spela oskyldig och försagd, vinna tillträde där ingen tar notis, spela dum till bortförklaring. Få kan den konsten så bra som han. Tre år betalade den hans hyra på barnhuset, anförtrodd endast de simplaste av uppgifter mot soppa och husrum, så omöjlig att ackordera bort för fostran ute i landet att man till slut undantog honom från resorna. Elias Dumbom. Tristessen var hans enda fiende, de långsamma timmarna i sängen då ingen iddes fråga efter honom, utan annan underhållning än ljusets skifte utanför gluggarna. I efterhand saknar han också de sysslolösa timmarna. Men åldern bestal honom, honom liksom alla. Man gjorde arrangemang för honom att flyttas till rasphus; en annan plats helt och hållet, en där dörrar sätts i lås om natten, lojhet möts av örfil och den gosse som inte förmår freda sig lätt görs till tröst för saknad hustru. Aldrig ska han glömma husmor Ebbas tappade haka när hon lämnat grinden på glänt och han grep sitt tillfälle, stängde den mun han låtit hänga öppen kring svullen tunga och torkade dreglet av hakan, lutade sig nära nog att viska i hennes öra. Hon spratt till så spannen for.

"Far åt helvete, din gamla trollkona, och tack för soppan."

Och så ut genom grinden, fri som fågeln i trädets krona, utom räckhåll, med benen på ryggen att söka sin lycka i staden mellan broarna. Ett skratt av hån och av lycka unnade han sig som svar på hennes senkomna genmäle. Men också för den flinke är livet hårt utanför murarna.

Den väg han tar nu prövar inte hans färdigheter. Han kan den väl sedan förut. En stör ger stöd under ena foten och låter honom nå murens kant. Han drar sig upp för att förvissa sig om att ingen står i fönstren eller på gården innanför, svänger ena benet upp och krälar sedan längs dess krön tills han når husets gavel. En ståndränna i plåt hade lätt givit vika under tyngre grepp, men inte för honom; han häver sig upp och kryper försiktigt för att inte halka. Hörnhuset har tak klätt i kopparplåt, inte tegel som sina grannar. Han ställer sina omaka skor i rännan och ålar barfota över den grumliga ytan, skrovlig och trygg mot bar hud. Upp till fönstret, utan ett ljud. Rutan står öppen, låst på glänt av en hake, och innanför är salongen tom. Man har gjort den så fin man kan: ur jardinjärerna kommer doften av potpurri, vaserna fyllda av flätad vass i väntan på nya vårblommor. Han lägger sig tillrätta och väntar.

Dörren slås upp omsider, vårdslöst, och in skyndar en fetlagd kvinna svept i färgad tyll, vitsminkad över ansikte och bröst med cinnober på läppar och kinder. Hon drar med sig ett moln av kväljande doft: svett under rosenvatten. Han känner henne som Lilla Platen, och hennes blotta närvaro får hatet att svida som galla i strupen. Hon kallar sig rentav von Plat nu, fräckt bekväm i lånta fjädrar, gör gällande att hon är arvtagerska till en annan av samma skrå och låter gå osagt om det är som kusin, syster eller dotter. Bland gatfolket är det få som tror henne och andra som kan dra sig hennes dopnamn till minnes, men så är det också kundernas godtrogenhet som är den viktiga. Elias sjunker djupare ner medan hon mönstrar salongen inför mötet, ger kuddarna några slag för att ställa dem i givakt på schäslongen, jagar bordspendylens visare några varv med pekfingret för att få tiden rätt nog att inte förråda det verk som stått stilla i åratal.

Elias håller andan i förväntan, och han har tur: nästa gäst i salongen är den han väntat på, och hon fordrar hans uppmärksamhet intill dumdristighetens gräns. Hon är vacker, så vacker. Hur gammal? Han har aldrig lärt sig skilja åren från varandra hos de äldre, men knappast kan hon vara trettio. Tiden har varit mild mot henne, kroppen ännu flickaktig, ansiktets enstaka rynkor enkom till prydnad. Hon bär håret uppknutet med ett blått sidenband, dagen till ära klänning av rosenröd muslin. Innanför dessa väggar är överflödsförordning satt på undantag. Lilla Platen vet att smörja rätt händer, så pass att man till och med törs undfägna värdiga gäster med kaffeservisen. Sockret, Sockerskrinet, Socker-Klara. Så kallar man henne, de som känner hennes ryktbarhet. Men mamsell Klara är hennes namn. Efter henne kommer Lilla Platens piga, med säck över huvudet för att bespara världen åsynen av franska sjukans härjningar, ryggen kutad, armarna fulla av svarta plåster och i förtid krökta till en gammal kvinnas skrynkliga klor. Hon bär med sig

239

dammvippa, kvast och hink, skyndar sig att feja de hörn Lilla Platen pekar ut, vispar spindelnäten ur takhörnen, skyndar ut igen med lorten.

Lilla Platen tar Klara om axlarna och ställer henne framför sig för mönstring. Med fuktad tumme lägger hon ett ögonbryn platt och muttrar för sig själv, men i stort tycks allt tillfylles. I Elias öron är hennes röst som skatans krax.

"Nå. Det får väl duga. Jag hämtar honom nu. Vänta bredvid tills jag ringer på klockan."

"Vad är han för en?"

Klaras stämma är en näktergals i jämförelse.

"Debutant, eller nästintill, skulle jag tro. Ingen sofistikerad smak. Men nog kan han kanske odla en, med ditt bistånd. Sköt dina kort rätt och du har en kavaljer i din ficka som kan räcka länge."

Elias kan inte se Klaras min, men då Platen fortsätter förstår han att hon måste röjt sitt missnöje.

"Seså, Klara. Se Charlotta Slottsberg. Se Sophie Hagman. De började på gatan, hade ingenting mer att räkna sig till fördel än du. Och se hur det gick. Prinsar och hertigar förälskade sig, vips är de mätresser vid hovet, bortgifta till någon medgörlig greve för syns skull. Slottsberg var dum, förstås, framgången steg henne åt huvudet, hon trodde sig förmer, och blev avskydd i gengäld. Men lilla Sophie, hon visste att vara artig och honett, och snart fanns det inga fina salonger där hon inte var välkommen. Somrar på Drottningholm, julfester på slottet. Men nu är hon avpolletterad, och prins Fredrik sover ensam på nytt. Det är hög tid för en ny förmåga att flytta in på Lilla Kina."

"Hur ska jag någonsin komma dit om du bara ger mig borgarsöner som vill bli kvitt sin oskuld?"

Lilla Platens röst är kall nu, kall och vass.

"Den som vill någonstans måste först förfina sin konst."

Klara skrattar hånfullt.

"Att ligga på rygg och blunda i fem minuter, låtsas stöna högt då och då till uppmuntran? Vad mer kan jag lära mig om det som jag inte lärt mig redan under de år jag varit din?"

"Dumma flicka. Det är inte det som är konsten. När en karl vill tömma sig duger vem som helst. Det är spelet omkring som fordrar skicklighet. Att ge och att hålla mot. Att se till att han väljer dig och ingen annan, om och om igen, att han ligger vaken om nätterna och trånar med kuken som snidad i trä. Den konsten kunde de, Slottsberg och Hagman, och där har du mycket kvar att lära."

Klara blir svaret skyldig, och Platen öppnar den dörr genom vilken de kommit.

"Nog nu. Ditt nästa ämne står nere i trappan och väntar."

Hon lämnar rummet, och Klara tar sidodörren till kammaren bredvid. Försiktigt lyfter Elias sin vikt på tår och armbågar tills han hasat bort till nästa fönster, och där sitter hon, framför toalettbordets spegel. På bordsskivan ligger allt det strött som hör hennes skrå till: nipperskrin, små knivar för puder, spatel för sminket jämte borstar av olika slag, örslev och tungskrapa. Ansiktet är rött och svullet först, och hon stryker en tår ur ögonvrån, andas djupt för att behärska sig. Sedan tar hon en pincett och rycker det spretiga strået ur ögonbrynet. En lång stund blir hon sittande att betrakta sig själv, vrider ansiktet för att få olika vinklar, ler på prov och trutar med munnen. Oron lägger hennes panna i veck då hon känner med fingrarna över hud kring ögon och hals. Elias håller andan för att inte rubba det sköra ögonblicket ur sitt läge. Så få gånger har han givits tillfälle att se henne på nära håll, ostörd, bara de två tillsammans. Men redan kommer oväsen från salongen, och Klara väcks ur sin dagdröm, skyndar sig att tälja puder ur dosan och badda sitt ansikte. Han kan höra Lilla Platen kurtisera sin gäst, och rör sig varsamt tillbaka för att se skådespelet.

"Herr Baltsar, säger ni? Är det ett namn vi kan föra till böckerna?"

"För all del."

Mannen som svarar är knappt mer än en yngling. Han svävar på målet och rullar sin hatt mellan händerna.

"Jag har inte för vana att uppsöka etablissemang som dessa, förstår ni. Man har lyst för mig i kyrkan, snart ska jag stå brudgum, och vänner som värnar om äktenskapet har rått mig att först skaffa mig någon erfarenhet i Fröjas konster."

"Ni vill inte göra er brud besviken."

"Alldeles. Alldeles."

"Ni är en förnuftig man, och era vänner ger goda råd. Vill ni inte slå er ner? Seså, här. Er hustru kommer ha mycket glädje av en karl så omtänksam som ni, och inte bara i paulun."

Hon lägger en förtrolig hand på hans arm.

"Så snart jag ringer på klockan här kommer flickan in. Mamsell Klara. Om ni gillar vad ni ser, ge mig bara en kort nick, så lämnar jag er ensamma. Har ni några frågor?"

Han skakar på huvudet, sväljer tungt för att få mål i mun.

"Inga."

"Då så."

Lilla Platen skakar en bjällra, och ett lätt pinglande hörs. Klara stiger in, och som alltid fascineras Elias av hennes förvandling, så lätt hon lägger sig till med nya manér. Hon ler åt gästen, ett blygt leende, men blygt som om det krävde all hennes kraft för att behärska sin nyfikenhet. Elias ser att gästen är nöjd, om än stum, och först efter en lång stund minns han vad han ska göra, ger Lilla Platen sitt bifall, och de lämnas ensamma. Han är som lera i hennes händer, som ett boskap som låter sig ledas utan att veta om det är till slakt eller bete. Elias har sett henne göra detta förr, motvilligt fascinerad; med tal som är både enkelt och tvetydigt väver hon en otvungenhetens besvärjelse över det som måste ske, får allt att verka spontant och till ömsesidig förnöjelse. Hon är duktig. Snart har hon lirkat ner hans byxor till knävecken och fått honom raklång på kanapén, slagit i honom dumheter nog att glömma sin bävan och visa sin mandom. Hon lägger sig framför med ryggen mot hans bröst, och tar hans kön i van hand medan han ger en skälvande suck. Medan gästens ögon förblir slutna smyger Klara fram en liten flakong med olja, gjuter den i handflatan och låter sedan den styva lemmen löpa fram och åter mellan hennes lår. Gästen är för hänförd för att känna skillnaden, stönar allt högre i sin strävan mot lilla döden. Elias har sett nog. I skydd av ljuden kryper han undan, bort till takets kant, och slår händerna för öronen. När han lyfter en av dem är det redan över. Han väntar.

Gästen går först. Sedan kommer de ut på trappan under honom, som de alltid plägar efteråt, Klara och huspigan. Klara har bytt den lånade klänningen mot sin vanliga enkla bomullskjol, lämnat det blå sidenbandet och knutit sin bindmössa under hakan. De sätter sig på trappan med varsin bruten kritpipa, pigan kavlar säckväven högt nog på ansiktet för att kunna röka obehindrat, vänder sig bort från Klara för att bespara henne synen, ger desto mer åt Elias. Han ryser och sväljer för att behålla vad litet han fått sig till livs. Det är som om ansiktet ruttnat undan i förtid, och Elias vet att sjukdomen kommer med värvet till den som har otur. De kallar den djävulskyssen, och fastän han vet att det blott är en sot bland många målar ordet hemska bilder: Satan själv, buren på klövar nära nog inpå livet att slå famntag och luta sig över någon av de sköna, etter och slem drypande från suktande läppar, och så kyssen, lång och liderlig, ett vidöppet gap och kluven tunga djupt ner i halsen. Varhelst den berör blottas köttet i härskna sår som varar och vidgar sig tills rötan går djupt nog att fräta själva benet, näsan sjunker in, anletsdragen ödeläggs. Han måste skynda, skynda innan samma öde också blir hans mors. Han låser ögonen vid Klara, hennes skönhet än mer slående i sådant sällskap. Klaras suck lockar pigans fråga.

"Nå, hur var han?"

Orden sluddras lätt, förvanskade av hennes lyte.

"Var det inte hans första gång så kan det inte varit långt därifrån."

"Lätta pengar, då."

Klara drar ett djupt bloss, håller andan och lutar huvudet bakåt, så långt att Elias räds upptäckt innan han ser att hennes ögon är slutna.

"Ändå är jag trött."

Hon släpper ut röken, upp mot mörknande himmel.

"Elsa, säg mig sant, är jag vacker ännu?"

"Snälla Klara, du strålar ju som en sol. Ingen här är din like. Platen vet det också. Det är därför hon är hård mot dig."

De trasiga läpparna trevar bland sina komplimanger, och Klara suckar. Hennes röst förråder bitterheten.

"Säg den sol som inte ska gå ner."

Hon kratsar pipan ren med en sticka, borstar tobaksflagorna från sitt knä.

"Fan ta henne och hennes vackra ord. Hade jag en bättre väg skulle jag ta den. Nå, Elsa, farväl för idag."

Hon tar grinden genom muren, och så snart också Elsa lämnat gården för att återgå till sina göromål skyndar sig Elias ner. Han hinner upp henne snabbt, för han vet att hon är på väg hem, och han vet var hon bor. På betryggande avstånd följer han efter, ända till den port där hon är hemma, kvar hos sin mor och far ännu, trots att hennes yngre systrar redan är bortgifta och utflugna. När hon kommer hem blir det samma visa som alltid, vet Elias, för han har hört den många gånger förut. Var har du varit? Varför så sen? Bekommer dig ditt rykte ingenting? Det är inte bara dig själv du drar skam över. Men när hon väl delat med sig av de slantar hon tjänat sträcker man vapen för stunden, och för några skilling köper hon sig bister ro.

2.

FÖRST MED MORGONEN kommer Elias tillbaka. Våren blöt och kall, den vinter som varit tjurig och vrång, vill inte ge sig utan kamp. Han vet en bagare vars gossar är morgontrötta och tankspridda, och som gärna svalkar sig från ugnsvärmen genom att ställa fönstret på vid gavel. Limpan han tagit bär han innanför jackan, ännu varm som ett levande ting. Vatten har han i en kanna, uppifrån Stortorget där det smakar som bäst, sött och kallt. Han är noggrann med att inte låta sig ses. Staden är trång och full av folk, och varje enskilt kvarter myllrar av människor. Ändå föredrar han staden mellan broarna framför malmarna. Kvarter och kammare är så fulla att många låts gå namnlösa. Den som kan konsten att röra sig bland folk, som endast nyttjar de stråk som erbjuder annat att titta på, kunde lika gärna ha vandrat bland blinda.

I kvarteret Kerberos har han funnit ett försummat källarhål, sedan länge vigt till förvaring av det bråte som generationer av hyresgäster lämnat efter sig och som värden hellre ställt undan än gjort sig mödan att bjuda till auktion, kanhända till risken av att hela ärendet dras inför kämnärsrätt vid ägarnas återkomst. För dörren upp mot trappan har han vält ett bord, och bråte från hela gränden har han byggt till en driva för att skyla fönstergluggen. En smal glipa återstår, för snäv för en vuxen, och var gång han skyndar in ser han till att ingen ser åt hans håll, och tar sig för skrevet som om han blott sökte en avskild plats att göra ifrån sig på. Lätt slingrar han sig ner, mött av den trappa av staplat lösöre som han själv byggt.

En stund är han orolig, innan hans ögon vant sig vid mörkret och han ser henne. Hon sitter i dunklet, som eljest, flickan, nästintill orörlig förutom de andetag som får henne att gunga sakta fram och tillbaka. Elias lugnar sig, känner hjärtats slag hitta sin vanliga takt, kliver närmare och sätter sig på knä framför henne.

"Får jag se på dig."

Han häller vatten på en trasa och börjar tvätta hennes ansikte, så varsamt han kan. När han är nöjd trär han av henne den skjorta som bara hänger runt axlarna, och baddar armar, nacke och bål.

"Nu gör vi håret fint."

Det är inte alltid han har såpa, inte alltid han kan tvätta helt rent. Nu fyller han en kantstött skål med vatten, gör liten sjögång med händerna för att vispa upp löddret, och sedan börjar han försiktigt att gnugga, hårbotten först och sedan hela vägen ner till ändarna. Som alltid skäms han över hur den blonda färgen skiner; den har beckats av smutsen, och han påminns över hur lång tid som gått sedan sist. När den sista bubblan spruckit under försiktiga fingrar lutar han henne framåt och häller vatten ur kannan för att skölja rent.

Kammen är en av de ägodelar han skattar högst. Den är spräcklig i brunt, snidad i ett stycke. Hållen mot solen är den nästan genomskinlig på sina ställen. Sköldpaddsskal, har han hört det kallas, men han har aldrig kunna föreställa sig det djur som kunnat bära någonting dylikt. För kammens skull tog han en risk utöver det vanliga, en fräck stöld värd ett år eller två av straffarbete med klump om foten. Men glädjen var gång han använder den är av en sort han sällan känner annars. Med en lång viskning glider den genom hennes hårsvall, och det är som om den delar med sig av sin lyster till hennes linblonda strån. Han räknar varje drag.

"Jag var hos mor idag igen, hos Lilla Platen. Jag önskar du kunde ha sett henne. Hon är den vackraste av dem alla, den vackraste i staden. Inte konstigt att Platen vaktar henne som en hök."

Tårar av harm stiger i ögonen, och Elias blinkar för att göra sig av med dem. Här är han karl i huset, och att lipa som en barnunge anstår inte. Han måste vara tapper, tar ett grepp med tumme och pekfinger om det tunna hullet i vänsterarmen och nyper tills smärtan driver tanken väck. Han spottar över axeln som vore Platens namn en inbjudan till onda makter.

"Jag har sett de drängar som Platen har i sin sold, stora busar. Alla gör som hon säger av rädsla. Mor måste arbeta av sin skuld. Vad för annat val har hon?"

Han låter kammens tänder sila håret, håller en hand under för att föra slingorna rätt. Snart är hon lusfri.

"Mor förstår inte hur gatans skulder verkar. De blir aldrig betalda. Mer läggs på för var vecka än vad som kan jämkas. Fri blir hon aldrig utan hjälp."

En ensam tår spiller över ögats rand, hans ansträngningar till trots. Han kväver sin snyftning i armen, finner att han tappat räkningen på kammens gång, börjar om. Ännu är han inte duktig på att räkna, har svårt att hålla redo på tiotalen, men slutar när han tror sig ha nått hundra. Dragens enformighet är honom till tröst.

"Låt oss äta frukost nu."

Det är inte lätt att truga i henne maten. Han måste bryta av brödbitar i lagom storlek, blöta i vatten och smeka hennes läppar med var och en tills munnen faller öppen liksom för gamla minnens skull, och passar han sig inte gör han själv slut på hela limpan medan hon fortfarande mal sin första tugga. Han minns skammen från de stunder det hänt, och nu delar han limpan först, tar bara av sin egen halva. När hon är färdig hämtar han ett nattkärl, sprucket men tjänligt, sätter det under henne och väntar. Efteråt gör han henne ren. Det är ingen stor sak. Han minns ännu första gången hon blödde, rännilar längs benen, och han trodde att hon skulle dö utan att han förstod varför. Utskrattad blev han när han skyndade till apoteket med en uppdiktad historia om en ung syster i hans vård; så fick han lära sig att en kvinna blöder var månad från det att hon mognat, och skickades åter med linneremsor att stilla det värsta och byta ofta. Sedan han började tjuvlyssna utanför Ödlans Pigor har han lärt sig allt mer om månadens makt över kvinnokroppen, hur blödningarnas intåg måste räknas noga och märkas i kalendern, för bara under särskilda dagar kan mannens säd slå rot i livmodern, och under dessa måste vissa tjänster undvikas. På kvällarna berättar han för flickan allt han hört. Nu behöver han inte tvätta henne längre. Blödningarna har upphört. Än en gång har han frågat varför, utskrattad igen. Är hon tjock eller smal, frågade man till svar. Han svarade smal.

"Då är det svälten."

Han har plockat en blomma på sin väg hit, en som morskt brutit jorden där två stenar lämnat en blotta. Han sätter den i henne hår, dess gula färg berövad sin glans i källarens grå ljus, och en stund unnar han sig att bara sitta och se på henne. Hon ser bättre ut, nu när han gjort henne fin. Ännu behöver hon mer hull, hon är för mager, men hennes hud saknar inte lyster, och håret ligger vackert. Annat är det med huvudet. Hon talar inte, försjunker allt djupare i sin tystnad. Hon rör sig mer i sömn än i vaka, kastar sig oroligt av och an, och först när hon sover som djupast kommer mumlade ord. Elias lyssnar så gott han kan, varje ord en nyckel till okända lås.

Första gången han såg henne hade hon två barn. En flicka, en pojke. Hon kom med dem till barnhuset. Hon såg honom för den han var, hon som ingen annan. Han gav dem av sitt bröd, med hennes blåbär till. Barnen är borta nu. Ibland undrar han om de hade varit i livet ännu om han inte berättat så öppenhjärtigt om barnhusets umbäranden och skrämt iväg henne. Men nej. De tynger inte hans samvete. Allt han sade var sant. Lika döda hade de varit, endast deras lidande förlängt.

Länge måste hon ha vakat vid härden, tills en vind kom och slet askan bort med sig, ut över fjärden, in åt staden, och hon följde den. Först på fjärde dagen efter branden vågade han sig ut över Klarabron. Liksom allt annat rov som bjuds krattades askan efter rang: de vuxna gatstrykarna först, sedan de äldre barnen, sist sådana som han själv, i fåfängt hopp om att slump eller list skulle skänka dem någonting som andra missat. Och se! Knappt hade han kommit till dess andra sida innan han skymtade henne där hon satt på stenig strand, ensam och stilla, sotig och barfota, som död för världen. Han tog hennes hand, och hon följde honom, mjukt som i en dröm.

3.

HAN HAR HÅLLIT det han burit i famnen medan han sprungit dubbelvikt genom duggregnet, men väl nere på källargolvet skiftar Elias grepp tills byltet är dolt bakom ryggen.

"Titta vad jag har åt dig."

Hon gör ingen åtbörd, ligger kvar på golvet hopkrupen som ett barn där bara tummen i munnen saknas, men Elias är van, och i sitt huvud för han hennes talan utan att ens behöva anstränga sig, inbillar sig lätt de svar som svävar mellan önskan och aning. Med ett triumferande leende sveper han fram sin gåva ur säcken han bär. Det är en klänning. Till och med han själv måste tillstå att källarens dunkel förtar dess glans något.

"Vänta bara tills du får se färgerna. Vit och blå, så blå som den kan vara utan att göra korvarna ilskna. Den hängde högt upp på ett klädstreck över lilla gården vid Pomona. Det var inte lätt att få fatt i den, vet du, ett enda felsteg så hade jag brutit nacken av mig."

Han kryper intill henne, stryker håret ur ansiktet med ett ömt finger och lutar sig fram för att viska i hennes öra.

"I afton ska vi på teatern. Mor ska dansa! Äntligen får du se henne."

Flickans kropp är tung, men hon är märkligt följsam ändå. Om man knuffar, petar och nyper en aning gör den som man vill, fast ingen är hemma, varje rörelse trög som i vatten. Han får upp henne på fötter och håller henne om axlarna tills han är säker på att benen bär. Sedan trär han klänningen över hennes huvud, lägger banden rätt över axlarna, tar ett steg tillbaka och ger henne en förebrående blick.

"Jag vet. Den sitter inte bra. Inte än. Ha lite tålamod. Det finns mer i säcken."

Elias tar upp en kudde till hälften fylld med nålar, och med stort tålamod börjar han vika tyget kring hennes kropp och nåla till en bättre passform. Bara en gång slinter han med en udd och drar blod, men det bekommer henne inte det minsta. Det tar honom lång tid, för konsten är ny för honom, även om han sett hur Platen nålat in båda Klara och andra. Den klänning som först kunnat rymma två av henne sitter nu åtspänd. Det har varit mycket arbete med att truga i henne nog mat att låta henne återvinna något hull på sina magra knotor, men han är glad att se att det burit frukt: det en gång insjunkna bröstet har fyllts ut något, och midja och höfter låter sig nu skiljas åt. Han har ingen styvkjol till att spänna ut tyget, men vet att modet håller på att skifta ändå och att de nätta adelsfröknarna hellre sveper sig i enkla tyger med raka former än de stora balklänningarna med lärft över vertugall, och nöjer sig med att nåla upp fållen och låta resten hänga bäst det vill. Till slut är han nöjd, går ett varv runt henne, tar några steg för att betrakta på avstånd. Han nickar sitt eget bifall.

"Det är bäst vi går. Det börjar inte på länge, men vi har en bit att gå, och du är inte så kvick i steget."

För att få ut henne måste han ta trappan, och med möda rullar han över ända det bord som spärrar dörren. Efter smällen lyssnar han länge, välkomnar tystnaden tillbaka, är uppmärksam på om någon i huset störts eller fått nyfikenheten väckt. Sedan pressar han klykan ner, håller emot för att lindra gängjärnens börda, tar henne i handen och börjar valla henne ut. Regnet har slutat falla, eftermiddagsljuset silas mellan allt tunnare moln. Besviken ser Elias att hans färdigheter som skräddare kommer bättre till sin rätt under skummare ljus, men det är för sent, och det är inte lång tid kvar tills kvällen kommer honom till undsättning. Själv finner han en vattenpuss som ännu rinner klar, doppar händerna och tvättar ansikte och hår. Flickan väntar sävligt bredvid på att låta sig ledas varthän vägen bär.

Barnhusets tristess har skänkt Elias ett tålamod som är få förunnat. Han vet att de tablåer som lätt tråkar ut den hastigt lagde kan ge förströelse i övermått åt den som förmår ge akt på det lilla. Deras sakta mak bekommer honom inte alls. Han leder med en arm om midjan och den andra i hennes hand, noggrann att spara hennes fjät undan hinder och orenhet. Hon hasar fram, lyfter knappt fötterna, och varje uppstickande kant eller frisparkad sten vore nog att fälla henne till marken, där klänningen skulle fläckas och rivas itu. Redan borta vid bron över Strömmen ser den bättre ut igen, förlåten av skymningen. Lite då och då ger han henne några uppmuntrande ord, och finner att även om hon inte tycks höra så gjuter de bättre mod i honom själv, för nu ser han de fyra tornen, ser hur folk redan börjat samlas längs kajen och i Kungsträdgården, redo för kvällens föreställning.

När de sällat sig till massan bär folkströmmens stapplande rörelse dem med sig uppför trappan, fram till en karl i solkig livré.

"Biljett?"

Elias skakar på huvudet, förvirrad, för någon sådan har han ingen, bara de slantar han fått höra att inträdet kostar. Vakten skakar på huvudet liksom över kvävda skällsord, ser sig över axeln, tar mynten och stoppar dem i egen ficka och knycker på nacken för att visa dem in utan att bevärdiga dem med tilltal. När hans blick glider över flickans ansikte stelnar anletsdragen till i plötsligt tvivel.

"Hej skitunge, hur mycket har söstra din druckit?"

Han griper efter dem, men bakifrån trycker de otåliga på och de är redan utom räckhåll.

"Kräks hon i salongen vrider jag nacken av er båda två!"

Elias behöver bara följa resten, in på parterren. Han gapar, oförberedd på vad som väntar, för över honom öppnar sig rummet, så stort att här ryms en egen himmel, i vars rymd änglar hänger stilla och blickar ner över de dödliga. Också upp längs väggarna ryms folk, redan på plats, och lornjetterna blixtrar när de fångar lampetternas ljus. Han ser snart hur det är fatt, och skrattar till, för aldrig förut har det gjorts så tydligt för honom: Här nere trängs trashankarna och får nöja sig med att stå på egna fötter, över dem de rika på stoppade stolar. Uppe vid scenen finns en avskild loge behängd med draperier, mellan pilastrar klädda i bladguld. Främst sitter en man i sin krafts dagar, rakryggad i sin högtidsdräkt, i vit peruk och med ett blåvitt kors på bröstet. Elias rycker i närmsta arm och pekar.

"Vem är det, vem är han som sitter där?"

Mannen som förvånat vänt sig om ser först besvärad ut, men smälter inför möjligheten att få skvallra och lutar sig ner för att höras bättre.

"Det är prins Fredrik Adolf i egen hög person. Se så trumpen han är. Man ser underläppen hänga ända härifrån."

"Varför?"

"Hertig Karl har farit till Skåne och tagit med sig vår lille konung in spe. Sist hertigen reste fick lillebror Fredrik ta hans stol och föra gaveln i riksrådet, men prins Fredrik försummade sina plikter till förmån för jakt och lägersmål. Nu är förtroendet förverkat. Förvånad kan han väl knappast vara, men sur ändå. Alla vill ju vi ha något för inget, även om få kröns med framgång."

Länge får de stå och vänta på golvet innan ridån slutligen går upp och skådespelet börjar. Samme man som nyss stått till tjänst viskar ur mungipan.

"Där är Hjortsberg, förste aktör, han med pensel och palett. Den förnämste skådespelare vår höga nord har att bjuda."

Dramat börjar. Elias har svårt att begripa vad som pågår, nervös som han är, och uppe på scenen talar folket snabbt och tillgjort. Något om en dotter som gift sig av kärlek, och nu är hennes far ilsken och hon själv ledsen trots sin lycka. Som alla andra skrattar han åt den pimpinette kapten Strutz som bär sig åt och gör sig löjlig, läspar på franska och snubblar på sin sabel, en narr åt obesvarad ömhet. I pausen mellan akterna underhåller ett danskompani, och äntligen ser han henne, mamsell Klara, i gul klänning. Han pekar ut henne åt flickan, så högt att andra hyssjar ilsket.

"Där är mor. Den blonda, till vänster. Är hon inte vacker?"

Med hjärtat i halsgropen följer han uppträdet, livrädd för att hon ska bryta en klack eller slinta på tiljorna till publikens hån. Men det går vägen, och när hela raden av likadant klädda flickor niger till applåder lyfter Klara sin kjol högre än de andra, visar en vrist naken halvvägs upp till knäet och vänder huvudet mot logen. Applåderna stiger och hela sällskapet går av scen till visslingar och bifall. Elias har sett vad han kommit för, och skulle gärna gått direkt efter tredje aktens slut om det inte vore för trängseln och för deras sufflör.

"Gå inte än! Författaren ska tala och motta ovationer."

En ung man leds in på scenen, knappt mer än en gosse, med halsen blottad och kravatten hängande om axlarna. Han talar för lågmält för att göra sig hörd, och först ropar man åt honom att tala ur skägget, men när man ser honom rodna och hör honom sluddra och stamma förstår man att han är mer än lovligt berusad. Entusiastiska tillrop följer, hetsar honom att göra sig än mer till åtlöje, tills direktionen skickar fram sina drängar för att leda honom bort och frälsa honom från sig själv. Först nu märker Elias att mannen bredvid dem dragit sönder sömmarna i sidan på flickans klänning för att där göra sig en reva, och fumlar med sin hand mellan hennes ben. Elias slår undan armen med ett ilsket rop, och herren ger honom ett spefullt leende.

"Vet skäms, pojk. Har jag inte gått er tillmötes? Ska man inte få rasa lite som tack, det gör väl ingen skada, tar jag kanske av någonting som hon inte har nog av att räcka till envar som vill ha? Och vem är du förresten att ta dig ton? Från henne själv hör jag minsann inga invändningar."

4.

VÄL UTE HAR Elias goda humör förbytts i nedslagenhet. De ilningar han känt i mellangärdet av Klaras uppenbarelse har förbytts i orolig värk. När han ser på flickan nu är det uppenbart för honom att hans ansträngningar varit förgäves. Hon är som en docka utstyrd av ett barn, klumpigt och inte bättre än han haft förstånd till. Hyn är grå och glåmig, håret i stripor. Den klänning han varit så stolt över är ful och trasig, hänger som ett segel på tork, och än värre nu när hans bristfälliga sömnad dragits isär. Han gjorde sitt misstag från första stund. Tillfället gjorde honom till tjuv, och han borde ha vetat bättre. Hur kunde han nappa till sig ett plagg från fattigkvarteret Pomona? Tyget är nött och färgerna urlakade, dunsten av andras kroppar sitter i trots tvätten. En klänning som denna måste kunna räkna fler år än de båda tillsammans, ärvd i flera led, inte ens fin nog att få följa sin ägare till sista vilan. Han skakar på huvudet. Det duger inte. Inte alls. Hårdare än han behövt rycker han henne i armen tills hennes ben lydigt börjar stappla efter.

Någon förföljer dem. Elias vet inte hur han vet, för i början är de många som ska åt samma håll, men han har för vana att kasta blickar över axeln. Man vet aldrig vad faror som lurar bakom ens rygg i väntan på sitt tillfälle, och han ser en figur, mager och sned. Medan andra hastar för att nå sina hem innan

kvällen blir senare än den måste är det som om en osynlig lina
drar förföljaren bakom dem, på samma kurs och i samma takt.
Kanske är dess hälta låtsad, som ett sätt att gå lika långsamt
som han själv och flickan, eller så är det i själva verket en jakt
som pågår, en som den okände är illa skaffad att fullfölja. Elias
gör vad han kan för att skynda på, viker in bakom ett gathörn
i en gränd där han vet att han kommer att finna en öppning till
en gård med andra flyktvägar. Han väljer en av dem i stundens
ingivelse, rundar ytterligare ett hörn och skuffar flickan framför
sig in under en avställd vagn. Han anstränger sig för att andas
djupt och tyst och lägger ärmen för flickan ansikte för att dämpa
också henne. Snart kommer de steg han väntat på, och deras
otakt bekräftar att hältan är äkta. De stapplar av och an för att
söka sig nya siktlinjer, kikar bak hörn i hopp om att skymta
sina bytens ryggar. Han hör på rösten att det är en man när
svordomarna börjar, kötteder improviserade med en virtuos
känsla. Med en spark tar han ut sin vrede på en söndrig tratt
som skramlar iväg över stenläggningen. Mellan vagnshjulets
ekrar ser Elias hur han avlägsnar sig. Blå jacka, bucklig hatt,
solkat vitt gehäng med en hasselvidja på värjans plats. En palt,
typisk för sin sort, en utmärglad och avkastad soldat som fått
tårna bortsprängda eller avskurna, eller benen brutet och så illa
läkt att det alltjämt måst försmäkta mellan spjälor. Frågande
betraktar han flickans likgiltiga ansikte.
    "Ibland önskar jag att du kunde tala."
    Han tar henne i handen och leder henne åstad, mot säker-
heten.

5.

ELIAS HAR SLUMRAT till. Det har blivit lättare i takt med veckornas gång, nu när sommaren är halvvägs förbi och värmen behärskar staden. Knappt har man hunnit känna tacksamheten över att slippa frysa innan hettan blir en plåga, men ändå är den att föredra. Han gläds över att få dåsa bort, känna alla sina bekymmer tyna undan i en välsignad likgiltighet innan ögonlocken sugs samman och livet sätts på vänt. Nu vaknar han med ett ryck, och så fort han rör sig kommer en oväntad smärta, för överallt runt honom är takplåten så het att huden pinas, möjlig att utstå bara där hans egen sovande kropp lagt den i skugga. Hans läppar har spruckit och törsten är stor, och i några ögonblick är han förvirrad innan han begriper var han är och varför, och hur han väckts. Han ligger nedanför fönstret, och ur salongen kommer röster. Hennes hesa krax, fångvaktarens, häxans.

"Köpenhamn brinner. Har du hört?"

"Det har väl alla vid det här laget, och jag kan inte tänka mig att du skickade efter mig för att hjälpa dig att sörja danskarna."

Platen skrockar tillgjort över Klaras kvickhet.

"Nåja, mitt socker, du har ju inte lyckats göra någon större hemlighet av att mitt etablissemang blivit dig trångt sedan en tid, och att dina gåvor inte förvaltats efter förtjänst. Och jag å min sida har äskat flit och tålamod och lovat att bättre tider kommer."

"Jag …"

"Seså. Låt oss lägga gammalt groll åt sidan. Om du lyssnar noga ska du snart höra hur lyckan knackar på vår dörr."

Elias smyger ett öga över fönstrets kant. Klara och Lilla Platen är ensamma i rummet, den senare bjuder Klara att ta plats på kanapén med en svepande gest.

"Du är på tok för ung för att minnas, och till och med jag själv hade närapå liljan i behåll. Det var en sommar, sextioåtta, sextionio kanske. Man ställde till med bal på slottet, i de salar som tillhör Krigskollegium. Det var Hasenkampff som stod värd, en liderlig karl som fått ja på sitt frieri av baronessan Wrangel, men sitt gifta stånd till trots ännu en monark bland libertiner, och likväl högt i kurs hos hovet för lustigheten i sina fräckheter. Han ville ställa till med en karneval att utklassa alla andra, och det på själva Stockholms slott. Nå, mamsell Torstensson, främst bland stadens kopplerskor, fick i uppdrag att mönstra det lätta gardet för drabbning. Hon samlade dem alla, de vackraste, de bästa, de mest beryktade. Asunander var där, Blåsan, Lammungen, Attendé, Spaas. En liknande ansamling publika damer har varken skådats förr eller senare. Balsalen var inte stor, men i korridoren intill fanns ett dussin kontor för tjänstemännen, som man ställde i ordning kvällen till ära med britsar och madrasser. Där löste man av varandra, allt oftare ju längre kvällen gick. Vildare och vildare blev det. Efter midnatt såg jag Kjellströmskan dansa menuett i bara livstycket, kastad från famn till famn. Hon var bara några och tjugo, vacker som en dag. Några timmar senare låg de älskande i drivor under flämtande ljusstumpar, där alla delade vad de hade och ingen kunde säga vem som tagit och vem

260

som givit. Efteråt blev det skandal, förstås, tidningarna skrev inte om annat på veckor. Man rimmade dikter till hyllning åt nattens hjältedåd och till hån för dem som kommit till korta, som hyllning åt kärleken eller till moralens försvar. Den ende som straffades blev vaktmästaren, som fick avsked."

Sakta har Lilla Platen närmat sig fönstret, tankspridd i sina åminnelser, så nära att Elias inte ens vågar andas, för en enda blick nedåt skulle röja honom där han låg. Men så spinner hon runt på klacken, slår ut med armarna för dramatisk effekt.

"Det var närapå trettio år sedan. Nu ska de göra det igen. Krigskollegium må ha flyttat ut och änkedrottningen in, men hon sitter på Ulriksdal sommaren lång. Norra flygeln görs vår för en natt."

Klara är först tyst en stund, en saktmodighet som vittnar om tvivel.

"Är slottsvaktmästeriets minne inte längre än så?"

"Ah, men det är först nu vi kommer till det fina. Prins Fredrik Adolf har givit sin välsignelse. Han är redan i onåd på slottet, och nu vill han knäppa alla på näsan, rätt i synen på lille Reuterholm och hans näpna hovherrar. Idén är hans, och man säger att prinsen själv kommer bevista tillställningen, inkognito förstås, men den dräkten ska du väl snart kunna genomskåda nu när du haft tillfälle att se honom på nära håll. Här har du din möjlighet, mitt rastlösa lilla socker, den du så hett trånat efter. Ge honom en natt han sent ska glömma, en han gärna vill uppleva igen, och lyckan är din för tid och evighet."

"När?"

"Sista veckan i augusti, om torsdagen. Gå ner till Elsa och tala kläder."

Han hör dörren gny under egen vikt, och sedan hur Lilla

Platen ensam korsar golvet. Medan hon är i rummet törs han inte röra sig. Tröttheten kommer över honom igen, kväver försåtligt den upprymdhet han hyser över vad han fått höra, och snart förmår han inte längre hålla ögonen öppna. När han vaknar är stunden så lik den förra att han först tror att han drömmer, men ser sedan att skuggorna förlängts och att eftermiddagen kvällas redan. I kammaren förs nu ännu ett samtal, och när han kikar in ser han att Platen talar med en flicka han aldrig förut sett, fräck i uppsynen trots sin ungdom, men orden är bekanta.

"... och lyckan är din för tid och evighet."

6.

ELIAS VAGGAR HANDTAGETS tunga pendel av och an, och snart kommer vatten ur lejonets käft, först i en klen puls men snart i allt stridare kaskad. Sommaren har växt sig plågsam i sin hetta. Efter ett ögonblick av tvekan sticker han hela huvudet under strålen, och känner sin varelse jubla under svidande hud. När han inte förmår hålla kvar det längre tar han ett kliv bakåt och ruskar av sig innan han kupar händerna för att fånga vattnet och dricka i djupa klunkar. Bakom honom svär en gumma halvhjärtat åt slaskandet. Andra stämmer in i samma kör, de är många som tycker att gatglinet ska ge fan i att köa bland folk som behöver vattnet till vettigare ting. Men för en kort stund känns solens gass som en smekning över hans våta hy, och han lutar sig bakåt med näsan mot himlen.

När han ser den tror han sig först se i syne, för i den blick han vänt åter mot jorden svävar solens rundel ännu kvar. Det är en bit papper, klistrad mot brunnens sten, och när han kliver närmare bekräftar den hans första intryck. Det är hon, flickan, ritad med några enkla streck men ändå omisskännligt sig själv, höga kindben och smal panna, tomma ögon bland fina drag. Och jämte henne en gosse, kortare, med trubbig näsa och tovigt hår. Han nappar pappret från sin plats och springer bort åt börstrappan. I skuggan under arkaden speglar han sig i en ruta, skiftar ansiktet av och an för att låta bilden väja under bubblor i glaset och jämför sig själv med teckningen. Nog är det han. Någon har tecknat dem i lönndom. Undertill står någonting skrivet. Elias kan inte läsa det, har aldrig begripit hur snirkligt bläck kan förvandlas till språk för vanliga människor att begripa. Medan andra tvingades ner i trånga bänkar för att lära sig katekeser av Luther, Gråbeck och Svebilius utantill satte man en kvast i hans hand och lämnade honom på gården, och när de andra kom utlommande med handryggarna randiga av karbasen skattade han sig lycklig. Nu känner han ångern, liksom allt oftare sedan han tagit sitt liv att bära i egna händer. Skriftens hemligheter är stängda för honom, och paniken kramar hans bröst när han gång på gång kniper samman ögonen och sedan öppnar dem tvärt rakt ner i pappersarket, som om han kunde överraska ordens mening innan hans okunskap kom emellan. Till ingen nytta. Istället gnider Elias tummen mot sitt ritade ansikte tills dragen suddats ut. Han springer fram till första bästa karl, en målargesäll med kalkhink och borstar och ena armen trädd genom en stege, och ställer sig i hans väg.

"Snälla, kan du läsa?"

Gesällen tror först att han driver gäck, spejar runt efter en skock kamrater på pass för att skratta ut honom. Sedan ser han Elias allvar, hans röda ansikte och andan som skälver av upphetsning, och böjer sig fram för att se.

"Först står det 'gosse'. Sedan ..."

Hans läppar rör sig utan att tämja några ljud, tills tålamodet tryter och han rodnar över sitt klena försök.

"Stick åt helvete, lilla horunge, om du vet vad som är bäst för dig."

Han vrider kroppen så att stegens ände kommer farande, och

Elias lyckas med nöd och näppe undgå dess rapp. På språng tar han avsked.

"Bäst du kalkar ansiktet ditt så skammen syns mindre, hundsfått."

Han löper nedåt, åt Järntorget till, och redan vid det hörn där de namnlösa plägar fästa sina nidverser och klagosånger ser han ett anslag till, likadan som det första. Nere på pumpen ännu ett. Han sliter väck båda två och knölar in dem i byxlinningen. På en av Tyska Brunnens pilastrar sitter ännu ett. Nere på långgatan stoppar han till slut en äldre herre vars fåfänga kan smickras till att läsa. Mannen gör stor sak av bedriften, trär med ceremoni sina glasögonskalmar över öronen, skickar Elias en förebrående blick över bågens kant och harklar sig.

"Gosse, söker du en köpare till det du har att sälja, sök mig närhelst det passar."

Därtill namnet på en gata och numret till en port.

7.

DET ELIAS MÅSTE göra tvingar honom ut på främmande mar-
ker, driver honom honom till risker av en sort han annars und-
viker. Hans år i staden har lärt honom tjuvens hantverk. Det är
enkelt: var omärklig, passa på när uppmärksamheten är annor-
städes, var kvick, bli inte girig, håll synden från ditt ansikte. Nu
märker han nya svårigheter, sådana som han inte på egen hand
kan överbrygga. De varor han söker finns bara på platser där
han inte borde befinna sig. Så fort han visar sitt smutsiga ansikte
och sina nötta trasor tystnar samtal, och man stirrar misslynt på
honom i väntan på att han ska redogöra för sitt ärende. Apo-
tekarlärlingarna på Korpen jagar honom tillbaka över tröskeln
i samma stund som han klivit över den. Istället fattar han post
utanför, och väntar. Han försöker kisa in i rummet för att se vad
som köps, men till föga nytta. Ryggar skymmer, ljuset bländar.
Ofta går pigorna och handlar i grupp, två eller fler. Det finns
ingen annan råd än att förlita sig på slumpen. När någon går en-
sam följer han henne, och där trängseln är som störst kliver han
henne på hälen, ger en knuff i baken så hon snubblar, och när
andra skyndar till för att hjälpa står tygknytet hon bar inte att
finna. Själv har han rundat ett hörn in i en tvärgränd, sedan ett
till och ett till i det han rotar bland varorna efter det han söker.
Han måste göra samma sak flera gånger, vittjar också Kronan,

Ängeln och Svanen. Burkarna och askarna bär etiketter han inte kan läsa, och han måste själv öppna var och en för att försöka utröna dess innehåll. Piller och pulver kastar han i rännstenen. Ändå är klänningen svårast, viktigast. Den måste vara perfekt den här gången, inte som sist. Nesan från teaterföreställningen ligger färsk i minnet, men han tröstar sig med att hellre ha begått en blunder i det förgångna än att vara dömd att göra den i framtiden. På gatorna är allt grått och tråkigt, kläder blott till för att skyla nakenheten, renons på all lekfullhet och flärd. Det finns inga klädhandlare i staden som törs skylta öppet med bättre varor heller, och på klädstrecken som randar gårdarnas snäva himmel hängs bara det som har föga värde. Elias vet nu att han började i fel ände sist, och när lösningen väl kommer slår den honom som självklar. Varför nappa en klänning på måfå hellre än att se den på rätt mannekäng? Han stryker kring Stortorget och Skeppsbron från gryning till sena kvällen, då festfolket som gästat Börsen dansat sig trötta. Fönstrens illumination spiller sitt ljus över trappan, och från sitt gömställe vid brunnen kan han få en glimt av hustrur och fröknar i vackraste dräkt, alldeles innan deras kavaljerer hänger sjalar och kappor över deras axlar till skydd undan kvällsbrisen och egen ridderlighet till smicker. Många sällskap bärs hädan i vagn, men på några väntar tjänare att lysa vägen med en lykta på skaft. Att hitta den rätta är ett långdraget värv, men Elias vet att tålamodet är den fattiges tillgång och tar sig an sin uppgift med jämnmod, försöker hitta bästa utsiktspunkten för att bredda sitt synfält.

Han ser henne första gången en morgon, ledd av sin guvernant: Klänningen är ljust blå och bjuder gryningsljuset till lek i sina veck, fållad i spets. En sjal täcker hennes axlar. Flickan är smal om midja och höfter, ljus i håret, kunde ha varit en yngre syster. Han skyndar närmare, men i trängseln går hon förlorad, och när han väljer en gränd på måfå tar han miste. Han löper tillbaka till torget och prövar en annan, men tillfället har glidit honom ur händerna. Med gråten i halsen hamrar han sina knän med nävarna medan han står dubbelvikt för att hämta luft.

Han måste vänta en vecka innan han finner henne på samma plats, och denna gång är han redo. Nu är klänningen rosa, om än blek för att inte utmana överflödsförordningen. Hon bär ett parasoll för att skyla sin vita hy undan solen, och när han smyger sig närmare hör han henne nynna för sig själv medan guvernanten anlägger en sträng min och manar henne att skynda. Ju närmare han kommer, desto säkrare blir han. Hon är den rätta.

De försvinner in på en gård, och snart hör Elias försiktiga toner som klättrar uppför skalan och sedan ner igen. Han följer efter, och vågar sig fram till ett lågt fönster. Flickan sitter vid en klavicymbal med lätt rodnad på kinderna. Guvernanten har förlorat sig i en bok, medan musikläraren, en ung man i prydlig väst, funnit bästa platsen för att få sitt lystmäte på flickans dekolletage under förevändning att observera hennes fingersättning. När lektionen är avslutad följer Elias dem hem. Han är varsam, men märker snart att han tycks osynlig, och ju närmare han kommer dem, desto mer förstår han varför: deras båda världar överlappar blott för stunden; de drar nytta av samma gator, men på färder så väsensskilda att han är som en vålnad för dem.

Det dröjer innan han lärt sig hennes vanor. Sällan är hon ensam, alltid i släptåg efter guvernanten. Ofta tillbringar de sina dagar i hemmet, på våningar dit Elias nekas insyn. Han lär känna huset bäst han kan, stannar till sena kvällen för att lära sig det mönster med vilket kamrarna släcks ner, följer genom rutorna de fladdrande lågor som lotsar hushållet till sängs. Han anar snart var hon sover, vet inte vad finfolket gör med alla sina rum men gissar att klädkammaren måste ligga intill. Om tisdagarna är det musiklektioner och på torsdagarna träffar hon en dansmästare, men dagsljuset avskräcker honom från att göra sitt försök. Hellre väljer han en helgdagskväll, då hon följer sina föräldrar till bal och guvernanten ensam vaktar huset. Elias mod växer för var kväll han stryker om husets knutar. Som alltid tycks tiden själv hasta genom sommarmånaderna liksom föredrog den mörkret och kylan; nätterna svartnar allt mer, och han vet nu att den ruta som belyses inifrån blir som en spegel om fonden är mörk nog. Han har prövat sin tes utanför krogarna, knackat på rutan och sträckt ut tungan åt fullgubbarna, men bara fått förvirrade miner till svar och inget ovett. När guvernanten är ensam på nedervåningen kan han följa henne från rum till rum, nära nog att imma glaset. Han ser henne nalla godbitar ur skafferiet, göra sig till framför spegeln svept i sin husmors stola innan hon lägger sig på schäslongen och låter ena handen glida in under nattskjortan, andas tungt.

Elias tror sig känna hela flickans garderob vad det lider. Han vet vad han helst vill ha: någonting som liknar det Klara brukar bära, någonting lätt och luftigt, enkelt knutet i midjan med sidenband liksom på stundens infall, i tyg som faller så tunt att dess smekning sånär visar kroppen därunder. Ett plagg där utmaning och beskedlighet ryms på lika villkor. Den blå allrahelst. Den han såg henne i första gången.

8.

ELIAS TROR SIG ha funnit bästa vägen in. En lägre byggnad intill lutar sig mot hennes hus. Från granntaket kunde han nå ett fönster om lyckan ville stå honom bi. Gränden utanför är trång, även om folk skulle passera uppmuntrar fasaderna knappast någon till himlaskådning. Han väntar på kvällen, ser sällskapet ge sig av, kisar in mot guvernanten som tullar på plommon- brännvin och snart gäspar allt oftare.

Trapphuset bredvid är av långt sämre sort, och genom det vinner han taket genom en lucka. Han har svärtat sig för att likna en sotargosse, och nu lämnar han efter sig mörka handflator var han fattar grepp. Tegel här, försåtliga pannor som skrapar under hans vikt, var och en redo att spricka och sända sina skärvor som en hagelskur över gränden. Försiktigt klättrar han uppför sluttningen mot den punkt där taknocken förenas med huset bredvid. Väl uppe följer han det till hörnet. Illamående och rädd stirrar han ner, fastfrusen för en stund vid denna fasansfulla plats där ett enda steg skiljer säkerhet från undergång. Avgrunden viskar honom sin inbjudan, och han blundar och omfamnar den varma stenen till dess rösten tystnar. Han måste runt hörnet, finna grepp om fönstergluggen, få upp en fot på karmen. Han känner puts smulas under hans hand, som färgas gul av vitriol. Ändå finner han dess grepp bättre nästa gång han prövar, den hala svetten drucken av stenflis. Greppet håller. Foten nu. Han tvekar, men halvvägs krängd kring hörnet inser han att tillbakavägen nu är en lika stor risk som den framåt, och han gör sitt val. En sekund svajar han på kanten, pressar hälar ner och fingrar upp för att kila sig fast, och med ens släpper suget nedifrån. Mot all vett och sans känner han hur han måste pissa, måste tömma sig till varje pris, och utan att kunna skifta sitt grepp håller han ena benet ut över tomheten och låter det rinna. När han är klar kommer en välsignad lättnad som övertrumfar obehaget. Nöjd märker han att det lyckats honom att hålla sitt fotfäste torrt. Han använder en armbåge för att trycka mot rutans glas. Paniken hägrar på nytt när han finner motståndet starkare än förväntat, och varje nytt försök också knuffar hans egen kropp mot fördärvet. Så spricker det till slut, med ett uppgivet kras, och varsamt plockar han undan skärvorna tills hans hand når in för att lyfta haken ur sitt läge. Inne i rummet skakar hans ben tills de inte bär honom längre. Han sätter sig på huk och slår armarna om bröstet, sluter sina ögon och nynnar en visa för sig själv, en melodi han tycker om, men bara de ord som tröstar och inte de som skrämmer, om och om igen.

"En gång där en källa flöt, förbi en skyl i rågen, stod en liten gosse söt, och spegla sig i vågen."

Livet har lärt honom att känslor hör kroppen till lika mycket som sinnet, och att tiden själv är bästa tröst. Omsider känner han sig bättre. Han lystrar till våningarnas bibehållna tystnad, och när han är säker lämnar han den hyllklädda skrubben genom att glänta försiktigt på dörren, smyger över korridorens golv och försöker finna sin orientering.

Hans långa timmar utanför kommer honom till god hjälp. Han kan räkna dörrarna, och tar den rätta på första försöket,

Rummet är klädkammare åt dottern, alldeles intill det sovrum där nattljuset släcks först. Fast det skumma ljuset gör alla färger grå finner han vad han söker nästan direkt. Den blå klänningen hänger på sin galge jämte andra, och försiktigt lyfter han ut den. Han vill inte riskera att fläcka den med sina smutsiga händer, gläntar på klädskåp och kistor för att hitta någonting lämpligt att linda sitt byte i.

Han drar ut en låda på måfå och finner den full av plagg av en sort han inte sett förut. Han håller upp ett i dunklet, och först undrar han om det är avlagda barnkläder. Det dröjer innan han begriper att det måste vara en kjol av en sort hon bär under det andra, närmast inpå livet. Känslan han fylls av är underlig och främmande, men kittlande också, och han begraver ansiktet i tyget, mättat av lavendeldoft. Elias sneglar ut genom fönstret och lyssnar noga innan han gläntar på mellandörren. Hennes sovrum ligger mörkt och tyst, sängens lakan prydligt sträckt mellan sina fyra poster. Han känner på dess tyg, mjukt som en bris; tvekar, men vet att han är given en möjlighet som säkert aldrig kommer igen. Försiktigt för att inte låta sängbotten knaka kryper han upp, hittar sin plats, känner underlaget fjädra. Bolstrets mjukhet tar andan ur honom, sängen är som en förlåtande omfamning, så långt från barnhusets träbritsar som ett moln svävar över landbacken. Han drar täcket åt sidan och måste slå en hand för munnen för att hindra sig att skratta högt åt dess spel under hans hand. Det tycks honom inte av denna värld, varken fast eller flytande, lätt men varmt, tyget skimrande av skära blommor men så följsamt att dess beröring knappt känns. Försiktigt kryper han ner under det, känner dess trygga tyngd över sin kropp, känner anspänningen lätta i en snyftande suck.

Över honom ett böljande tygtak, där stjärnor av papper som vaxats och vikts gungar på sina trådar. Lutad mot kudden intill sitter en stickad docka, håret i flätor, kockett i sin lilla klänning och med ett vackert broderat ansikte som ler åt hans tilltag, som vore han en välkommen gäst i hennes värld av omtanke och överflöd. Han sträcker sig efter henne, sluter henne i sina armar och lägger sin kind mot hennes hjässa.

Han väcks av ljud från korridoren, steg som kommer allt närmare. Han hinner knappt av sängen innan dörren slås upp, vacklar på domnade ben som hotar att vika sig. Blodet rusar till pannan och kommer hans ögon att svartna, och bara nätt och jämnt hinner han möta henne vid tröskeln, dra in henne i mörkret och finna ett grepp om flickan som hindrar henne från att ropa ut sin förvåning.

9.

FÖRST EFTER MIDNATT vågar sig Elias ut från sitt gömställe nere på Skeppsbron, i ett hörn bakom en tunna, höljd i den unkna dunsten av härsknande regnvatten. Han prövar försiktigt den fot han sånär vrickat i sin språngmarsch utför den branta trappan, öppnar och sluter de nävar som värker där han bultade maktlöst på portens insida innan han uppbådade förstånd nog att pröva klinkan. Huset tomt, guvernantens snarkningar ännu ljudliga. Sedan ut, bort. Någon måste lyst flickan hem i förtid och lämnat av henne vid porten. Hans händer är stela som i kramp, som om varje sena låst sig i hårt grepp; bara genom att bända och böja lyckas han räta ut fingrarna, fast det smärtar ända ut i underarmarna.

Det har kommit blodstänk på den blå klänningen, en ful fläck som han stirrat på i timmar, dubbelvikt över det hopknölade tyg han kramat i famnen. Nu ser han än mer på sin egen skjortärm. Han linkar ner åt roddartrappan till, där han lättast kan nå vattnet, och sätter sig på knä vid nedersta trappsteget för att skrubba tyget rent. En plötslig snyftning överraskar honom när byken väcker minnen. Blodet var hans eget, då, för på barnhuset slog man honom ofta i början. Han visste redan då att de aldrig skulle sluta om han gav dem den lydnad de krävde, och istället gjorde han ansiktet slött och uttryckslöst, kroppen slapp och trög, och lät dem slå tills de tröttnade. Först när de lämnat honom i fred kom tårarna och skalven, när han var ensam och när ingen såg. Så lärde han dem att rottingen båtar föga mot lille Elias, för dum att känna smärta som andra, och snart fick han bara smörj för sakens skull, när någon tappat humöret och behövde en följsam kropp att stilla vreden mot, någon som inte vet att ifrågasätta vad han straffas för och som heller inte skvallrar efteråt. Som han avskydde dem i lönndom, deras ansikten löjliga i raseriets grimaser, mest lika spädbarn som solkat sina lindor. Aldrig hade han sett sig själv i deras ställe. Om han bara inte somnat. Om hon bara hade velat vara tyst. Men under hans tystande händer skälvde skriket, och inga av de ord han valde till tröst kunde få det att sluta.

Sjövattnet är svart och oljigt kring hans fingrar. Gång på gång doppar han en flik av klänningen för att gnugga tyget mot sig självt. Ljuset är dåligt, en färg inte längre möjlig att skilja från en annan, och tårarna bländar honom än mer, men nog ser han likafullt att fläcken inte går ur, aldrig mer. Han ryser i den heta högsommarkvällen.

10.

"FAN I DEN sommaren. Ett under att brunnarna inte torkat. Men snart är hon slut."

Johan Erik Edman ger Ullholm en blick där polismästaren står på kammartröskeln, med peruken och hatten i nävarna, och torkar svetten ur ansiktet på jackans ärm. Edman grymtar till svar, och Ullholm söker sig en stol att sitta.

"Hur är det ställt med jaktlyckan?"

Edman skakar på huvudet och lossar kravatten.

"Reuterholm är desperat. Han blir bara svårare att tas med för var dag. Jag tror att det är som värst nu, i dessa dagar: ännu är han allsmäktig, men han begriper att hans tid är utmätt. Året blir hans sista. Ska han lyckas bränna kung Gustavs eftermäle och salta dess jord är det nu det måste ske. Du har sett pamfletterna?"

"Bara hört om, inte läst."

"Om än inte annorstädes är karln en geni när det gäller att motverka sina egna syften, och jag anar varför: det kan inte vara lätt att begripa hur vanligt folk tänker och tycker om man aldrig sett dem annat än från slottsfönstret. Nå, den första är ett tryckt brev från svenske ministern i Neapel, som slår ifrån sig anklagelserna om ett anställt lönnmord på Armfelt med en nit som osar svavel. Oss emellan är det få som orkar bli så upprörda över något annat än sanningen. Den andra är en uppsättning av de brev som Armfelt skrivit till de konspiratörer som redan stått inför rätten, publicerade för att ytterligare inskärpa deras skuld. Folket tycks eniga om att det första brevet författats med mindre värdighet än vad som anstår en rikets representant, och att de övriga är ett lumpet försök att strö salt i såren på dem som redan tagit sina rapp. Enda resultat är att de få som hittills tvivlat på att baronen är en långsint och småskuren fan fått allt svårare att hävda sin sak."

Han slår ut med händerna i uppgivenhet, tystnar och finner sig ett nytt ämne.

"Vad ska du göra sedan, Magnus? När Reuterholm väl farit hem till Finland och kungen tillträder?"

"Jag sitter bra där jag sitter. När Reuterholm och Armfelt är glömda båda ska jag sova sent om morgnarna och måna om min hälsa. Och vet du, Johan Erik, att jag tänkt över saken noga: det ska mycket till för att en polismästare ska ställas till svars för något. Därtill är tjänsten alltför synlig. Den dagen man tröttnar på mig får man väl ge mig en hederstjänst som belägg för hur nöjda man varit med min nit, allt annat vore att ge kvitto på egen dumhet. Än du då?"

Edman grinar illa.

"Du har det lätt, du. Alla vet vem polismästaren är, men en expeditionssekreterare kan lätt avpolletteras utan att kronan tar skada, om än aldrig så mäktig i stunden. Ska jag efterträda gubben Lode som justitiekansler gäller det att visa mig skicklig i värvet utan att skaffa mig fiender. Vara nitisk och stå över politiken, få allas respekt men väcka ingens anstöt. Det är inga lätta knän att rida ranka på, det får jag lov att erkänna. Vilket för oss till dagens ämne: får vi bara fatt i Anna Stina Knapp och

Rudenschöldskans brev kommer ingen av oss att behöva oroa oss för framtiden. Det drar ihop sig. Är allt redo inför den stora dagen?"

Ullholm ler till svar, säker på sin sak.

"Det har varit en trasmatta som inte låtit sig vävas enkelt, men ja, allt är klart. Korvarna börjar vid Myntet och sveper staden ren. De har tränat manövern och kommer så göra in till sista stund. Lösdrivarna vallas till Slussen. Där är deras saga all. Bland dem flickan Knapp. Det kommer att bli ett satans uppträde, Johan Erik, ett staden sent ska glömma."

11.

ELIAS VAKNAR TIDIGT, till minnen av en orolig natt där han vänt sig än hit och än dit i fåfäng jakt på den ställning som ska vagga honom till ro. Det tycks honom att hans nätter alltid är desamma på sistone: Minnen av den mjuka sängen, snart förbytta i mardröm. Ett uppvaknande, och allt börjar om på nytt i hopplös virvel innan gryningsljuset kommer med tröst. Han skvätter vatten ur kannan i ansiktet, och med ens är han klar i huvudet, de vindlande tankar som kantat hans slummer med suddiga vrångbilder kommer nu raka och enkla: Dagen är kommen. Ikväll ska det ske. Upprymdhet och rädsla blandas i samma mått. Han sträcker armarna över huvudet ovanpå sin solkiga filt. Någonstans inne i drivan av bråte hörs krafsande flykt: en råtta skrämd av hans ljud. Han gnuggar sina ögon klara, och vänder sig, och där ligger hon med halvöppna ögon och blicken ut i intet. Varje morgon är det samma sak: för ett ögonblick vandrar kalla kårar längs hans rygg, innan hennes smala bröst förråder ett andetag och låter honom veta att hon ännu är vid livet. Ibland undrar han om hon någonsin sover, för aldrig har han lyckats fånga henne med sömnens frid skriven i ansiktet. Hon står stilla i sin korsväg mellan slummer och vaka, ögonlocken fällda till hälften, kinderna slappa, bara panna och tinningar tidvis störda av en oro som kryper under huden.

Elias blandar en näve gryn med vatten i en skål, rör runt med fingrarna och ställer den åt sidan för att svälla innan han börjar mata henne, lite i taget. Varje nypa kräver en påminnelse för att sväljas. Han stryker undan hennes hår för att bättre komma åt. "Idag har vi mycket att stå i. Du måste vara tålmodig, hör du det, och försöka att hjälpa mig så gott som det går även om det blir svårt."

Borta vid brunnen hämtar han vatten. Det är tidigt, vad få människor som redan gått ur säng sömndruckna och idel gäspningar. Det är hett redan; dagen lovar att bli tryckande, kulmen av den vecka som gått. Tillbaka i källaren smular han en skärva rosendoftande tvål till flingor, löser dem i vattnet, drar skjortan över hennes huvud och skopar över hennes hår, försöker locka fram ett renande lödder. Han tvättar henne från topp till tå, överallt. Efteråt flyttar han henne ut på golvet, där en sluttande ljusstråle silas genom gluggen och han ser bättre. Nervöst sprider han sommarens stöldgods framför sig, små dosor av alla de slag, och öppnar en i sänder för att bäst kunna utröna deras hemligheter. Närmast i panik väljer han en, vit och smetig, och börjar gnugga hennes hud med den. Han har försökt se hur Klara gör framför sin spegel, och vet att det röda går över läppar och kind, det svarta kring ögonen. Flera gånger måste han tvätta av och börja om. Han lyssnar efter klangen från klockorna allt eftersom tiden går, tacksam för sin framförhållning.

Sist klänningen. Han har sånär glömt hur den ser ut, undangömd allt sedan han kommit hit med den, men nu särar han dess veck och måttar den mot hennes axlar. Ivrigt trär han den över hennes huvud, fäster dess band, och finner alla sina förhoppningar överträffade. Den är hennes blå ögon till maka, och fast dess ägarinna varit yngre är vidden den rätta. Skrudad till fest är den magra kroppen inte länge fattigdomens märke, utan måttfullhetens, anspråkslöshetens, oskuldens.

"Får jag se på dig."

Han leder henne i en cirkel med hennes båda händer i sina, och det han ser får hans ögon att tåras av rörelse.

"Så fin du blir."

Han bockar sig för henne och skrapar med foten som ville han bjuda upp, och så börjar han, för henne varsamt runt runt, lockar den tomma kroppen till trög dans.

När timmen är slagen och ljuset vikit ur gränden sveper han sin filt om henne, den som tjänar honom till bädd, låter den hänga ner i synen. Väl ute väljer han Prästgatan hellre än att synas på Långgatans stråk, fullt av folk också i denna sena timme, och var gång en tom tvärgränd korsar deras väg tar han den, föredrar den väg som förblir ostörd framför den som är rak. Utanför krogarna samlas folket i klungor, med skjortornas ärmar uppkavlade och brösten uppknäppta för att bättre svalka kroppen. Man svär över varmt öl hos de krögare som saknar bättre förvaring. Ännu blir man skinnad för allt vad kött är, den som är fattig och utled på skorpor måste gnaga på salt fläsk som en sjöman fångad i stiltje. Elias styr henne runt dem så gott han kan, muttrar uppmuntrande ord och sänder en stilla bön att ingen lös kullersten ska sätta krokben för dem nu när målet synes så nära.

Det är inte svårt att hitta rätt. Upp vid slottet ligger den yttre borggården öde, sånär som på en port i bortre hörnet där en lykta spiller ljus över stenen. Utanför står en karl i uniform av ett slag Elias inte sett förut. Mannen mönstrar dem medan han tvinnar sin svärtade mustasch och ler ett snett leende.

"Du var mig en konstig en. Nå, vad har du under duken?"
Han låter filten falla, och vakten gör stora ögon innan han får mål i mun på nytt.
"Ska det vara till underhållning?"
Elias nickar ivrigt.
"Ja. Ja, till underhållning."
"Och det är avstämt sedan förut?"
Han nickar hellre tyst än förråder en lögn med sin röst. En stund funderar mannen medan hans fingrar kröker stråna på läppen till en spetsig lock, innan han rycker på axlarna och knycker med huvudet.

"Nå. Skit samma. Vem är jag att sätta mig till doms över andras tycke och smak. Ung är hon åtminstone. Seså, in med sig."

Innanför porten öppnar sig ett trapphus stort nog att hysa ett helt kvarter, med plats nog att bädda för två på varje steg. Uppifrån ekar skratt och högljutt tal. Lampetter med dubbla vaxljus lyser deras väg, tills de kommer till en dörr med bägge porthalvor uppslagna och fjättrade till väggen med snören av sammet. Det är som en grotta in i ett rike av renaste ljus, och Elias tvekar i bävan. Aldrig har han sett natten upplyst så. Visst har han som andra dröjt utanför illuminerade fasader vid Vauxhallen och Börsen, och med gapande mun försökt stirra sig mätt på de tama lågor som dansat bakom rutorna, men den skönheten var alltid av en bitter sort. Det sken som lyser ut är blott sådant som blivit över, och kandelabrarnas många armar var utsträckta för att märka en gräns, en han och hans likar aldrig förut vågat att korsa, dömda att snart vända ryggen till för att vandra åter till kylan och till mörker, endast de lyckligast lottade till att kisa i skenet från en glödande härd eller en snålt späntad fyrsticka. Nu står han välkommen vid porten, med ens slagen av det oerhörda i att kliva över dess tröskel. Så hör han hur musikanterna stämmer upp, och förbi dörröppningen jagar en festklädd herre en kvinna i vida kjolar så att rockskörten fladdrar. Hon ger upp ett kokett tjut medan hon skrattande flyr, och förtrollningen bryts. Elias vänder sig för att mönstra flickan, smeker håret rätt.

"Nu gäller det. Hör du det?"

Så tar han henne under armen, och de kliver in i ljuset.

12.

HAN BLÄNDAS, MEN först när tårar blir honom övermäktiga förmår han sluta sina ögon. Tillsammans söker de skydd utefter väggen där ett blomsterfång på ett bord skyler dem båda för stunden. Rummet kväver honom med sin ståt. Det ter sig lika stort som teatern, med ett tak som välver sig högt över deras huvuden. Målningar av himlen själv omslingras av gyllene rankor. Kerubiner leker kull bland molnen. Väggarna omkring dem står inte taket efter: gyllene paneler, en tapet så vackert mönstrad att han måste röra vid den för att övertyga sig om att den blott är en synvilla vävd av trådar. Från tavlor större än livet blickar främlingar ner i salen ur sina fjärran världar, var och en lika trovärdig som hans. Kvinnorna nådigt leende i skira spetshuvor klädda i rosor, famnande sammanknutna skrin för sina tama murmeldjur, männen stränga och uppfordrande framför slagfält och flottor, deras bröst guldsmidda och ordensbehängda. Djupa nischer markerar fönstren. Långt där nedanför syns Helgeandsholmens stallar och broarna till Norrmalm.

Den lilla gruppen musiker har börjat spela, först med försynta stråkdrag avsedda att fodra tomrum i konversationen, men snart tömmer en grupp herrar sina glas och leder varsin dam ut till golvets mitt. Dansen börjar, och musiken blir allt starkare och snabbare. Överallt folk, var och en irrande kring. Många bär masker, antingen sådana som måste hållas upp med ett skaft eller som blott är enkla band med hål skurna för ögonen, knutna i nacken. En del bär större masker avsedda att likna djur eller främmande beläten, och de skrämmer honom. Elias spanar länge innan han får syn på det ansikte han söker, tacksam åtminstone för att hon visar sig oskyld. Han tar flickan i handen, närmare, tills han finner ett ögonblick när hon står ensam. Lilla Platen ger honom en blick av bestörtning när han ställer sig framför henne, en blick hon lika gärna kunde förunnat en dypöl som flutit fram där hon velat sätta klacken. Hon har redan vänt sig halvvägs bort när han hejdar henne.

"Vänta."

Tilltalet förvånar henne nog för att stanna mitt i steget.

"Det gäller Klara."

"Vafalls?"

Hon plirar mot dem båda genom en lornjett.

"Du behöver henne inte längre. Du kan låta henne gå. Jag vill ta med henne härifrån."

Det dröjer medan Platen försöker tolka sina örons vittnesbörd. Elias tar ett steg åt sidan och drar flickan efter sig så att hon står rakt framför henne.

"Jag har en annan att byta. Hon är yngre och vackrare. Hon kan tjäna dig längre."

Platens käke arbetar förgäves för att tränga ljud över läpparna, medan hon vrider huvudet mellan dem, från den ene till den andra. Så skrattar hon.

"Den? En svulten rännstenskatt? Vem skulle vilja ha en sådan? Vad är det för trasor hon har på sig? Och varför är hon sminkad till harlekin?"

Hon lyfter flickans haka på ett vasst finger, vaggar ansiktet fram och åter för att försöka fånga den tomma blicken, förgäves.

"Och vad är fel med henne?"

Elias läpp darrar, berövad målföret av kritiken mot hans möda. Lilla Platen vänder sig till kvinnan bredvid.

"Klara! Är du min träl, så säg? Har jag någonsin tvingat dig till något? Står det dig inte fritt att komma och gå i mina kammare efter eget skön?"

Klara är vacker i sin klänning, så tunn att dess vita färg görs skär av hennes hud. Håret bär hon uppsatt, hållet på plats av vackra nålar. För första gången tar hon någon notis om Platens supplikanter, och vänder dem en oförstående min efter att ha skärskådat dansgolvet och de flankerande sällskapen med hökblick.

"Vad? Nej, självklart inte, vad är det för en fråga?"

Lilla Platen höjer ett ögonbryn åt Elias, men måste snörpa på munnen åt hans tvivlande min.

"Bara för att bli kvitt dig snabbare. Nå, Klara, vill du vara så god att förklara för glinet här vårt samröres natur?"

Klara skrattar till, som vore det en lek hon inte förstår men ändå förväntas delta i. Hon lutar sig framåt mot Elias, hennes röst tillgjord som för att förklara den enklaste sak för ett barn under fostran.

"Jag vill träffa herrar som ger mig gåvor i gengäld för min ömhet. Smäktande män kommer till Platen, hon gör vår presentation och lånar oss rum, mot en del av det som gives."

Platen står med ens rak som en lodlina. Hennes veckiga hals sträcks och ut flyger ett finger för att peka samtidigt som hon drar Klara inpå livet för att låta henne sikta längs armen. Det är en stilig karl i kammad peruk och prydlig uniform, på vars front kraschaner och medaljer trängs om uppmärksamheten. Hans mask täcker ansiktet från nästipp till pannans mitt.

"Där. Visst är det han, Fredrik Adolf? Och står han inte ouppvaktad. Nu, Klara, nu ligger järnet varmt på städet. Smid för allt vad du är värd."

Hon skyndar bort över golvet, så kvick i steget att vinet spiller ur glaset och lämnar ett stråk av droppar över golvets träflätor. Lilla Platen vänder sig tillbaka till Elias.

"Jag vill inte ställa till något uppträde för vilket andra kan vilja ge mig skulden. Men besvära mig igen, eller Klara, så lovar jag att jag skriker efter en vakt att köra dig på porten, dig och ditt utsvultna gatuluder."

Med de orden vänder hon sig, och beger sig bort över golvet i Klaras blöta fotspår.

13.

ELIAS DRAR HENNE med sig tillbaka till sin vrå. Så många fikar efter uppmärksamheten att de förblir ostörda. Ljusen brinner ner, sensommarskymningens timmar dröjer sig kvar länge innan natten tillåts falla. Musikerna blir allt fullare och slarvigare, och tonerna skär mot varandra medan takten görs ojämn, men ingen märker något, alla förlorade i drifternas malström. Sällskapet i underliga masker avviker strax före midnatt, men de kvarvarande begråter inte de platser som lämnats lediga mellan främmande armar. Dansen går i ett, tills ett par fattar tycke, kavaljeren tar sin dam om livet och leder henne ut i korridoren i hopp om att hitta en kammare med ledig bädd. Allt färre av den sorten står att finna, och när fylleriet trubbat varje hämning upphäver nöden alla lagar. Man kopulerar först skylda bakom gardin och gobeläng, men snart öppet, snart i stolthet och tävlan att blotta sig med minsta skam: uppe i fönsternischerna, i krets av åskådare mitt på golvet med egna plaggen till bädd. Fladdrande lågor leker med masker och former, det är svårt att se var en kropp slutar och en annan börjar, alla stöpta samman till någonting Elias inte längre kan tolka som fullt mänskligt. Han tar flickan i handen och leder henne tillbaka nedför trappan, rädd att någon förr eller senare ska stå utan och ta också henne ifrån honom.

Han sätter henne ner mot slottets fasad, sjunker själv ner jämte på huk, låter tiden torka hans tårar. Väntar. De är inte ensamma. Nere längs yttre borggårdens fasad passar tjänare på sina husbönder. En del har lagt sig att sova så gott de kan, hopkrupna kring sina otända lyktor för att inte bli bestulna i sin slummer. Andra turas om att ha sina dankar tända medan de spelar kort. Lågorna störs av den vind som blåser utifrån sjön, vind av den sort som flytt undan oväder. Elias skymtar pigan Elsa bland de sovande, med huvudet i sin påse och kroppen ryckande i drömmens trådar.

Mörkret viker, en i sänder blir stjärnorna rov för morgon-rodnaden, som går härold för det bål som tänts på nytt och som snart ska resa sig ur Saltsjöns blanka spegel. Gryningens strimma är röd på det vis som får sjömän att skalka sina luck-or. Långt bort över havet går åskan. Rumlarna förgäter balen, vissa för sig, andra i par, idel andra i grupp, och Elias är på benen igen, vaggar från fot till fot för att hinna skärskåda varje ansikte innan det förlorar sig bland gränderna, vacklande på osäkra fötter. Så ser han Lilla Platen, och utan en tanke är han på fötter för att spärra hennes väg än en gång. Hon går ensam, med dimmig blick och den vana suputens varsamma små steg över Stockholms nyckfulla kullersten. Omkring henne står en dunst av surt vin.

"Var är hon?"

Hon är fullare än han trott. Hennes min är oförstående först, innan hon med en ansträngning drar sig till minnes var hon sett honom förr och vad han har för ärende. Hon öppnar munnen som för att avfärda honom, men hejdar sig sedan och börjar om.

"Hur länge har du väntat?"

"Natten lång."

Hon slår samman sina händer med ett kraxande skratt.

"Jag tror hon lyckades."

Lilla Platen ser sig om efter bättre publik, men där finns ingen, och med triumfen i ansiktet vänder hon sig tillbaka till Elias.

"Prins Fredrik. Jag såg dem gå. Han har tagit henne till sitt eget gemak. Andra nattfjärilar har fått nöja sig med halmmadrass och golvtilja, men inte Socker-Klara, för henne en himmelsäng och dunbolster, lakan av siden och täcke av sobel."

Elsa är vid deras sida nu, ger sig tillkänna för sin husmor innan hon springer bort till en dräng som nyss börjat lotsa sin herre hemåt, för att tända sin veke mot hans lykta. När hon återvänt står de alla stilla en stund i underlig tystnad, tills ett ljud manar dem att vända sig mot slottet.

Hon kommer sakta, Klara, haltar fram i en klänning vars band en otålig älskare slitit itu, och som nu bara kan hållas uppe av hennes ena arm i omfamning. Andra handen bär hon kupad mot sitt sköte, där blodet trängt genom tyget, runnit de bara benen ner. När hon når ljuset från Elsas lykta ser de hans grepp ännu tecknade i blånad hud. Läppen sprucken och ansiktet rött, kinderna fuktiga av tårar och snor.

"Det var inte han. Det var en annan, i prinsens dräkt. Men han lät mig tro det jag ville. Och jag lät honom göra mig illa. Framför hans vänner, som ställt sig i ring. Vad han än tog sig för låtsades jag att jag gillade det, så gott jag förmådde. Tills han lät masken falla, och de skrattade allihop, skrattade gott åt den dumma lilla horan och hennes fruktlösa girighet. De har förstört mig. Jag är sliten itu. Det bekommer dem inte. Vad ska jag nu göra? Vad ska jag ta mig till?"

Elias hjärta slår allt snabbare. Han ser sin chans, en bättre än han kunnat hoppas på, och än en gång har han flickan i sin famn, uppryckt från sin plats intill väggen. Han håller henne om axlarna framför Lilla Platen.

"Nu då? Vill du byta nu?"

Lilla Platen blinkar förvirrat, skakar på huvudet, oförstående.

"Varför?"

Elias torkar sina ögon med solkig skjortärm.

"Hon är min mor. Hon lämnade mig åt barnhuset, för att hon inget annat val var given."

Klara vacklar där hon står, Platen ger henne motvilligt stöd, noga att freda sin egen klänningsfåll undan fläckar.

"Klara? Är det sant vad pojken säger?"

Hon ruskar på huvudet.

"Nej. Något barn har jag aldrig fått."

Elias röst stiger till ett ynkligt skri.

"Även om namnet du lämnade inte var ditt eget såg husmor dig när du kom med mig i lindor, har sett dig sedan dess! Hon visste inte att jag lyssnade, men jag hörde henne säga att min mor finns hos Ödlans Pigor, hos Lilla Platen."

Lilla Platen ger till ett gnäggande skratt.

"Nu faller bitarna på plats. Nog var du på tjocken, Elsa, och visst är gossen gammal nog? Till mig sa du att fostret skulle fördrivas, var det inte därför jag gav dig ett förskott? Så du tog honom till barnhuset istället."

I tystnaden kommer en snyftning ur Elsas säck, och fastän hon vacklar till hinner hon dämpa lyktans fall nog för att låta den förbli upprätt på stenen. Tyget som döljer hennes ansikte är inte nog; hon täcker det också med sina händer, att dämpa tårar och gråt. Elias står först som en lam, innan han släpper taget om flickan och går till sin mor. Hon försöker värja sig när han flyttar hennes händer, men det är inte med kraft han får sin vilja igenom, utan med ömheten i sin beröring. Hon snörvlar när han lyfter säckens kant och blottar det ansikte som inte längre finns. Djävulskyssen har tagit hennes näsa, klättrat längs en sönderfrätt klyfta upp mellan ögonen och förtärt pannan mellan festonger av vätskande blåsor. Hål i kinderna slukar hennes tårar när söndriga läppar sluddrar hans namn.

"Elias. Min Elias."

Hans darrande fingrar släpper tyget som skylt henne. När hon höjer sin hand för att nå honom ryggar han, förråder sin fasa med en flämtning. Han slår armarna om ansiktet och sjunker ner på huk, kröker ryggen för att stoppa huvudet mellan knäna, sluter sig till ett klot som bara visar hårda ytor. Stundens allvar tycks smitta till och med Platen, som med en hand tar Elsa i armen, försiktigt men befallande. Hennes röst är dämpad, renons på berusningens löje.

"Kom nu, Elsa, så går vi. Klara, du också."

De hjälps åt att leda pigan, och bland fotstegen hör Elias snyftningarna dämpas i fjärran. När han törs öppna ögonen är allt som det var. Lyktan har de lämnat efter sig. Den fäster hans blick, tills veken gnistrar och dör i bolmande os. Kylan tar ut sin rätt, och han reser sig på stela ben, trevar med sin hand efter flickans, griper den och vänder sig för att leda henne bort, tillbaka in bland stadens kvarter.

"Kom, vi går."

Ett duggregn har börjat falla utan att han märkt det, och långt bortifrån kommer ett stilla muller. Nedanför dem, på stallplan vid bron över Norrström, har manskap börjat samlas i små grupper, gör åkarbrasor i väntan på uppställning, låter flaskor färdas laget runt, hjälps åt att rätta uniformer för att spara tid och möda.

14.

FRAMFÖR STALLARNA PÅ Helgeandsholmen är det ingen ord-
ning. Kapten Lennartsson vid slottsvakten går mellan de små
grupperna av män som flockat sig i klungor. De flesta är hans
egna corps-de-garde men här finns också gott om paltar, och
fastän det hänt att han träffat gamla stridskamrater i deras led
vämjs han åt att se dem samlade i sådana antal: var de inte ruttna
innan har rötan tagit dem nu, en samling liderliga krymplingar
satta att hålla rent bäst de kan där ingen annan vill. Hans egna
karlar är snäppet bättre, om än mycket illa finns att säga även
om dem. Hans vana öga skuttar mellan uniformer och persed-
lar, men det är en olat han försökt lägga bort alltsedan han läm-
nade sin tjänst i armén, för detaljerna lämnar så mycket övrigt
att önska att det är bättre att försöka se helheten, och det med
grumligt öga: De midjekorta jackornas vita manschetter hänger
solkiga, slitna och oknäppta, använda ömsom som näsdukar
och ömsom som vantar; gehäng och damasker är medfarna; hat-
tarnas kullar buckliga och krönta av skalliga plymer. Överallt
fläckar, på jacka, på byxa. Lennartsson vet lika väl som någon
att uniformerna i strid mot reglemente gärna bärs till krogen,
och helst efter fastställd stängningstid, för att dricka gratis. Gud
hjälpe honom om han beordrat visitation av blanka vapen, för
säkert sitter mer än hälften av värjorna fastrostade i sina baljor.

Men de lär knappast krävas idag, och hellre det än att någon dumbom förivrar sig och ställer till med blodbad. Nå, sådan är hans byk, och hade han velat se den ren idag borde tvätten gjorts förut. Alla är de sömndruckna, och gäspningarna löper som budkavle från den ene till den andre. Vissa stinker och stirrar flegmatiskt framför sig nu när fylla börjar slå över i bakfylla, de som med soldatens bakvända logik sett den arla mönstringstiden som en förevändning att inte gå till sängs alls. Tiden kan knappast kallas morgon än, men solen kastar redan skarpa skuggor, driver mer av mörkret på flykten för var minut. Till råga på allt tycks sommarvädret nu äntligen vara till ända, och även om Lennartsson själv liksom andra har önskat hettan väck fler gånger än han minns hade ovädret gärna fått anstå en dag ännu. Långt bort över sjön dundrar åskan sedan en timme tillbaka. Kanske törs man hoppas att den hinner slösa all sin vrede över vågorna och skären, men regnet lär de knappast undgå. Himlen i väst är ilsket röd, och i ljusets spår kommer starka vindstötar. Borta vid vaktbarackens knut har en väderpinne suttit så länge någon kan minnas, då och då utbytt och betraktad med jämnmod av befäl som vet att välja sina strider. Av de meniga tillskrivs den oraklets kraft, och själv har han smittats i sin tur; sällan börjar han en dag utan att snegla i dess riktning. Inatt stod den i krok, dess dömande granfinger riktat mot den spruckna mark som snart måste dränkas. Känner han inte duggregnet komma allaredan?

När han går sin lov skickar han menande blickar till de underofficerare han finner bland männen. En nick är nog för att sätta allt i görning, hans osagda order klättrar utför graderna ner till det halvdussin korpraler som klappar högt i händerna för att bryta skvallret och ställa sina mannar på rad. Visitationen görs inte längre än nödvändigt, man tar upp de frånvarandes namn, anmälan sker, och Lennartsson beordrar manöver.

"Ni vet vad ni ska göra. Vi har tränat torrt i två veckor, nu är läget skarpt. En rote i varje hörn, två man kvar på post, resten röjer kvarteret, en port i sänder i den ordning de kommer. Glöm inget skrymsle. Samling och avstämning vid nästa gathörn, siktkedja till nästa grupp, höger och vänster, före avancemang. Och så vidare. Var en som befinns lös och ledig tas om hand; ingen av er har varit vid vakten kortare än att ni lärt er skilja redigt folk från slödder. Fäll hellre än fria; om något glin inte kan svara för sig får hennes försvarare reda ut missförståndet borta på malmen. De ni griper skickar ni bakåt, de som springer driver ni framför er utan att bryta linje. Passa på nu innan dagen börjar, för nu står överraskningen på vår sida, och vad det lider kommer patrasket att gå under jorden med allt större list. Låt oss vara raska så att vi får städat till kvällen. Lycka till, och på återseende vid slussportarna."

Demonstrativt vänder han sig till paltarnas oformliga skara, som handfallet betraktar vaktens uppställning.

"Och ni. Bistå var ni kan. Nyttja vad duglighet ni har. Stå inte i vägen, då är risken stor att ni själva får tillbringa natten på rasphus, för så dags som vi kommer till Slussen lär ni vara så fulla och uniformerna så skitiga att man har svårt att skilja er från gatfolket."

Korvarna vet när de skämtas med, och skrattar liksom på kommando åt paltarnas löje. Innan disciplinen glöms helt bryter Lennartsson av, tar sig än starkare brösttoner.

"Låt oss kratta den här satans gödselstacken ren en gång för alla. Tryter humöret när dagen gjorts lång, så låt det för all del gå ut över den ohyra vars fel det är att ni får slita, men inom rimlighetens gränser. Jag vill inte rekvirera några kärror för bortforslingen. Kan hjonen inte gå för egen kraft ska jag fan ta mig se till att den ansvarige får släpa båren själv. Håll linjen. Verkställ!"

15.

PÅ RAD TRASKAR stadsvakten in över staden, i båge spänd från Riddarholmsbron i väst till den tomma sockel nedanför slottet där den döde kung Gustav en dag lovat att återvända under mantel av brons. De rör sig i en blå rad förbi slottet och palatsen vid Slottsbacken och Skeppsbron, och in i gyttret av hus och portar i kvarteren Phaeton, Pygmalion, Cepheus och Cassiopeia, och får det än svettigare i småkvarteren mellan Nygatorna. Det dröjer inte länge förrän de stöter på sina första villebråd. En mor och en dotter väcks i den port där de bäddat åt sig ett hörn, och scenen bjuder på dramatik då modern, själv allt för långsam för att ha något hopp om flykt, manar barnet att springa, men hennes tvekan slutar i famnen på en soldat. Bägge skickas de bakåt, deras öde upp till andra att avgöra. Kanske skiljs de åt, mor till spinnhus och barnet uppåt Norrmalm, kanske har de ett hem utom socken dit de sätts på en vagn. I en höskulle överraskas en hel driva gatpojkar, tätt omslingrade i sitt näste för att hushålla med värmen. De bjuder bättre motstånd, och av sju stycken undkommer alla utom två. I damaskerade stövletter är det inte lätt att få fatt i kvicka barfotalöpare. Man får hoppas på bättre jaktlycka när snaran dragits åt och Slussen kommit i sikte. Ändå duger nederlaget till att ändra lynnet. Jakten är å färde, blodtörsten väcks när den morskaste av flyktingarna hejdar sig mitt i gränden för att dra ner byxorna och visa baken för sina förföljare. Man rensar Phaeton, man rensar Pygmalion. Folk som sovit i trapporna ljuger för allt vad de är värda: en har tappat nyckeln i rännstenen, en är värdinnans kusin från landet, en är en försmådd make som grälat med sin hustru, som nu är beredd att ljuga om själva äktenskapet för att bli kvitt den hon nyss svor trohet i nöd och i lust, fan ta den kåkstrukna tjuvkonan. Deras arbete är inte svårt. Det är blott alltför lätt att se vem som sover ute och vem som har egen spis. Få är så förhärdade i lögnen att de kan göra sig trovärdiga med kragen i annans näve. Vid tvivel faller dom snabbt och snålt och alltid till svarandens nackdel, sanningen överlåten åt manskapet bakom leden att tröska fram ur svadans agnar.

Än faller duggregnet, men inte värre än att värmen från kroppar i rörelse hinner torka kläderna inifrån innan vätan sprider sig. Nu är nyheten ute och all försåt lämnas därhän. Tiggarglinen och lösdrivarna varskos av sina likar, som syns lämna sina gömställen långt innan vakten hunnit närma sig, och springa utmed gränderna i hopp om att sätta sig i säkerhet på Slussens andra sida, bland malmens fattigkvarter som hänger i klasar på bergssidan, dit lagen inte når. Vinden är värre, den har tilltagit i styrka nog för att tjuta om knutarna, spelar kvarteren som en orgel, och den som då och då får sig en skymt mot Saltsjön mellan husens gluggar förskräcks av blåsvarta moln staplade från hav till himmel.

Med förmiddagen är hela staden på språng och varse om vad som pågår. Framom linjen pågår det dagliga knotet, bästa sättet att undgå gallring och visa att man inte är lös och ledig. Några av de driftigare underofficerarna gör affären än mer effektiv genom att gå i förväg för att varsko folket om att de snart ska räknas, och de flesta är lyhörda nog att samla hushållet och hålla sig ur vägen medan man rannsakar husen från vind till källare. Bakom linjen är stämningen en annan. Någon enstaka som lyckats beveka en bekant att gå i god för dem känns igen av paltarna för tidigare förseelser, kan inte svara för sig vid närmare påstötning, slås rep om armen och skickas väck, men för de andra föreligger inte längre någon risk att förväxlas. Endast underhållningen återstår. Få har något till övers för slöddret; dagen i ända går de lata och overksamma, deras leverne bekostat av andra. De värsta stjäl som skator eller lockar äkta män att glömma sina löften, de andra böjer sig bara för att korpa åt sig bland de smulor som fallit från de bord som hederligt folk dukat. På tiden att de får vad de länge förtjänat. Åskådarna går från hus till hus, upp i de nyss genomsökta trapphusen, för att vid fönstergluggarna trängas kring den bästa utsikten över det kvarter som näst står inför räfst.

Bakom den blå raden har en improviserad tross uppstått. Några krögare har lastat en lånad kärra med öltunnor, sprundar fat på fat och bjuder vakten att läska sig mot några rundstycken. Kända ansikten får supa på krita när pungen gapar tom, varje skuld nogsamt sällad till räkenskapen. Uppslaget grasserar snabbt och apas efter, snart hävdar varje krogägare rätten till de kullerstenar som ligger utanför hans port, rörlig utskänkning nekas passage, och gräl leder till handgemäng medan vakterna tar för sig ur försummade tunnor, låter tappar stå öppna och ölet spruta rakt ut i rännstenen för att se hur snart girigheten ska trumfa stridslusten. Korpralerna skriker på profossen att hålla karlarna rimligt nyktra med karbasens hjälp, men vartåt marken sluttar är tydligt för alla att se. Kaos väntar. Ju närmare Slussen man kommer, desto fler av rymlingarna trängs i varje tillgängligt gömställe, många till och med ute på takåsarna. En av korvarna trampar på en sprucken tegelpanna och faller genom taket till en svinstia, utburen av gapskrattande kamrater med avslaget lårben och med uniformen täckt av kultingarnas lort. Officerarna är snabba att sätta tyglar på ryktesspridningen för att sporra männen till rättning: hör upp, patrasket tar till vapen, de kämpar tillbaka. En av de våra ligger för döden, fälld genom list, lumpet och nedrigt. Till vedergällning alla, kårens ära har satts ifråga.

Sablarna är opraktiska, slänger längs sidorna och kommer i vägen vid språngmarsch. En man avdelas att stå vakt över de avlagda vapnen, och man beväpnar sig istället med bästa tillhyggen inom räckhåll. Stenar sparkas lösa. En tunna slängs i backen så banden far, och laggarna görs till påkar åt två dussin män. Allt som kan nyttjas till trumma och cymbal slits med, och man börjar slamra som i en rytm blodtörsten själv fastställt. Den som saknar annat stampar med fötterna, klappar nävarna. Pulsen förenar till en trupp vad som annars hade fallit samman, och korvarna hittar linjen igen, avancerar genom gränderna, pryglar kvinnor, barn och suputer som inte har vett eller kraft att springa undan i tid. De slagnas jämmer fyller tomrummen i dånet från den taktfasta puka som är staden själv.

Åskan håller sig på avstånd ännu, knallarna är avlägsna och blixtskenet kan skymtas borta över skärgården, men regnet tilltar och vinden fäller dropparnas bana i brant vinkel. Det är ett varmt regn, ett som inte förmår svalka det vansinne som tilltar kvarter för kvarter. Det skymmer sikten och dövar örat, och låter dåd som andra kunnat hejda fortgå ostörda. Det blod som bestänker rännstenen sköljs undan lika snabbt som det kom. Blöta uniformsjackor kavlas undan och stuvas i fönsternischerna, männen med tunnlaggarna står snart i skjortor som färgats rosa i överenskommelse mellan rött och regnvatten.

16.

OMSTÄNDIGHETERNA KONSPIRERAR FÖR att hålla Elias i ovetskap om det som sker, han som på gatubarnens manér är så lyhörd för stadens skiften, som genom något namnlöst sinne förnimmer varje skifte i dess lynne som om gränderna varit ådror och dess hjärtslag blottade under hans bara fötter. Nu sover han, död för världen efter lång natts vaka, som om hans kropp ville trösta besvikelsen på det enda sätt som står till buds. De fötter som daskar mot våt sten utanför källargluggen blir hans första varning, och han spritter ur sin hopkurade sömn liksom vid aning om ett måttat slag. Försäkrad om att flickan ännu sover, eller så nära hon kan, klättrar han upp och slingrar sig ut genom källargluggen så snabbt han förmår. Han är dränkt in på skinnet av ett ögonblicks verk, kisar med en hand kupad mot pannan för att bättre se. Andra hastar åt motsatt håll, ofta i blindo, och han måste ge noga akt för att slippa springas omkull. I gränderna ovanför honom, i backen mot Stortorget, är larmet hemskt, ett ihållande muller med en kör av skrik och rop. En gosse yngre än han själv kommer löpande, och Elias ställer sig i vägen och får fatt om en skjortflik.

"Vad är det som händer?"

Gossen blöder ur ett jack någonstans under håret, stretar emot bäst han kan för att få fortsätta sin flykt.

"Svara bara, så släpper jag."

"Korvarna kommer. Jag visste inte att det fanns så många. De går på rad och söker kvarter för kvarter. Är du lös och ledig kniper de dig. Jag har hört att de gripna släpas upp till börstrappan och nackas på plats."

Elias kan inte hjälpa att snegla mot marken, där vattnet som rinner ner från torget stänker över deras båda bara fötter. Det är jämnbrunt av den smuts som torkat till stoft under de varma veckor som gått.

"Vad är det för sagor?"

Pojken tar ett grepp om sin egen skjorta och sliter fliken ur Elias näve.

"Gå och fråga dem själv då, eller stå kvar, för snart är de här."

Runt honom är portarna stängda och låsta, de besuttna har fredat eget tjäll i väntan på vaktens visitation. Längst ner har de flesta valt att skruva luckorna för fönstren. Deras nyfikna ansikten skymtar på rad bakom dammiga rutor högre upp längs fasaderna. Elias fortsätter gatan upp, tills han ser med egna ögon hur korvarna kommer i en långsam marsch av blått och vitt som skingrar allt i sin väg. Han vänder och springer tillbaka varifrån han kommit.

Flickans kropp är trög och omedgörlig. Han knuffar henne trappan upp, möter en kärring innanför porten som ger dem en skarp blick och ett snett leende.

"Jaså, här har vi källarens snyltgäster? Nu får ni lov att kyssa sötebrödsdagarna farväl."

Hon låser upp och öppnar för dem, ut mot en gränd våt nog att driva ett kvarnhjul.

"Bäst ni skyndar er om ni vill klara livhanken. Säg inte att jag aldrig gjort något för er."

Elias drar flickan efter sig, hon med ens lika våt som han, och han leder henne åt Slussen till, så fort han kan. Bakom dem en dånande puls, som ett belätes steg i jaktens iver. Där sista huset nås och gränden öppnar sig ser han den väntande fällan. Båda vindbryggorna är uppdragna, den blå och den röda, och här står paltar och korvar om varandra, redo att ta emot alla som flyr staden. Det regnar för hårt för honom att kunna se över till malmen, men han kan lätt föreställa sig vad som pågår: paltar i klunga, redo att slå sina rep om de försvarslösa och leda dem till bättring och upptuktan på Långholmen. Trashankarna strömmar till både från Skeppsbron och från Nygatorna, i tillräcklig hast för att visa honom att ingen flyktväg ges där heller. Fartygen som brukar ligga ett språngs vidd från kajen har dragit sig bakåt mot boj eller ankare för att hindra de flyende från att söka gömställe ombord, och med kommersen tillfälligt avbruten kurar manskapen längs relingarna svepta i oljat tyg för att följa skådespelet.

Överallt jämmer och skrik, överallt tumlar folk om varandra. De som kan skjuter det oundvikliga framför sig så länge det går, och sällar sig till en klunga framför kvarnhuset, lika långt från deras förföljare som från männen som väntar vid slussbryggorna. Deras gemensamma form svajar rastlöst i regnet, oförmögna att stå still, lika maktlösa att finna en utväg. Gatungarna har spring i benen ännu, och vägrar förstå att de unga lemmar som hittills frälst dem från det mesta snart kommer att stå sig slätt. Som vore det en ny lek springer de av och an mellan den krympande frihetens gränser.

Elias drar med sig flickan in mot en husvägg, där de står sånär fredade undan regnet så länge den nyckfulla vinden visar dem nåd. Han känner en orättvisa vars bekantskap han stiftat förr:

aldrig görs tanken trögare än när faran nalkas och den behövs som mest. För en stund förmår han inget annat göra än att stirra än åt det ena hållet, än åt det andra, blinkande som en yrvaken för att hålla vattnet ur ögonen, medan larmet ur gränderna närmar sig allt mer. Vinden vänder kring dem, det sticker till i näsan, och med ens vet han vad han måste göra, tar henne om midjan och knuffar henne i språng.

De stapplar över torget, ner mot vattnet. Borta längs Riddarholmskanalen skymtar han blå jackor på annalkande led, och håller sig dubbelvikt för att inte väcka mer av deras uppmärksamhet än nödvändigt. Snart skyms de av raden av allmänna avträden. Stanken tilltar. En mörk skepnad framför dem. Ett plank mot hans händer som spärrar deras väg.

Det är Flugmötet. Han har aldrig varit så nära förut, sett platsen endast på avstånd, och avståndet aldrig kortare än nödvändigt. Bara skitbärarkärringarna kommer hit, renhållningshjonen i par med sina skvalpande tunnor på en stång över ömma axlar. Det är en sägenomspunnen plats, föremål för skämt och upptåg likväl som ondare sagor där olyckliga begravts av missdådare och där just det han nu står i begrepp att göra utmätts som straff åt de därtill förtjänta av gatans domstol. Spolmasken gör envars innanmäte till hemvist, tidvis stöts de ut, och han har hört viskas att de här kan leva vidare utanför inälvorna, växa sig starka och långa som lindormar, stora nog att strypa unga råttor om de blott är ovarsamma nog. Kullens djup är omtvistat, dess ålder likaså. En gudom, ett beläte av skit, staplat fem famnar högt och tre gånger så många på bredden. Mången gång har han hört Flugmötet jämföras med den aldrig avtäckta statyn utanför operan, den av kung Gustav Adolf till häst som ryktas ha så smala ben att ingen kan begripa hur den kan stå utan kryckor;

man fnyser åt det svarta schabraket och pekar söderut, och säger att *där*, där borta finner du ett ovedersägligt monument över människans alla ansträngningar om du vill se ett. Surrandet växer ju närmare de kommer, blir till ett dån att utmana regnet. De är överallt, svarta små kroppar som i loj berusning krälar över varje yta och lyfter tungt för att tumla drucket genom luften mot nästa skrovmål. Planket hägnar in högen, omgärdat av stöttor för att de bågnande brädorna inte ska brista och dränka Kornhamnen. En enkel trappa har byggts för att göra det lättare att stjälpa tunnor över virket, och de tar ett steg i taget tills det bara återstår att sätta sig gränsle över planket och sedan hoppa till andra sidan. Sörjan står upp till krönet, rinner redan över där de ojämna brädorna är kortare. Han hjälper henne upp först, sätter sig sedan jämte, lodar djupet med foten och känner trög gungfly sörpla längs vaden utan hopp om någon botten. Ett djupt andetag i tyst tacksamhet mot det regn han nyss förbannat, och så hoppar de.

Sörjan når dem till bröstet, här nere i det dike som bildats då regnet hyvlat högens sidor. Chocken är svår, trots att han förberett sig bäst han kan. Den främmande massan är tyngre och fastare än vatten, han känner den krama hans bröst och göra det svårt att andas, långt nere under honom sugs hans fötter åt i ett hårdare grepp. Stanken är som ett slag i ansiktet, ett giftigt osett väsen, fränt och stickande och med oändliga skiften. I gungflyn flyter fröer, fiskben, kärnor. Hit bärs allt, allt som stadens människor har att ge, och den svindlande tanken bjuder vansinnet. Han silar luft genom läpparna, fast han inte vill öppna dem mer än han måste, och för en stund börjar främmande former dansa i synen och yrsel stiger honom åt huvudet. Munnen fylls av flugor, han har dem i näsan, på ögonlocken, på varje tum av sin hud. Han kräks, en gång och två, dreglar galla och sällar sina spottloskor till orenheten. Väl tom kniper han ögonen samman så att ansiktet krampar, nyper sig om armen med vita knogar tills smärtan sköljer sinnet rent. Först nu förmår han tänka på flickan. Han vänder sig om, och hon står där, opåverkad, om än med armarna om livet, plötsligt frusen. Han tar hennes hand och börjar pulsa längs plankets inre sträckning med henne i släptåg. Än är de inte säkra, fullt synliga för envar som skulle snegla in. Han väljer den del av sluttningen som tycks honom flackast, och börjar sin klättring. Gång på gång glider han ner i sörjan, för att hulkande hånas av de fåror han plöjt med klösande fingrar på sin väg utför, till vittnesbörd över den korta väg han hann komma och hur mycket som återstår. Till slut prövar han planket i hopp om att hitta ett verktyg, och träet är skört nog att skiljas från en vass skärva. Så gräver han, steg för steg en trappa mot den fräsande himlen, gropar djupa nog att ge stöd för hand och för fot. När vägen är fri skakar han flickans axlar. Hon ger inget svar. Han gråter av ansträngning och hopplöshet, hör sin röst spricka.

"Nu måste du hjälpa mig. Du måste klättra. Annars tar de oss båda, mig till raspen och dig till spinnhuset."

Det sista ordet tycks vara ett lösen av någon sort, för hon rör sig nu. Sakta låter hon sig hjälpas upp. Han följer efter bakom, bistår var fot att finna rätt läge, och till slut ligger de på kullens topp, vars platta mark sjunkit i mitten till en svacka, en härsken pöl djup nog att täcka den kropp som ligger. Elias hjälper henne på plats, och lägger sig själv tätt intill för att dela vad värme som finns. Han skakar när vätan och vinden kyler honom, men all känsel domnar omsider, han svävar viktlös ovanpå detta berg av träck, lämnar sin kropp att kränkas, känner inte längre det levande täcket av flygfän ens när de krälar över hans läppar eller dricker ur hans ögonvrår, och så är han stilla till slut, dold av det regn som ännu faller tungt och av den skymning som tätnar alltjämt.

17.

DRÖM OCH VAKA är svåra att skilja åt. Sinnet som en låga i drag. Kvällsljuset förtas och morgonen kommer, en tidlös avgrund däremellan. Ljuset skiftar sitt läge från ett håll till ett annat. Det är mulet ännu, men regnet har gjort ett uppehåll och vinden mojnat. Morgonen målar deras härbärge i sina rätta färger, än mer frånstötande i full sikt. Elias hör knotande röster, och strax därpå plasket av en tunna som töms över planket. Kärlet slamrar när det bärs ner och bort, och skitbärarnas träskor klappar bortom hörhåll. Han är varm fast han inte borde. Det skrämmer honom. Hans hand går till egen panna, het som solvärmd plåt.

Försiktigt rullar han över på mage och lyfter huvudet för att se sig omkring. Slussen är fri från blå jackor, vindbryggorna har båda fällts för att ge fri lejd. Sjömännen har hunnit börja dagen, ivriga att tjäna in vad gårdagen kostat dem. Från skären kommer fiskebåtarna för att lossa det näten givit. Hans kropp förblir stel och motvillig. Han håller sina händer framför sig, bleka under sörjan, skrynkliga och svampiga i hullet som en drunknads. Han skakar liv i flickan och gör vad han kan för att säkra en trygg klättring, men förgäves. Han är långsam i tanken och klumpig i sina rörelser, och hans lemmar gör inte som han vill. De rutschar utför, hon först och han efter. Med hand över hand drar han sig fram längs planket tills han kan häva sig över kanten där trappstegen står, och dra henne efter sig. Väl på fast mark finner han att han inte längre kan gå upprätt. Hans fötter ger ingen stadga, tårna är blå, och först när han gnuggat benen länge känner han blodet strömma till i smärtsamma stick. Klar med sina egna tar han sig an hennes, och först nu skiftar frossan, och låter honom känna hur mycket han fryser. Han behöver hennes stöd lika mycket som hon hans, och tillsammans stapplar de mot kanalen, ut i brynet tills vattnet når dem högt nog för att kunna huka upp till axlarna. Han gjuter vatten över hennes hår, hjälper henne ur den solkade festklänningen, kränger egen skjorta över huvudet och ruskar plaggen under vatten för att sila maskorna rena. Han vrider dem så torra han förmår, och hänger dem på en bruten åra. Elias slår armarna om sina vader, lägger hakan på knäna, och tillsammans väntar de nakna på att torka, knottriga av gåshud var gång vinden trevar över strandremsan.

Kläderna är ännu fuktiga när de tar vägen in bland husen, hennes hand i hans. Elias känner hur stadens väsen har skiftat från en dag till en annan. Hans sort har gallrats undan. Kvarteren har länsats på de lösa och de lediga; deras prång och gathörn gapar tomma. Deras leverne har fördrivits ur de återvändsgränder och valv där de förr sökte skugga och lä. Inga ekon av gräl och gamman, gårdagens tillflyktsort förminskad till skräpupplag eller genomfart. De flitiga är kvar, förstås, ilar av och an tyngda under plikten, lika obrydda som de går ostörda. Nere vid Skeppsbron promenerar de välbeställda, och han inbillar sig att de skyltar med klockkedjorna mer än någonsin nu när så många flinka fingrar lagts om raspen istället. Staden tillhör andra nu, och Elias håller kroppen nära inpå fasaderna och blicken i gatan, rädd för att röjas. Men ingen tar någon notis, och de få korvar han ser gäspar liknöjt, trötta och mätta på handling. Överallt hör han vädrets skifte dryftas. En salut skjuten vid sommarens begravning kallar man den åska som bedarrat. Två gubbar delar en påse tobak vid en trappa där en gumma sitter med kardan jämte en korg ull.

"Jaha. Nu kommer hösten. Vintern sedan, och det på dålig skörd. Rädda sig den som kan."

"Nog hade sommaren fått vara svalare, men vi lär väl förlåta hettan vad det lider."

Gumman kisar mot molnen och lägger hand på ömma leder med en sammanbiten grimas.

"Det finns mer vatten däruppe, och snart kommer det. Knäna mina skvallrar."

Natten har lämnat en kyla i Elias som inte vill gå över. Vinden har vässade tänder, men kallt är det inte. Ändå fryser han och svettas om vartannat. Än skakar han och drar flickan närmare för att snylta på hennes värme, än måste han fläkta med skjortan för att huden som spänner över revbenen glöder och rodnar i ilskna fläckar. Han känner dem stinka ännu, båda. Det krävs mer än en tvagning i Kornhamnens smutsvatten efter en natt i Flugmötets sköte. Ändå är han i bättre skick än hon. Klänningen hänger söndertrasad om henne, fållen till hälften bortsliten, släpande efter som en svans. Vad färg den haft går inte längre att säga säkert. Håret hänger i tovor han inte förmått reda ut, och huden är blek och svullen om vartannat.

18.

DEN PORT HAN söker, vars nummer han lagt så noga på minnet, ligger nedåt böljan till. Han knackar, först försynt, sedan hårdare, och den tjänare som ställer dörren på glänt spörjer honom om hans ärende med en röst som förvanskas av de fingrar med vilka han snabbt nypt sig om näsan. Febersvetten bryter fram i pannan, Elias gungar vimmelkantig på ostadig fot. Hosta har kommit i dess fjät, en kittling förskansad i strupen som förblir ostörd hur han klöser efter den med kvävda skall.

"Jag har någonting jag vill sälja."

Tjänaren nickar kort, vänder på klacken utan ett ord, lämnar dem att vänta.

"Det måste finnas en läkare, en som kan göra henne vacker igen, vackrare än Klara. Men sådant kostar. Kvicksilver, odört, rena lindor, en bädd i ett rum som rökts med granris. De ger mig trettio riksdaler säkert. Kanske det dubbla. Är det värt att klistra våra ansikten på varje brunn i staden måste du vara värd honom trettio."

Ljudet av steg hörs åter från hallen. Elias måste ta stöd mot husets puts.

"Där inne är det varmt. Där finns mat att äta. Jag vet inte vad de vill med dig, men hur skulle det kunna vara sämre än hos mig?"

311

Han svajar där han står. En vakendröm drar sin slöja över hans ögon. Han ler.

"Doktorns kniv skär bort allt det fula, så att nytt och vackrare kan växa tillbaka. Hon kommer bli så fin. Kanske vacker nog för självaste prins Fredrik. Kanske lever vi lyckliga i alla våra dagar."

När dörren åter öppnas är det ett märkligt ansikte han ser. Han kan inte säga om det ler eller inte. Elias räcker fram affischen, uppblött till en smulig klump där teckningen knappt längre är skönjbar: suddiga figurer, två små vålnader att hemsöka ett töcken av utspätt bläck.

Del 4

Vila vid denna källa

HÖST OCH VINTER 1795

Man vilar så mjukt
i famnen av döden,
då hjärtat är sjukt.
Den stigande nöden,
de hotande öden,
de vilda begär,
de sorgliga skiften
som jagat oss här,
de stanna vid griften
och lämna oss där.

CARL LINDEGREN, 1795

1.

CARDELL DANSAR MED Petter Pettersson under månen på Långholmens strand. Han blinkar svetten ur ögonen, tvingar motsträviga ben till attack och till reträtt, allt för att söka det bästa läget. Kramperna sätter an, men att han ens förmår röra sig är en överraskning. Runt omkring dem avslöjar sig skugg-figurer i sina pipors glöd, men han får inte låta sin uppmärk-samhet avledas, för här kommer karbasen ur mörkret, en snärt som ett muskötskott intill hans huvud lämnar öronen ringande. Pettersson svingar den med vänsterhanden, och nu kommer högern vinande, och det hugger i ryggen på Cardell när han viker sig framlänges för att undgå träff, kastar fram sin tränäve mot veka livet, missar likaså. En annan gång byter de träffan-de slag, Cardell känner flätat läder riva honom över nacken, en knytnäve studsa mot den axel han höjt till värn för kinden, armstumpen brinner till när han kastar fram vänsterarmen och möter kött och ett stön bekräftar dess verkan.

Striden finner sin takt. De går samman, växlar slag, backar undan för att väga det som givits mot vad som tagits. Cardell skär tänder åt orättvisan. En annan dag hade han gjort bättre ifrån sig, vilken annan dag som helst. Hans lemmar lyder inte som de ska, han är långsam, hans slag når inte dit siktet vill. Han förstår inte varför han ännu stapplar runt, varför Pettersson inte gjort slut på det hela, och han anar att det blott är kattens lek med råttan.

Sinnet grumlas, och kvar finns bara detta enda, hela hans väsen reducerat till en kropp som slåss för överlevnad till priset av en annans liv. Där finns en frihet också. Han känner den sedan gammalt. Den rena striden, kött mot kött på villkor så lika som de kan göras, den vars avgörande inte lämnas åt krutstuvat järn och åt slumpens nyck, ett värv för de skrämda och skygga. Till en plats som denna kan inget tvivel bäras, allt det som nyss var svårt glöms inför det som nu står enkelt och självklart. Farväl till varför; nu finns bara plats åt hur. Han vet inte längre om hans grin är krampens verk eller stammar från stridens extas, ett rovdjurets rasande hyllning till det för vilket hon skapats.

Cardell slåss fult, praktiskt. Varje rörelse anpassad för sitt ändamål till minsta möjliga kostnad. I militären såg han andra försöka ge striden form, omgärda den med ceremoni: smärta ynglingar med floretter och stram hållning, ena handen på höften och benen i nätta fjät. Dylikt gav honom avsmak, en pervers lek stöpt av kadetter som ännu tror att krigsdöden bara drabbar andra och helst kommer vacker och ärofylld, de som aldrig sett sturska män lipa och ropa sin mors namn medan de förgäves försöker nysta spillda tarmar åter i buken.

Salt svider i såren, små smärtor döljer den större. Men där är också ett ljud som inte hör hemma här, och han har hört det länge nu. Någon gråter i förtvivlans suckar. Ett jämrande yl. Är det han själv? Nej. Det dröjer innan han förstår att det är Petter Pettersson. Där tårar grumlar sikten rör sig Cardell inpå livet, det långa dräpande steg som lägger slaget inom hans räckvidd. All kraft springer från höften, hans kropp spinner runt, och månljuset bländar när han sticker vänsterarmen i en masugn.

Han känner en annan sälta, väsensskild från den som är hans eget svett, stänk över hans ansikte och läppar som lämnar en smak av järn. Den stora kroppen ligger fälld, och hans egna knän slår i sten. Han kryper närmare, vågar inte tro på sin seger, vis av gamla misstag. Han kravlar upp tills han ligger raklång över Pettersson, lyssnar efter lungans sus, söker halsens stora ådror med sin friska hand. En stund rosslar det och väser i bröstet, en vålnad blott som hemsöker gamla hallar. Hans fingrar stryker mot någonting svagt, men Cardell kan inte säga om det hjärta som bultar är hans eget ensamt eller de bådas. Så är det borta, vad det än var, och under honom blir blodet tyst och tjocknar i sina kärl. Hans egen vilja tryter, den sista kraften rinner undan och där ligger de i omfamning nära som ett älskande par, de som nyss dansat. Hetsen är borta, holmgången förbi, och till de platser varifrån stridens ande nu lyfter sin nåd skyndar smärtan i all sin ära. Blessyrer han inte känt när de gavs honom blossar upp överallt, förenas i en enda kokande värk.

Nu känner han händer på sin kropp. Han fäktar kraftlöst åt dessa nya osedda fiender som drar i honom, och minns med ens någonting annat. Han vet att det är något som saknas, att hans uppgift ännu inte är fullgjord, han trevar innanför jackan under sig. Fingrarna känns domnade, men han anar prasslet av papper genom hjärtslag som ensamma ger form åt en dånande tystnad. Han sluter näven om det han funnit, knölar ihop det till en boll liten nog att döljas i hans hand. Så lyfts han, man ställer honom på fötter, andra kliver nära att stötta den vikt han inte längre själv kan bära. Man leder honom bort.

2.

EN POLISBETJÄNT KOMMER springande efter honom på gatan på fort Emil visar sig uppe vid Slottsbacken, och skyndar till hans sida.

"Lilla spöket, håll upp! Jag var just på väg till dig. Man har hittat en till, inte långt från den förra. Liket har fått stanna vid Jakobs kyrka den här gången."

Ett litet sällskap står redan samlat på kyrkogården. Jeppen, med en skamsen min riktad i mullen, jämte kyrkoherden själv i sin svarta rock. En bit bort, vana att sky sällskap, två dödgrävare Winge känner igen från Johannes, båda i vila mot kanten till den bår de ställt på högkant i gräset. Alla ser de frusna ut i den fuktiga luften, jeppen mest av alla, med säkerhet den som funnit kroppen och slagit larm.

Winge lyfter sin Beurling ur västfickan och läser tiden. Klockan är lite över sju. Han jämför med tornuret, finner att hans egen står tjugo minuter tidigt, och med den lilla nyckeln på kedjan ställer han visarna rätt och vrider tills fjädern spänts. Prästen gnuggar sina axlar och stampar på stället i illa dold otålighet, tills Winge är färdig och vänder sig till honom. Svaren kommer av sig själva innan han behöver fråga.

"Mark här fann honom, och nog måste väl syndaren ha suttit och sovit på sin post, för han såg ingen vare sig komma eller gå.

Inte sant, Mark? Ena stunden ro och frid över kyrkogården, nästa sekund ett lik som fallet från skyarna? Gud hjälpe oss. Du drar skam över ditt gebit. Med tornväktare som du är det ett under att staden inte redan är ett fält av aska som får Köpenhamn att likna de saligas ängder. Tro mig när jag säger att indolensen inte kommer att gå löningen obemärkt förbi."

Man har lagt en mässkjorta över den döde. Winge viker det vita linnetyget åt sidan. Jeppen vänder sig bort med ett jämmer, prästen strax därpå. Dödgrävarna sträcker nyfiket sina halsar med kännarmin. Det är ännu en gosse, om än aningen äldre än den han tagit avsked av i förrgår, och blond. Han ligger på rygg, med armarna knäppta över bröstet, så fridfull som om han lagt sig här i rus eller trötthet och sömnen tagit honom i aftonbönen; blekheten och banesåret förråder synvillan. Där är en reva i skjortan, röd om kanterna, och när Winge varsamt särar på tygets styva skorpa ser han samma form ekad i kött, i sidan där veka livet upphör och revbenen flätas samman. Bredvid kroppen ligger ett stycke metall, lite längre än hans arm och svart, platthamrat och spetsigt i ena änden.

"Är det ni som lagt honom tillrätta?"

Jeppen ruskar på huvudet.

"Nej, min herre. Jag fann honom just så. Jag lämnade honom bara för att ringa lillklockan till alarm. Alban tog jag ur sakristian, den lade jag över honom, det är allt."

Prästen ger honom en sträng blick.

"Och ren lär den näppeligen bli igen."

Winge höjer rösten för att nå dödgrävarna.

"Hjälp mig att vända honom på sidan."

Männens grova nävar är förvånansvärt milda i sina grepp. Han hör dem muttra medan de rullar över liket, och han gissar att orden rör sig i gränslandet mellan bön och besvärjelse. Varje skrå som befattar sig med liv och död har sina egna sedvänjor och vidskepelser. Han sätter sig på huk, och sårets maka finner han till vänster om ryggradens kotor. Inget blod fläckar marken. I hans öra, Cecils viskning.

"Den ni kallar Jesus från Kungsträdgården, ligger han kvar i Johannes likbod ännu?"

Den äldre av dödgrävarna nickar.

"Ja. Gropen skulle varit grävt allaredan, men det var Joakims uppgift, och han ligger med ryggskott. Tack och lov är värmen väck, men oavsett vem som får sköta spaden måste han i jorden innan dagen är slut."

Den yngre trampar nervöst åt Winges tystnad.

"Jesus, menar jag. Inte Joakim."

Winge visar på den döde.

"Vill ni ta honom på båren upp till Johannes? Låt ingen tvätta honom ännu, jag vill göra min rannsakning först. Lägg dem jämte varandra. Jag följer er i egen takt."

Båren, spänd mellan kutade ryggar, skyndar i förväg, bort längs Kungsträdgårdens utkant och vidare bland de stråk som aldrig tämjts under stenläggningars ok. Rännilen sipprar förbi vid hans högra sida i sitt flacka fall från Träsket till Katthavet, vid vars strand fiskebåtarna tömmer sina sumpar. Den jord som så länge legat torr och sprucken har druckit sig otörstig, och var gång han trampar utanför de stigar där andras gång härdat leran sjunker han ner djupt nog att fläcka strumporna. Sommaren är slut, den som tycktes ha lägrat sig över staden för tid och evighet. Luften är tung, över honom ruvar låga moln på mer regn och östanvinden lovar snar kyla.

I likboden ligger de båda, vardera båren stödd på ett par enkla bockar. Jesus, som krämporna hållit ovan jord allt för länge, målas allt mer i dödens färger. Under bålen blossar fläckar i färger som skiftar från blekgult till djupaste rött. Svartnande ådror slingrar som rankor. Ur hålet i bröstet kommer sura dunster. Den andre ligger jämte, och Emil börjar med kläderna: de är enkla och nötta, en fattig mans, men inte en trashanks. De vita partier som fått gå obesudlade av dygnet som gått vittnar om en skjorta som sett tvättkar och bräde veckovis. Byxorna har lagningar, nya sömmar överlappar de gamla där skarven mellan tyger nötts och delarna sprungit isär. När han är nöjd måste han gå och be om en vass kniv, för kroppen är stel och vill ogärna skifta ur sitt läge. Han sprättar skjortan i sidorna, och byxorna längs benen, tills kläderna inte längre håller samman och kan lyftas undan i sina delar. När de är fria för han byltet till ansiktet och drar luft genom näsan, och ja – där finns en doft som inte hör hemma, varken regn eller jord eller blodets järnstick. Rök. Både skjorta och byxor inpyrda.

Cecil säger nävarna, palpera nävarna. Med varsam kraft bänder han isär de knäppta händerna och stryker över fingrar och handflator. Valkarna är sträva under hans beröring, vana vid verktygs grepp.

Han tar ett steg tillbaka för att kunna betrakta de båda samtidigt. Den högre yngre än den vänstre, om än inte mycket. De kunde gott varit kamrater. En är blond och en är mörk, den äldre grövre i sina lemmar, kroppen klädd i muskler halvvägs till mandom. Winge tar ett steg åt sidan för att ge hela sin uppmärksamhet åt den kropp som nyss hittats. Han sätter ett finger till bröstet och trycker; märket vitnar inte. Döden kom som bådas gäst inom ett och samma dygn.

Cecil säger blodet över skrev och ljumske kommer inte från sticksåret. Emil söker ännu ett sår till förklaring, utan att finna ett. Länge står han still i tystnad, nickar för sig själv i takt till flugornas bordun, och blicken flackar från den vänstres mellangärde till den högres bröst. Han rör sig närmare för att jämföra än mer, lägger en hand för pannan och vänder sig bort.

Emil lämnar boden för en stund, smular pipan full till brädden med tobak, spiller ymnigt från skakande fingrar, söker närmsta rykande skorsten för att be om glöd. Han blossar kritan i botten tills oljan sörplar mot skaftet, återvänder sedan in. Han låter sina fingrar kamma det lockiga håret tills han hittar vad han söker, flera av samma sort. De små spegelskärvorna fångar ljuset när han håller upp dem i gluggens stråle, bryter det vita i en mängd färger. Cecil säger han föll på sitt svärd. Cecil säger här vilar en Judas till vår Jesus.

3.

TYCHO CETON GÅR av och an på golvet och släpar fötterna
efter sig, till den grad att Bolins blick går med oro till salongens
dyra matta.

"Du måste ge dig till tåls."

"Men varför?"

Bolin makar foten i bättre läge med ett grin.

"Uppträdet var en framgång, därom är inte tu tal, Tycho.
Efter första akten visste de inte vad de skulle tro. Andra akten
tog dem med storm. Vem har sett något liknande? Ett minne
för livet. Men den tredje ... jag hade mina tvivel in i det sista,
men likväl gick allt i lås. Och finalen så, när smedsgossen reste
sig ur sin självspillda pöl, till synes från de döda, och vacklade
ner på parterren och ut, med stålet tvärs genom kroppen. Jag
vet inte om du såg det, men det fanns de bland bröderna som
trodde att vi drivit gäck med dem, att allt bara var ett gyckelspel
med rödbetssaft och krossade tomater. De gick honom in på
livet, nära nog att röra vid honom, att bestänkas av det hjärta
som ännu pumpade. Klingan måste stämt blodet där det satt,
och träffat särdeles lyckligt efter omständigheterna, men ändå.
Vilken prestation. Vilken vilja, en sådan esprit. Passion i bibelns
bemärkelse att följa på den världsliga. Aldrig har väl någon för-
tjänat sina ovationer mer än den gossen."

Ceton nickar irriterat.

"Så vari består problemet, om nu alla är nöjda?"

Bolin gnider sina händer som för att pressa fram mer finkänsla ur rynkiga flator.

"Din egen figur befanns vara ... pekuliär. Du krossade speglarna i andra aktens slut utan att någon begrep varför. Det förefoll inte vara en del av helheten, utan snarast någonting spontant, och allt tycktes gå vägen inte tack vare dig, utan snarare trots. Man spekulerar i dina skäl. Du gav dina fiender vatten på sina kvarnar, och de försitter inte sina chanser att smäda dig, skäller dina vätskor för osunda. De mer förslagna tar uppträdets framgång till eget argument: att det genius som framfött något dylikt inte kan sättas tillit till, att gränser passerats också vad gäller vår orden. Mer vin?"

Ceton håller fram glaset, och Bolin slår i ur silverkannan och nyttjar pausen till att byta ämne.

"Men allt går väl inte i moll? Du har flickan Knapp i säkert förvar på din kammare, hon som den efterhängsne palten sökt så. Rimligtvis är hon dig till nytta nu? Det är inte bara gud fader som helst sträcker sin hjälp åt den som hjälper sig själv. Det skulle inte skada din sak hos bröderna om jag kunde delge dem att du åtminstone har ryggen fri från dina förföljare, egna problem lösta efter eget huvud."

"I det skick hon är gör hon mig föga gott."

"Kanske bör du då se till att det förbättras."

Bolin ruskar en besviken min av ansiktet och söker bättre humör.

"Nå, vi kan ingenting annat göra än att vänta och se. Bröderna ska snart mötas på nytt, och aldrig har så många röster höjts till ditt försvar. Tills dess har du det bra här, inte sant?"

Bolin höjer sitt eget nyfyllda glas till skål.
"Ha förtröstan, Tycho. Den röst som ger utslaget kan mycket väl bli min, om jag inte räknat särdeles fel."

4.

HANS FÅLLBÄNK. HEMMA. En spasm slår ryggen i båge, tvingar Cardells huvud bakåt liksom hälarna, spänner kroppen tills knotorna knakar i tävlan med det virke som utgör ram och botten. En stund bara, så lossnar den, och han sjunker flämtande tillbaka ner, där sömnen väntar. Han vrider och vänder sin stora kropp likt steken på spettet, men som alltid finns det bara en ställning där han kan finna någon ro: hopkurad som ett barn med armstumpen kramad intill bröstet och resten av kroppen lindad runtom. I dvalans djup går frossan med feberdrömmarna på släp. Minnen av hans ofärd, ältad i gamla tablåer. Kring Cardell fylkas de döda, så nära att han knappt förmår dra efter andan.

Han är på Svensksunds bölja, på Ingeborgs däck, hon som är dömd att bli vrak. Hennes öde är ofrånkomligt, hon ensam vald ur slaglinjen. Ett vekt ställe i hennes skrov lockar ryssens kula, sjögången redan hög, skottet avbrunnet på måfå över ett slagfält där ingen träff borde vara möjlig. Smällen, branden, det egna krutupplaget som hotar att springa i luften. Stöten kastar däckets lavetter i svängning. Män slungas av och an, brutna och trasiga, att feja plankorna röda. Deras kval förkastar manlighetens bastoner och spricker upp i gälla tjut blottade på värdighet, stämband brister till ingen nytta, värnlösa mot bränningen och

326

vindens dån. Nu kvävs de i omättligt hav, och han ligger ensam på vågen, fjättrad av ankarkedjan. Nu slinter hans grepp om Johan Hjelms krage, och ännu en vän går förlorad, uniformens knappar och uppspärrade ögonvitor synliga någon fot under ytans oljebegjutna spegel, sedan borta, men etsade kvar i hans synfält som av glödgad nål. Nu ska han räddas, yrande i frossa efter timmar i sjön, men starka händers grepp duger inte för att bryta honom loss. Nu jämför man knivar och skickar den vassaste ur hand i hand till den som dragit kortaste strået. Först känner han ingenting, armen domnad sedan länge. Sedan allt. Bättre blir det aldrig.

Nu tappar hans stövel greppet om Fatburens hala botten, och under honom öppnar sig djupet, ett svullet lik hans frälsarkrans. En omfamning, ett löfte mumlat i fyllan.

Nu ler Cecil Winge mot honom i skenet av Hamburgs osande dankar, vänder sig och gläntar på dörren, inte åt Postmästarbacken utan mot en svart avgrund. Nu står han vid Winges grav, en av få. Till jord skall han varda.

Nu springer han hukande bland flammor genom Hornsbergets korridorer. Den röde hanen ryter i hunger och yra. Barnen skriker sina böner om den nåd som inte kommer. Nu bär han hennes barn i sin famn. Nu faller de sönder. Nu dör Erik Tre Rosor för hans hand, än krossad, än dränkt.

Gastarnas vikt pressar honom samman från alla sidor, de brända och de drunknade om varandra, förenade i sin avund över allt som tagits från dem och som ännu är hans. Var är rättvisan? Han kvävs, han kvävs; väcks när fållbänken faller undan och han slår i golvet, och smärtan i hans stump lyser som mareld i nyvakna ögon. En gång gläntades helvetets port inför honom, men armen ensam hann igenom innan vägen stängdes.

Där halstras dess kött i förväg, mört nog att smälta på tungan när hans välkomstfest ska firas. Aldrig har den gjort så ont som inatt. Det är vad han säger sig varje morgon. Var gång det onda väcker honom slår han stumpen i tiljorna för att vinna en världsligare smärta, en mer begriplig, och när någon som måste vara nyinflyttad hamrar väggen till sömnens försvar ryter han sin förbannelse tillbaka.

Natt. En talgdank vaggar sin låga, ett ansikte, regn mot rutan. Emil Winge, krökt över ark klämda i guldpräglat läder. Han känner igen portfolion. Tre Rosors vittnesbörd från Tycho Cetons kammare. Cardell måste ha förrått sitt tillstånd med sin andning, för Emil kommer, baddar hans panna, silar vatten att dricka genom sammankilade tänder, trycker fingrar mot hans handled. Inget har han att sätta emot.

"Bad jag dig inte att tvätta ditt sår?"

Han kan inte svara. Käken är låst, så hårt att tänderna knarrar.

"Det är styvkrampen. Tetanus. Jag har haft läkare här med kvicksilver, först en och sedan en annan, men de kan inget göra. Din kropp är slagfält bortom undsättning. Du besegrar soten själv, eller inte. Jag finns här när jag kan, tills vi vet."

Kapitulation. Åter till dvala.

Han vaknar en annan gång, och Winge läser alltjämt. Någonting annat nu. Ett skrynkligt brev. Sansen är för hal att tillåta något grepp. Han faller åter mot avgrunden.

När näst han vaknar finner han krampen lättad nog för att öppna munnen. Han kan röra sig, om än inte mycket, vänder sig i sängen och lyfter den rygg som skavt mot lakanen. Att bara kunna skifta läge är en nåd, och det får räcka. Winge kommer med kvällen, vattnar honom som ett spädbarn. Ljus och mörker slår kullerbyttor genom rummet när dygnen flyter samman. När han kan talar de, som kortast. Först senare, när han är stark nog att sitta upprätt, lyfter Winge fram ett långsträckt föremål lindat i grovt tyg. På golvet nedanför Cardells bädd rullar han undan vecken, och lyfter det dolda med båda händer. En järnten, formad till platt spets och märkt av hammarens kratrar.

"Jean Michael, vet du vad detta är för någonting?"

Han sträcker fram sin hand, och efter tvekan lägger Winge föremålet över hans handflata. Det är tyngre än Cardell trott, tills han förstår att det är han själv som försvagats. En handsbredd kortare än två alnar. Han väger det i handen, känner efter den punkt där klingan väger jämnt.

"Ja. Jag har sett min beskärda del."

"Nå?"

"Det är ett svärdsämne. Efter att det smitts klart och härdats skulle det ha gnuggats blankt och skickats till gravören för att ristas med kungens monogram. Sedan till gelbgjutaren för ett mässingsfäste. Till slut hade en dagsfärsk kavalleriofficer fått hänga det i bältet till föga nytta bortom självkänslan. Kanske hade han kunnat vifta med det i farans riktning, där allt blodvite i närkamp lämnas åt mannarna och deras sneda bajonetter."

Winge nickar för sig själv, nöjd med beskedet.

"Krigskollegium lär ha listor på alla burskap de anlitar för smidet."

"Säg hur du tänker."

"Den andra kropp som funnits, vår Judas, var smedslärling.

Kläderna var inpyrda av härden, högerarmen kraftigare än vänstern, högerhanden hård och valkig. Han är blek upp över armarna där handskar skylt dem från solen, axlarna är röda med vita ränder där förklädet hängt. Jag tror att han föll på sitt eget hantverk."

"För egen hand?"

"Sådan är min tes. Men någon har flyttat honom efteråt, någon som ville honom väl."

"Än jag då? Ge mig att göra."

"De herrar som knackade på din dörr i somras gjorde det knappast i hopp om att plundra dig på din förmögenhet. Något annat ligger bakom. När du är kry nog, tror du att du kan få reda på mer?"

"Eumeniderna? Har Ceton vunnit deras gunst?"

"Det är vad jag tror, men låt oss inte använda fantasin som pensel innan verkligheten behagar stå modell."

"Ändå tycks du tro en hel del som du förtiger."

"En fråga till först, om jag får. Säg att det hade funnits en spegel i anatomisalen den kvällen vi var där, och Ceton fått en skymt av sig själv i det tillstånd du beskrev. Tror du att han hade uppskattat vad han såg?"

"Knappast."

Winge nickar för sig själv, tuggar på ett nagelband.

"Så. Min tanke är att Jesus och Judas är Cetons verk båda, besatta i sina roller både för Eumenidernas skull och för hans egen, ett spektakel av någon sort. Han ämnar bli tagen till nåder. Så säger logiken. Det är hans bästa chans inte bara att bli kvitt oss, utan till att återgå till den tillvaro han eftersträvar. För hans räkning anställde man försåt mot ditt liv. Du lever knappast inkognito, någon gav upp din port."

"Än du, då? Jag vakade i ditt trapphus med samma tanke. Ingen kom."

"Jag står poliskammaren nära för stunden. Över min mull skulle frågor ställas som kunde bli svåra att besvara. På tal om detsamma, här är din sold från kammaren. Jag bad dem att lägga till vad du får från separationsvakten, och kräva kompensation därifrån."

Winge gör en ansats att lägga tygbörsen på bordet, men hejdar sig och lyfter det papper som ligger i vägen, namn på namn i blodbestänkta rader.

"Men det är inte bara jag som hellre tiger än talar för tidigt. Vad är detta?"

Cardell gör en ansats att sätta sig rakare men måste ge sig med ett stön.

"Flickan. Anna Stina. I fjol skickade man henne på lönnväg in i spinnhuset för att söka upp Rudenschöldskan, som låg där några nätter i väntan på bättre. Hon skulle få denna med sig ut, ett brev som listar alla gustavianer som Rudenschöld värvat för Armfelts sak, redo att mönstra vapen mot Reuterholm och förmynderiet. Konspiratörerna känner inte varandras namn, och därmed ligger revolutionen i träda. Spinnhusvaktmästaren Pettersson tog den av henne i pant, likgiltig för dess värde. Hos honom har den försmäktat sedan dess, medan alla parter förgäves sökt efter flickan."

Emil Winge bleknar, och lägger tillbaka pappret på bordet varsamt som vore det en orm med giftet drypande ur öppet gap.

"Herregud."

Cardell grymtar sitt medhåll.

"Jean Michael, hur står det till med din politik?"

"Insatt nog att inte föredra gårdagens despoter framför dagens utan noggrant övervägande."

"Så din avsikt är att göra ingenting?"
"Det brevet är värt hennes liv och många andras därtill. Men själv är hon borta ännu. Det förblir där det är."
"Håll det säkert, vad du gör."

5.

EMIL WINGES STEG för honom allt längre ut på Södermalmen, till trakter han bara hört talas om men aldrig sett med egna ögon. Efter slussbryggorna passerar han kyrkan som ruvar hans brors stoft, stiger upp bland backar krönta av väderkvarnar som väsnas i blåsten. Klättringen ger honom åtminstone något av värmen tillbaka. På kullens andra sida väntar honom armodet. Ett ensamt fattighus reser sina stenar över träkåkar av en sort som brandfaran förbjudit på annat håll. Då och då ger sig manufakturerna tillkänna, med doft och ljud innan han ser dem; i näsan sticker tobaksbladen och färgämnenas svällande kar, tonsatta av förmännens uppmaningar och okvädingsord med jämmer och ursäkter till eko. Gamla malmgårdar har tagits i anspråk, deras en gång ståtliga innanmäte rivits undan för att göra plats åt spinnrock och snickarbänk. Vinden gör ett kast, och den stannar honom mitt i steget som om han slagit i en osedd bom. Magen vänder sig och han måste hålla en hand för näsan och dra djupa andetag för att behärska sig, dubbelvikt som för att ducka under en stank som får Flugmötet på skam. Och mellan två knutar ser han den, som en glänta i bebyggelsen, en vid tjärn vars feta hinna bryter ljuset i ränder av främmande färg där den skvalpar mellan sumpiga stränder. Mot vett och sans stapplar han närmare, för han har hört namn och saga och

333

vill se hur de görs rättvisa. Detta är Fatburen. Dess vatten är knappt annat än en bubblande gröt, grumlad till beck av allt det den anförtrotts som andra vill glömma, runt om kantad av fyrkantiga hagar för latrinbärarna att lätta sin last, men tuvor av gräs skvallrar om att de länge lämnats ostörda. Ett oxhuvud simmar några alnar ut, betraktar honom slött för en stund med ett öga där flugorna krälar obrytt innan någonting skiftar i djupet och vräker kadavret över ända i maklig dyning. Bakom hans axel en ruvande närvaro som påminner honom om att detta är livmodern åt den Cardell han känner, alltings början. Han vänder och skyndar bort, tar hellre en omväg än prövar dessa stränder längre.

Snart måste han fråga om vägen, och får en till intet förpliktigande vinkning till svar: vidare, vidare. Den näsa han nu kunnat släppa taget om kommer till räddning. Han vädrar kol, vänder sig mot den vind som hjälpt honom och följer sin vittring. Bakom en gärdesgård ligger smedjan, öppen och fri för att gäcka den eld som en dag kan smyga ur härden och kräva vedergällning. Hans hand på grinden är nog för att smeden ska lämna sin bälg och gå honom till mötes.

"Söker du tjänst må jag säga att du ser väl klen ut. Men nogräknad är jag inte."

Orden är sagda halvt på skämt. Smeden öser vatten i ansiktet ur en tunna, torkar soten ur pannan på skjortärmen, borstar nävarna mot sitt förkläde och visar Winge en kubbe att sitta på. Det är inte det första besök Winge gör av denna sort; hade det inte varit för de strukna namnen på hans lista över Krigskollegiums anlitade smeder hade han tappat räkningen för länge sedan. De språkar en stund. Smeden sjunger samma visa som de alla, talträngd.

334

"Ur led är tiden. Fan ta Svensksund. Inte för att jag önskar ryssen till kung, men hade slaget bara fått sluta något sånär lika hade vi fått månget krigsår ännu. Jag minns åttioåtta och åttionio. Då klang hammaren dag som natt. Varenda knekt skulle man pynta med värja och bajonett, faskinkniv och huggare. Nere vid Järnvågen gick vi som barn i huset på kronans order, och var och en med burskap kunde begära vad pris han ville för sitt arbete utan att få prut till svar. När skråt ställde till med bal stod vi inte ridderskapet efter, i nya kläder och med putsat silver på sko och knäveck. Nu står jag här bland stoft och aska i läder och trasor, med två döttrar jag ingen hemgift har att ge, och ska de någonsin bli gifta måste de beta fällor med sina sköten och göra faderskapet till tvång."

Han spottar i jorden.

"Kriget för oss framåt. Vad annat sporrar människan till snillrikedom än vetskapen om att en fiende stryker längs gränsen, redo att sticka svärdet i din rygg, tjudra sonen din till oket och göra skökor både av hustru och dotter?"

Winge låter smeden prata av sig, tänder sin pipa på en sticka han sätter till härden.

"Se på staden mellan broarna så som hon blivit, så bräddstinn av löst folk utan vett och värv att man fick ta till räfst för att gallra. Redan strömmar de till på nytt, fler och fräckare. Ett gott krig hade fått fason på dem. De bästa hade kommit hem igen, de sämsta hade vi blivit kvitt. Varje årskull måste gallras för att gro. Hem kommer krigsbyte till gamman för dem som fått leva, och står vi oss slätt på ärans fält göder åkertegen bättre de få än de många. Bara blod duger till att smörja samhällets axel. Alla vet det, men få säger sanningen. Nu är svälten här, fredens grymma syster."

Han suckar ångerfullt.

"De säger att salig kungen själv satte igång kriget med ränker och list för att lägga skulden på ryssarna. Nå, än sen? Han visste folkets väl. Det är fan inte många som höjer sina röster i Gustavs skål idag, men vi minns visan ännu, vi smeder, och sjunger den med saknad."

Winge vecklar svärdsämnet ur sitt tyg, och räcker det till smeden, som tar emot det med kännarmin.

"Ett gott exempel på vad jag talar om. För inte stort mer än hundra år sedan hade ett vapen som detta inte dugt mycket till. Man fick göra uppehåll i striden för att båda sidor skulle få möjlighet att banka klingorna raka och slipa ny egg. Idag retar vi kolet under degeln med bälgar, vi når en värme som hade fått hin håle själv att svettas, och stålet härdar vi sedan. När denna är färdig kan du dräpa ett regemente innan dess kant behöver läggas till brynet."

Smeden lägger stålet till ögat för att skärskåda dess längd, och ger sedan Winge en nervös blick.

"Stammar denna från min härd?"

"Sådan är min fråga till dig."

Smeden lägger ämnet på nävens kant, söker tyngdpunkten.

"Gäller det min gesäll? Hammargroparna bär Albrechts prägel. Kommer du från konsistoriet? Har pojken gått för långt i sin vantro?"

"Jag kommer från poliskammaren."

"Värre ändå."

"Berätta om honom för mig."

Smeden slår ut med armarna.

"Pojken saknade inte fallenhet. Allt som fattades honom var tid att lära. Värvet självt är inte lätt att vinna, ska du veta. Kraft i arm, noggrannhet och omdöme, nit och ett gott huvud, annars är tackorna förverkade. När jag blev gesäll gjorde jag provet, jag som andra. De äldre gossarna pissade i en skål, höll mig fast ovanför och rakade min skalle, och satan vad det sved, och inte mindre i hågen än i svålen. Albrecht är på väg mot samma dop, vill jag mena, om man blott ville ha förståelse för hans främmande börd. Albrecht kom från söder, han och hans kusin, med ett brev till rekommendation. Vi är släkt, tycks det, på snåriga vägar. Jag tog honom till gesäll, och späde Wilhelm till kolgosse för att sköta bälgen tills hans armar blivit starka nog att hjälpa till vid städet."

"Och deras tro?"

"Herrnhutare, båda två. Så klart märkte jag att de skydde mässan, bad egna böner på främmande språk. Men de var strävsamma och saktmodiga pojkar ändå, och gjorde det lätt för mig att slå dövörat till. Goda lärlingar växer inte på träd, särskilt inte sådana som knappt begär mer för sin möda än en tallrik på taffeln och tak över huvudet."

"Albrecht den större av de två, ljushårig, redan med smednävar, och Wilhelm mörk, smärt, båda så lika att de kunde varit bröder?"

Han nickar.

"Om fredag morgon var de sena ur säng som aldrig förut. Jag sökte dem på deras kammare. Där hade ingen sovit, och inga tidningar har jag fått sedan dess. Härden har jag fått elda ensam, dräng och mästare i samma hamn. Har du dem i ditt förvar? Vad har de ställt till med?"

Winge sitter en stund tyst i egna tankar.

"Sök dig nya gossar. Dessa kommer ej åter."

Smeden öppnar munnen för att fråga om mer, men deras ögon

möts, och han stänger den igen. Båda reser sig, Winge för att gå och smeden för att blåsa glöden varm igen. Han drar en djup suck när han sluter näven om bälgens skaft.

"Kanske är detta mitt syndastraff för att jag lät vantroende hamra herrens gåvor."

"Vad är?"

Smeden ger honom en blick som om han ingenting förstått.

"Freden, förstås."

På andra sidan grinden hör han smeden gnola, i takt till bälgens pust.

"Gustavs skål! Den bäste kung som norden äger; han ej tål, att viktskåln ojämnt väger."

6.

REGNET STRILAR ÖVER taken, läckta droppar kyler Cardells kammare. Dag och natt byts av, krampernas skov minskar i styrka och tid för vart dygn. Cardell är ingenting om inte en van konvalescent. Han vet hur tid bäst fördrivs i sjukbädden. Han sover så mycket han kan, hans utmattade kropp vilar tacksamt, och när vakenheten tvingar sig på förmår han reducera även den till en sorts dvala där han stirrar ut i tomma luften med ett oändligt tålamod och tvingar varje tanke att röra sig sakta nog för att fylla ledan. För öppet fönster slumrar han drömlöst, snarkande som en klubbad oxe, och en natt i sänder drivs frossan ur kroppen. Så snart han förmår stapplar han ut, lurpassar i trappan tills han kan gripa mellansonen i familjen undertill i nackskinnet, och skickar gossen därifrån salig och anställd, lovad rikedom mot några uppburna mål mat från krogen nästgårds. Han slukar vad han får som om han aldrig sett mat förut och utan en tanke på den kritade tavla som snart räknar hans skulder, lika tacksam för besk sill som för saltat fläsk, och han gjuter sin lovsång över pojken den dag han snubblar över tröskel dubbelvikt under ett halvankare öl.

Cardell ältar i sin ensamhet det som stör honom och som vägrar lämna honom i fred. Hela hans liv tycks honom bestå av mellanrum mellan slagsmål. Han har mött övermakt och jäm-

339

nare motstånd, och alltid har han förmått ge lika illa som han fått eller värre. Om och om igen spelar han upp sin holmgång mot Petter Pettersson, slag för slag och steg för steg, och varje gång mynnar ut i samma slutsats. Hans motståndare var större, snabbare, slog hårdare, lika luttrad som han själv. Ändå är han själv vid liv, han ensam. Det rider honom som en mara, ett dåligt samvete av ett slag han inte kan förklara, känslan av att stå lierad med en orättvisa av okänd art. Och utanför höst redan.

Kry nog börjar han röra sig mer. Först över kammargolvet, inte mer än tio steg fram och tillbaka, vinner en plankspringa i sänder. Han prövar sin styrka först på stolen, sedan på bordet, sedan fållbänken. Han går i trappan, upp och ner tills hjärtat kläcker och det bränner i strupen. Sedan ut, åter bland Sodoms murar i staden mellan broarna, runt kvarteret och tillbaka. Starkare för var dag. Till slut når han ända bort till Järntorget, och där väntar han tills jäntorna kommer med sina korgar, och sprider ordet att han söker Lotta Erika, en gång styvdotter åt Frans Gry i Maria Magdalena.

Med fröet sått tar han sig ett kvastskaft till krycka och haltar ner åt hamnen att fånga en vagn. En karl som lastat av tar honom norrut utan betalning efter att Cardell bevisat sig både beskedlig och pank, på brädor där lossade mjölsäckar lämnat vita spår. Vid tullen tackar han för skjutsen, språkar en stund med tullfolket, som rycker på axlarna och låter honom passera bommen. Han är ur form, svetten lackar under skjorta och jacka av ansträngningen att vada genom vissnande gräs och balansera på ojämna tuvor. När han forcerat skogsbrynets buskar får han lättare mark under sig, och snart finner han stigar han minns, förbi en äng där kvistar bundits till kors att märka namnlösa gropar, längs den bäck som springer ur sin källa uppe i backen, in under träden där stenar slagits i ring kring kolnade kvistar. Här är ingen, men han går ner på ena knäet för att känna i soten. Marken ruvar brasans värme ännu.

"Är du här?"

Han hör henne inte komma. När han vrider huvudet står hon inpå livet, Lisa Ensam, som han minns henne. Allt hon försakat tycks ha köpt henne nåd av tiden själv. Samma slitna plagg, samma ansikte. Eldsmärket döljer det sånär, men han fångar en rynka av oro när hon mönstrar hans uppenbarelse.

"Du tar inte väl hand om dig."

"Man vet att det står illa till när man får medlidande från landstrykare. Spar du dina ömma känslor. Sjuk har jag varit, men krafterna tilltar för var dag. Snart är jag bättre än förut."

Han tystnar, förlägen, och svarar på den fråga hon inte ställer.

"Jag har inte funnit henne ännu."

Lisa Ensam kommer närmare, sätter sig på en fallen gren.

"Hösten är över oss. Jag har väntat så länge jag kan. Vintern kommer, vandrar nedåt uppifrån sitt sommarviste, närmare för varje dag. Räven och haren gräver sig djupare hålor. Snart är det vargens tid. Den eld som slocknat blir allt svårare att tända bland sura flisor. Ska jag hålla försprång måste jag söderut."

Han nickar.

"Det var vad jag trodde. Jag är glad att jag fann dig medan tid är. Jag har inte givit upp. Jag vill att du ska veta."

De sitter samman ännu en tid i samspråk innan han lämnar henne, och Lisa Ensam hör hans stön och svordomar länge än efter att han med möda stapplat bort över rötterna. Uppe i jordkulan har hennes packning legat redo i många dagar. Allt är förberett, och hon behöver bara fläta grenar för att dölja kulans öppning innan hon slänger säcken på ryggen. Hon tar först stigen upp mot Uggleviken, där hon vet att det växer alunrot och kärleksblomster ännu, plockar sig en famn och vänder sedan tillbaka samma väg hon kommit, till ängen i skogsbacken. Hon finner den rätta platsen, borstar marken ren från kvistar och gräs. Hela sommaren har hon sovit här, hopkurad ovanpå den fläck där bara någon fot jord skiljer henne från det barn hon aldrig sett, men nätterna har blivit för kalla, regnet skär i huden utan nåd och vinden härjar denna öppna plats liksom till hämnd för den stiltje som fredas under Stora Skuggans kronor. Dröjer hon blir den krans hon lämnar på graven en av egna knotor. Sakta nynnar hon medan hon flätar samman en annan till farväl, där blå blommor gör glödande bloss mellan djupröda blad, önskar den täcke nog att värma jorden tills året skiftat.

7.

CETON KLÖSER SITT ärr, än en gång övervuxet av kliande stubb, synar för tusende gången de rum Anselm Bolin givit honom till låns medan de välvilliga överlägger. Han ångrar att han alls bett Bolin om bistånd med sina förföljare, för nu vet de alla att poliskammaren nystar i hans förflutna, och försiktigheten är en dygd de håller högt. Dåren och krymplingen har sina tummar på vågskålen, skäl nog att hålla honom på avstånd och förvägra honom allt han vore lovad. Var och en tycks fast förskansad i sin åsikt. Bitterhetens galla svider honom i strupen dag som natt, men han kan egentligen inte påstå sig förvånad. Själv är bäste dräng, och andras hjälp aldrig att räkna med. Tack och lov för den halte separationsvaktens teckning och egen driftighet. Pojken kom. Flickan är hans, om än i ett skick så illa att värdet är väl lågt. Nu inväntar han expertisen, vankande fram och åter, i var vändning med en blick på det fickur han unnat sig för att ersätta det han stampat för. Tillräckligt nära utsatt tid för att väja undan klander visar en av Bolins folk in hans gäst. Ceton mönstrar honom vant. Mannen är ung, hans kläder slitna, men blicken servil och bugningen den rätta.

"Välkommen. Kanhända har vi mötts förut. Min skyddsling Erik Tre Rosor stod under Danvikens omsorger så sent som i fjol. Jag är Tycho Ceton."

Läkaren har ett alldagligt ansikte som Ceton själv inte kan dra sig till minnes. Inte heller hans gäst verkar ha några minnen av något tidigare möte, flyktigt som det måste ha varit, men rynkar pannan för artighetens skull.

"Tre Rosor såg jag någon gång, då jag gick jämte professor Hagström för att observera och lära. Ett hopplöst fall i slutändan, vad jag förstår, och som lämnat efter sig ett graverande eftermäle vad gäller skötseln av dårhuset."

Förlägen slår han ner blicken och fingrar en nött manschett. "Förlåt mig, det var inte min mening att uttrycka mig burdust. Jag har vistats alltför länge bland mina likar. Vi må ha en hård jargong, vi som svurit efter Hippokrates, och kanhända är det vårt sätt att skyla oss undan alltför ömma känslor. Jag bedyrar att orden inget annat hyser än omtanke."

"Omtanken förenar oss. Vad vore vi väl utan kärleken till vår nästa? Knappt har arme Erik ryckts hädan ur min omsorg innan jag återigen finner mig satt till förmyndare över en som livet betrampat."

"Det är därför ni skickat efter mig? För konsultation?"

"Sannerligen."

Några mynt byter hand, och Ceton slår upp dörren till kammaren intill. På sin bädd sitter flickan, i bara nattskjorta. En piga håller henne upprätt med ett grepp om axlarna, och stuvar undan vällingsked och kanna när Ceton ger henne tecken att dra sig tillbaka. Läkaren trär över öronen skalmarna på de glasögon han inte behöver men lagt sig till med sin mentor till hyllning, stryker ärmarna upp och höjer ett ögonbryn åt Ceton.

"Tillåter ni?"

"Givetvis, om ni vill vara så god att klä era tankar i ord så snart de kommer."

Han betraktar henne en stund med kritisk blick.

"Nå, en flicka, någonstans mellan femton och tjugo. Åldern är svår att avgöra säkert i ett ansikte så tömt på uttryck."

Han tar tag om lår och vad, rör vardera benet fram och åter, upprepar samma rörelser en gång för var arm, känner på bål och rygg.

"Hon förefaller vara i god form trots umbäranden, ännu med ungdomens följsamhet i rörelsen, obesudlad av synliga laster. Bålen bär sträckmärken efter nylig grossess."

Han rör en hand av och an framför hennes ansikte utan att väcka någon reaktion, först långsamt, sedan med fingerad våldsamhet, både från sida till sida och i vinkel från ansiktet. Han vrider hennes huvud ömsom mot fönstret, ömsom mot väggen.

"Ögonen oseende och blicken fäster ej, pupillen varken vidgas eller dras samman."

Fingrar söker på halsen för att där fånga hjärtats slag, räknar dem en stund till fickurets gång. Han lyfter en arm och låter den falla. Därefter blir han sittande i egna tankar en stund, tills hans hand utan förvarning skjuter ut och nyper till i sidans hull.

"Hjärtat är starkt och slår jämna slag i den takt som anstår hennes ålder. Plötsliga stimuli lämnar henne oberörd."

Han trär av sig glasögonen, putsar glasen rena med en flik av kravatten och stoppar dem varsamt i västens ficka innan han åter vänder sig mot Ceton.

"Får jag fråga om någonting särskilt föranlett detta tillstånd?"

"Låt oss säga omvälvande händelser av en våldsam natur."

"För hur länge sedan?"

"I fjol vintras."

Han nickar som om svaret vore förväntat.

"Det är som jag trodde. Sinnet, eller själen om ni så föredrar,

345

har letts vilse från sin hemvist. Vid tillstånd som dessa försöker vi skapa tillräckligt stark retning i kroppen för att sinnet ska låta sig lockas åter. Förr om åren ympade man skabb på de sjuka, men idag har vi mer moderna metoder att tillgå: en svängbädd, där konvalescenten kastas runt i vid cirkel för att ingjuta en skräck så stark att galenskapen viker och det sanna jaget återbördas till sitt säte. Dess verkan är en imponerande syn, en mekanikens triumf. Jag har själv räknat över etthundratjugo revolutioner per minut, med sådan kraft att allt blodet pressas till huvudet och fälls som tårar."

"Och från denna svängbädds bojor leds de nyss vansinniga därpå friska och sunda?"

Läkaren svävar en stund på målet.

"Mekanismen är tämligen ny. Att det krävs tid innan metoden förfinats är inte att undra på, och inte ens de bästa av botemedel lovar säkert utfall då varje åkomma tenderar följa sina egna bud. Ovedersägligt är att den gör underverk där laxativen stått sig slätt. Vill ni så kan jag förhöra mig om en tid som passar?"

Ceton gnider sin sträva haka.

"Jag tror att jag besparar min skyddsling er svängbädd för stunden. Men jag bedyrar att ni givit mig mycket att tänka på, och de slantar jag erlagt håller jag för väl använda."

Han följer läkaren till dörren.

"En sak till avsked, herr doktorn. Liksom ni nu vet var jag huserar har även jag gjort mig mödan att ta reda på var ni bor. Om ni vill glömma min adress får jag heller ingen anledning att minnas er."

8.

ATT FÅ ANVISNINGAR är inte svårt, vilken polisbetjänt som helst kan peka ut rätta vägen. Herrnhutarna känner man väl. Deras predikant Svala missionerar i staden mellan broarna om sena kvällar sedan åratal, ryar under ett bloss på torgen med några troende till hedersvakt, till dess polisbetjänterna på rutin kör dem därifrån. Församlingens säte är ingen hemlighet, även om få utomstående har anledning att göra sig ärenden dit. Gårdens marker sträcker sig från skuggan under allén som flankerar Kungsträdgården bort till Katthavets stränder intill Packartorget. Här har de huserat sedan seklet var ungt, tolererade då för sitt låga antal, nu för sitt höga. Väckelsen har spritt sig vida kring utan hänsyn till de gränser som hämmar allt världsligt: från låg till hög, ung till gammal, ända upp till hovets gemak, där såväl änkedrottningen som lille kung Gustav Adolf lånat tid och öron åt irrläran. Kyrkan bidar sin tid. Prästerskapet ryar åt vantron från sina predikstolar, hotar med skärselden.

Emil Winges väg går än en gång förbi Jakobs kyrka, under ett tyst Makalös med sina blindfönster, för stunden stilla och tillbommat då teatern grälar om höstsäsongens tablå och alla repetitioner skjutits på framtiden i väntan på endräkt. Bakom murarna ligger Kungsträdgården nu tom och avlövad, trädens blad samlade i våta drivor mot de hörn dit vinden blåst dem.

Winge reser kragen högre om halsen, höjer axlarna och böjer huvudet för att freda sig undan dess trevande kyla.

Mot Kungsträdgården står manbyggnaden teglad i två våningar. En lika stor byggnad med blekare puts syns strax bakom, jämte mindre trähus, alla med ett stöttat plank till ram, högre än en man kan sträcka sin hand. Villrådig om var han bör söka sig kliver Winge trappan upp till stora porten och ger kläppen några hastiga slag. En piga öppnar med missnöjd min, svarar i viskning som för att kompensera för missljudet.

"Änkan sover middag."

Winge ger henne det namn Blom nämnt, och hon leder honom genom byggnadens bedagade innanmäte och ut på dess andra sida. Mellan husen trängs äppelträden, de hängande grenarna tunga av frukt, korgar och stegar vittnar om den skörd som pågår. Hon tar vägen mot den andra större byggnaden, men hejdar sig med ett litet utrop på vägen, och visar med en gest in bland träden, där en man står sträckt för att vittja kvistarna.

"Lars! Man söker Lars."

Han står i bara skjortan trots kylan, torkar ändå svett av pannan och niger under kronan för att gå Winge till mötes. Först slår mannen Winge som en sällsam prelat, grov som en timmerman, med ett skägg där vita och svarta strån står om varandra, men snart ändrar han sig. Det finns en mildhet i ansiktet, och han förstår hur guds ord sprungna ur en hamn som denna måste anta en naturlig trovärdighet.

"Jag är Lars Svala, till er tjänst."

"Emil Winge. Jag kommer å poliskammarens vägnar."

Svala tvekar en stund, nickar sedan kort. Under äppelträden har man anlagt en krattad gång, med en skiljeväg i mitten och förgreningar i alla väderstreck. Tillsammans börjar de gå varvet runt, Svala uppenbarligen besluten om att låta Emil föra dansen.

"Jag vet inte mycket om er tro."

"Mer än du anar. Vi dyrkar alla samma gud. Skillnaden består i att vi förbehåller oss rätten att tillbe honom på egna villkor och tar avstånd från kyrkans ställning. Vi avstår mellanhand till frälsningen."

"Inte undra på att kyrkan gör vad de kan för att bli kvitt er."

Winge anar en rodnad kring Svalas panna, hör andningen bli tyngre.

"Vilken präst skulle inte sjunga sådana verser när hans eget levebröd står på spel? Är det rätt att biskopen smörjer kråset i sitt palats för slantar med vilka församlingen uppmuntrats att köpa sig tomtmark i paradiset, som om Gud själv skulle skatta en skilling över ett gruskorn?"

Han tystnar, med ens skamsen.

"Förlåt mig. Som du hör ligger mig ämnet varmt om hjärtat. Här står en bänk, låt oss sitta."

"Ni helgar samma sakrament, och budorden?"

"Givetvis."

"Skulle du säga att en man som är förtrogen med guds ord avkrävs ett högre dygdemönster än en som är okunnig?"

Svala nickar tankfullt.

"En synd som begås utan uppsåt må vara lättare att förlåta, för Herren liksom för hans avbild."

"Straffet för den medvetna förseelsen är värre?"

"Det är rimligt."

"Och om den skriftlärde mannen är du, och synden att fara med osanning?"

Svala ler ett melankoliskt leende.

"Så är jag snärjd i min egen tro. Nå, om dina frågor leder mig till en bekännelse är jag glad att den åtminstone inte anförtros en dumbom."

"En annan sak vill jag ha sagt först. Jag vet att stadsvakten motar er tillbaka över broarna när ni missionerar om kvällen, men mitt ärende är ett annat. Jag hyser inget agg till din församling, sätter mig inte till doms över en tro jag omöjligt kan värdera jämfört med en annans, vill ingen illa som inte har missdåd på sitt samvete. Du känner mig inte, men jag ber dig ändå lita på mitt ord."

Lars Svala betraktar honom en stund, suckar sedan.

"Jag har språkat med folk från överheten förr, men du tycks mig mycket annorlunda. Jag är min flocks herde, ovärdig som jag är, och inte ovan vid att läsa andra. Jag ser ingen illvilja i dig. Jag ska göra som du säger."

Winge gör en gest mot dungen av träd.

"Du har lämnat din kappa och din hatt under stegen. Ändå ser jag sorgflor bland vecken."

"Ett lamm har rivits av vargen."

"Lystrade lammet till namnet Albrecht?"

Lars Svalas överraskning är naken i hans ansikte.

"Hur kan du veta?"

"Var det du som flyttade honom till Jakobs kyrka, eller någon annan ur din flock?"

Svala lägger sina stora nävar på knäna, som vore han beredd att slås i järn.

"Jag. Jag ensam."

"Vill du berätta själv, från början?"

"Jag låg vaken om natten, jag vet inte varför, och lyssnade till vinden som tilltog för varje timme. Det var som om jag inväntade ofärd. Det hördes ljud nere på gården, och när jag fått eld i en lykta fann jag Albrecht där, fallen med ett stål genom kroppen. Jag frågade vem som gjort honom så ont, och han lade handen till eget bröst. Det fanns ingenting mer jag kunde göra för honom annat än att läsa välsignelsen och hålla hans händer i hans sista stund. Gryningen var nära. Jag bar honom till mitt rum för att vaka över honom. Du måste förstå att det inte var något enkelt beslut, det jag tog; mitt ansvar står till hela min flock, och vi har många som vill oss illa. En händelse av denna sort kunde skada oss värre än vi mäktar resa oss från. Jag väntade ut dagen, och när natten kom på nytt bar jag honom till kyrkogården, lade honom tillrätta för prästen att finna med morgonljuset. Hellre i vigd jord hos kyrkan än i evig fördömelse."

"Fick han sin skada på din gårdsplan? Fanns det blod?"

"Nej."

"Vet du varifrån han kommit?"

"Vänsterskon var blodfylld och lämnade spår. Jag följde dem inte längre än bort till grinden. Då hade regnet redan börjat, och de syntes mindre för var minut."

"Men riktningen?"

Svala pekar åt Strömmen till, och Winge nickar.

"Han kan inte ha gått långt om vad du säger stämmer. Saknar du fler lamm än detta?"

Svalas anletsdrag förbyts i öppen bön.

"Wilhelm. Hans kusin. Säg mig inte att också den pojken har del i detta."

Winge känner tacksamhet för att han inte är en man av Svalas sort, bunden till sanning under hot om skärseldens rening. Emil är fri att ge Lars Svala sin tystnads gåva. Han skiftar ämnet.

"Dyrkar ni herrens avbild? Vill du visa mig böneplatsen?"

Svala förblir stilla för några ögonblick, innan han böjer huvudet i motvillig tacksamhet över den insikt han besparats, reser sig och leder Winge åt predikohuset till. Inne i salen står bänkar på rad, enkla brädor lagda på bockar, krökta i halvcirklar för att minska envars avstånd till altaret. Längst fram ett krucifix, där frälsaren hänger på sina spikar, krönt i törne. Winge går nära för att se bättre i det skumma ljuset, finner på träbelätet var detalj han redan sett i kött.

"Berätta om såren."

"De är fem. Ett vardera där spikar drivits genom händer och fötter, och sist revan där legionären Longinus stötte sin lans."

Winge låter sina fingrar smeka längs bröstkorgens högra sida, där en snidare med möda och skicklighet täljt ett gapande sår, avsmalnat i båda ändar och med kanter särade som bladen hos en nyss brusten knopp, som röda läppar. Svalas röst blir drömsk i sin förklaring.

"Den blodiga bukhålan. Vi håller den i särskild vördnad, för under dess sköte ligger det heliga hjärtat blottat, redo att ta emot varje syndare i frälsningens omfamning."

Länge står Winge kvar i egna tankar, innan han vänder sig om.

"Tycho Ceton. Är namnet bekant? Ett ärr vid munnen gör honom lätt att skilja från andra."

Svala står blek och tyst, kan inte dölja kroppens skälvning.

"Så detta är hans verk? Allting?"

"Hur korsades era vägar?"

"Han kom till oss om kvällen, när vi spred Herrens ord i staden mellan broarna. Hans själs nöd tycktes mig lysa som ett bål, och för hans frälsnings skull gav jag honom en bädd för sommaren."

"Han bodde här, under ditt eget tak?"

"Nog började jag ana vem jag bjudit över tröskeln. Men vem annars än en syndare är värd mödan att frälsa? Så tolkade jag mitt kall. Jag hade hopp ännu och Gud vid min sida, hopp som nu är förlorat. Hur ska den djävul betvingas som vet att sko sig på allt det som är gott, som bara låter sig nedkämpas av den som är beredd att själv synda lika illa som han själv?"

Winge nickar åt frågan, lämnar den öppen. Han försäkrar sig om det praktiska: när Ceton kom, när han gick, vad han sett, vad han sagt. När varje detalj tycks klarlagd till förnöjelse gör han en ansats att gå, men hejdar sig.

"Vet du att han är son till en gudsman?"

Svala vänder sig bort med en kort nick.

"Så mycket har jag anat."

Han tvekar en stund innan han fortsätter.

"Jag ville köra honom på porten, men han bad mig om en sista tjänst: han sade sig under sin tid i södern ha ådragit sig en febersjukdom som inte vill lämna honom i fred, kände ett skov nalkas och bad att få stanna tills frossan bedarrat."

Svala tvekar, väger från fot till fot och lättar en knapp på den skjorta under vilken han börjat svettas.

"Jag kunde inte motstå att söka mig till dörren. Jag lyssnade till hans kval, och när jag hörde hur han yrade gick jag in på kammaren i hopp om att bättre kunna vara till hjälp, om så bara för att hindra honom från att göra sig själv skada. Han var knappt vid sans, kastade sig av och an i sängen, och plötsligt blev jag så frestad, tänkte att denna möjlighet aldrig kommer åter."

"Vad gjorde du?"

"'Min son', sade jag, 'ha förtröstan, jag finns här hos dig, jag och Herren båda.' Och det är en dubbel försyndelse jag här fullbordar, för jag drog fördel av hans svaghet, och nu bryter jag det förtroende som är heligt mellan envar och hans själasörjare."

"Och Ceton? Vad sade han?"

"Han såg på mig på ett sätt som lät mig förstå att febern bytt mitt ansikte mot en annans. I sin yrsel tog han mina ord bokstavligt. Först var det honom till triumf och lättnad, syntes det mig, som om någonting han länge hoppats på just fallit in. Sedan förbyttes ansiktet i fasa, han darrade, ångesten lyste ur honom. Han grep min arm. Jag bär märken av naglar ännu. 'Far, har han sett vilka mödor jag gjort mig för att finna honom? Vad det kostat? Kan han se att mitt hjärta är rent?' Jag förstod att han trodde sig död och återuppstånden. 'Min son', sade jag, 'Herren är kärlek, allting förlåter han de sina.' Och med det slätades hans ansikte ut i en välsignad lättnad, och jag visste att det var en välgärning jag gjort honom. Han föll åter i dvala, och när näst han vaknade var det som om ingenting hänt och vad minnen han hade blott en dröm. Han lämnade oss, just som han lovat."

Lars Svala sträcker på sig, vänder sig mot krucifixet.

"Så ligger ännu ett sakrament brutet under min häl. Jag är glad att det skedde inför vår herres ögon, så att han själv kan avgöra om jag gjort rätt eller fel. Jag lämnar mig åt hans nåd, nu som alltid. Jag hoppas att mitt edsbrott inte blir förgäves. För Albrecht. För Wilhelm."

De följs ut. På deras väg genom äppelträdgården vänder sig Svala åter till Winge.

"Hur är det ställt med din egen tro, Emil Winge?"

"Jag har hört sägas att gud är den form vi givit åt vad förnuftet inte kan förklara."

Svala ler ett resignerat leende, som om orden var blott alltför bekanta. De stannar vid grinden.

"Jag å min sida har hört sägas att om Gud inte funnits vore det nödvändigt att uppfinna honom."

Emil ger honom hans leende tillbaka.

"Vem är det nu som snärjer vem?"

9.

SKVALLRET GÅR. EN natt endast har Cardell måst vänta innan
det skrapar på dörren och en granne hälsar att en flicka frågar
efter honom nere på gatan.

Hon niger, gjord blyg på nytt av den tid som gått sedan sist
de språkat.

"Mickel, de säger att du legat för döden."

"En skråma. Jag är lat och sjåpig av naturen, gillar att ta igen
mig. Än du, Lotta?"

Hennes ansikte spricker upp i ett leende.

"Det är bara jag och mor nu. Hon sörjde lite, men friheten
klär henne, och gubben lämnade oss vad litet han hade. Jag
slipper nämna hans namn när jag ger mig tillkänna, och det är
gott. I vinter lägger jag undan korgen och börjar mjölka bortåt
Danto, i en varm lada med täta väggar."

"Det gläder mig."

En stund står de tysta, Cardell tacksam över att få dela hennes
lycka om blott för en minut.

"Lotta, sist vi sågs gav du mig några ord till varning för styv-
far din, må han vila i frid. Vet du något mer? Fanns där några
kumpaner du inte sett förut under hans sista dagar?"

"Det fanns en man jag inte kände igen. Jag hörde dem dricka
genom väggen om nätterna, språka som vore de gamla vänner.

Om jag bara kunde minnas hans namn. Jag hörde det aldrig väl ens då. Kort och utländskt var det."

"Hörde du vad de talade om?"

"Kriget, tror jag. Minnen."

"Drack Gry på samma ställen som förr, eller sökte han sig nya källor?"

"Han gick en del till Sista Styvern. Dit bort iddes han sällan traska förut."

Cardell ger henne sitt tack. Han vet att han borde invänta mer av sin styrka, men kammarens leda har blivit honom övermäktig. Promenaden bortom tull var utmattande, men tycks ha gjort honom gott trots allt, för anstränger han sig nog kan han gå utan hälta. Uppe på kammaren spänner han tränäven på plats, remmarnas grepp ovana kring den stump som fått ligga fri länge nu. Han grinar illa när han prövar dess tyngd i olika lägen. Skit samma. Nog ser han stark och farlig ut ännu, även om skenet bedrar.

Johan Kreutz har supit för mycket på sistone, om den saken påminns han var morgon då han tvingas tillbringa en timme på dass under alla helvetets kval innan hans sura mage låter sig övertalas till att släppa sin ynkliga last. Han gläds åt att brännvinet åtminstone sätts på krita, för ingenting smakar så gott som den skuld som skjuts på morgondagen, och skulle han bryta nacken i Stadsgårdens backar endera dagen vore allt gratis, en tröst så god som någon. Den läpp som spräckts av Cardells tränäve, må den kolna i helvetet, har påmint honom om hur uselt hans läkekött blivit med åldern. Gång på gång har såret varat, han har tvingats bryta loss sårskorpan för att komma åt att gno rent, och nu sitter han med ett ärr så fult att han måste beskåda sin förlorade skönhet var gång han ser sin bild i spegel eller spillda pölar. De slantar Bolin lovat honom för Cardells hädanfärd har glidit honom ur handen, och i deras ställe har han blodfläckarna efter Frans Gry, dräpt till ingen nytta. När han är full nog händer det sig att sinnesrörelsen svallar och att han rentav förmår pressa fram en tår över den döde, men var gång han nyktrar till känns det bättre, för en sådan som Gry gör sig väl lika bra död som levande.

Kreutz har hållit sig borta från Sista Styvern några veckor, för att låta vad spår han må ha lämnat kallna, men ingen tycks bry sig, och stick i stäv mot förnuftet känner han sig därav än mer förfördelad av tillvaron. Går hans väg genom världen andra förbi helt och hållet? Tvi satan. Det är sent; suddiga kroppar svajar på bänkar, själv har han väl frestat krögarfars tålamod tillräckligt, och det är tid att gå hem. Han för ölkruset till munnen och lutar sig bakåt, och när han sänker det igen slinker det ur handen och faller ner i golvets hö. Så snabbt hans omtöcknade kropp förmår följer han det under bordet och kurar där en stund, men till ingen nytta. När han öppnar ögonen på nytt står Cardell jämte honom, med ansiktet kluvet i ett brett flin.

”Är det inte styckjunkare Kreutz? Dig har jag inte sett sedan Fäderneslandet. Eller sågs vi i Lovisa också? Smärtan i armen kan ha grumlat mina minnen.”

Kreutz överväger sina möjligheter att förneka sitt namn, men ger slaget förlorat. Istället anlägger han en fundersam min och låtsas inte minnas Cardell.

”Carlander?”

Cardell ger ett storsint skratt.

”Cardell. Mickel Cardell. Jag stod ett kanondäck under dig vid Hogland. Sedan gick jag till Ingeborg. Och du på Torborg?”

"Styrbjörn."

"Praktiskt taget skeppskamrater."

Till Kreutzs fasa grenslar Cardell bänken och sätter sig bredvid, griper Kreutz om axeln med sin friska högerarm och kramar den som vore de gamla vänner med varandras liv i skuld. Och Cardell vinkar påfyllning, både av öl och av brännvin, just som Kreutz för första gången sedan i somras känner att han fått mer än nöden krävt. Han krusar och låtsas blygsam, men Cardell förefaller på strålande humör och vill älta kriget.

"Drick nu, bror, jag bjuder. Skål ta mig fan!"

Kreutz spelar med så gott han kan, medan fruktan mal som en kvarnsten i magen och kallsvetten strömmar utför hans stela rygg. Han är van att behandla varje sammanträffande med misstro, och oddsen ter sig särdeles höga att den man vars arm han rispat i blindo för blott veckor sedan sätter sig att supa jämte honom enkom för att jämföra upplevelser av det viborgska gatloppet. Samtidigt sållar han febrilt sina minnen av den man han flyktigt kände under kriget med den han språkar med nu. Någon förslagen karl var han aldrig, Cardell. Född till underbefäl, och aldrig till mer; duglig och plikttrogen inom sin snäva ram, men utan fantasi och intelligens. Kreutz minns heller inget av den list som grasserar också bland de meniga. Många var de som samlades var kväll bland kojar och i läger för att kasta tärning och vända nötta kort, lekar där båg och lögn var den framgångsrikes adelsmärke. I den kretsen såg han aldrig Cardell. En dumbom, kort sagt, prisgiven åt nöd och fattigdom. Inte kan en karl förändras så på blott några få år? Tanken ger honom förtröstan, och Kreutz rycker omsider på axlarna när brännvinet gör allting egalt: Vad kan han göra annat än att spela med och hoppas på det bästa? Snart skrattar de, mäter sina ärr, gungar på bänken som om Finska viken bredde ut sig under Sista Styverns gistna golvbrädor.

"Vilken fläskläpp du skaffat dig, du."

"Något hjon hade lämnat en kratta i mörkret. Och förresten ska du vara rätt man att tala."

Krögaren föser ut dem till slut, i kyliga natten. De blir kvar på gårdsplanen ytterligare en stund, innan Kreutz påbörjar det tal han förberett den senaste timmen, en blandning av tacksägelser och falska löften om snart återseende. Men Cardell slår armen om hans hals.

"Inte då. Hemmavid har jag både öl och brännvin och en ankarstock till vickning. Natten är ung, och ännu har du inte berättat för mig hur Riksens Ständer gick förlorad."

Fyllan till trots går det inte Kreutz obemärkt förbi att den riktning i vilken Cardell vill leda honom inte går åt Slussen och mot kammaren på Överskärargränd, utan upp på berget mot gyttret av kåkar och Katarina kyrkas spira.

"Är det långt att gå? Jag är stel i kroppen. Åldern tar ut sin rätt."

"Inte långt alls, och skulle du tuppa av kan du ligga kvar över natten. Jag har hyrt rum borta i Katarina i åratal nu. Där kan man sova gott om nätterna utan att störas av larmet i staden mellan broarna."

Kreutz kan inte hjälpa att möta hans blick för en kort stund, men vrider snabbt huvudet bort för att inte röja sina egna känslor. Lögnen är i dagen nu, och själv är han blott råttan i kattens lek. Hans enda hopp är att tvivel kvarstår och han kan ducka klorna genom att spela sin oskuld, hoppas att Cardell inte vet att han vet. Han sträcker på sig och ger ett godmodigt skratt.

"Led vägen då, bror, det ska fan tacka nej till en eftersläckning."

Medan de går berättar Kreutz om örlogsflottans drabbning vid Reval, där två linjeskepp gick förlorade, återger ord för ord vad han hört av en kamrat som sagt sig vara en av dem som stack Riksens Ständer i brand hellre än att ge upp henne till ryssen. Där minnet tryter skarvar han fritt, och Cardell leder honom genom grinden till Katarina kyrkogård. Men det är inte den genväg han förmodat mot deras okända mål. Cardell stannar honom och hyssjar. Vid deras fötter har dödgrävarna lämnat sitt hål öppet och spadarna stuckna i jordhögen bredvid. En stund står de båda stilla och tysta. Cardells röst är ren från sludder när han talar.

"Men Johan, du svettas ju som en hora i kyrkan."

"Vadan detta, Mickel? Varför dröjer vi? Hur blir det med brännvin och förplägnad?"

"Här är den bädd jag lovat dig. Och gubbarna har lämnat spade så att jag kan stoppa om dig ordentligt. Där ligger du trygg både inatt och därefter."

"Vad är detta för upptåg?"

Cardell håller någonting mellan tumme och pekfinger. Det glimmar som bärnsten i månljuset.

"Här är en framtand jag fann i mitt trapphus härom veckan, lika gulbrun som de andra du har. Ska vi se hur den passar gluggen i din överkäke?"

Kreutz läppar slår igen som en kyrkport kring hans urskuldande grin.

"Ge dig nu, Johan. Din hand har inte varit två tum från kniven sedan första steget vi tog från krogen. Ska du dra blankt så är det hög tid. Har du haft hyfs nog att tvätta eggen den här gången?

Sist gav du mig kramp. Jag lider fortfarande sviterna. Kanske rentav nog för att ge dig en ärlig chans."

Kreutz tittar ner på sin egen kropps svek. Hans högernäve greppar knivskaftet så att knogarna vitnar. Han drar bladet ur slidan med darrande hand, fläckigt av rost och röta, möter Cardells svarta blick och känner den skräck som lakar bort all kampvilja, släpper sedan kniven utom räckhåll, handflatorna i luften till kapitulation.

"Då så, Johan. Ett val till ska du få innan natten är förbi. Antingen kliver du ner i hålet och lägger dig på botten, så skottar jag igen och du får gå ur tiden med din värdighet till sällskap. Eller så ger du mig din uppdragsgivares namn och visar mig hans port nu inatt."

Kreutz hör ett främmande ljud medan han står som stelfrusen. Fyllan ruskar honom som stod han med svindel vid avgrundens rand. Han hör ett susande likt vinden i kyrkogårdens träd, fastän luften står alldeles still, kall som bleka döden. För en sekund föresvävar det honom att det är en viskning ur gravarna som manar honom välkommen i jorden att värma deras frusna knotor. Han känner hetta sprida sig utför benen, och fast han vet att han bara pissar i byxan är det en god känsla, en tröstande värme som kallar honom åter till livet i all dess smärta och njutning, för vart år mer av det förra och mindre av det senare men aldrig till ett pris högre än han vill betala, och låter honom veta att det val han givits inte är något val alls.

10.

HÖSTEN BJUDER DEM en morgon som frostat silver när Tycho Ceton leder flickan kvarteret ner till Skeppsbron där en droska väntar för att bära dem båda bort längs kajen, förbi slottet och över Strömmens broar. Han håller henne svept i en kappa av ull, noga med att hon inte ska frysa fast hon inte ger några tecken därpå.

Färden går över torget där operan och Sofia Albertinas palats speglar sig i varandra, viker av mot Klara kyrktorn för att slippa backen, och skumpar vidare längs Drottninggatans stenläggning mellan teglade hus. Ceton sitter bredvid flickan, håller sin ena arm om henne för att stötta den lealösa kroppen mot hjulaxlarnas krängningar.

"Det är dags att vi talas vid på allvar, du och jag. Ditt namn är Anna Stina Knapp. I fjol gavs dina tvillingbarn en fristad på Hornsbergets barnhus. Hornsberget var min skapelse, och inackorderingen skedde efter att jag träffat en överenskommelse med en Jean Michael Cardell. Jag vill minnas att dina barns namn var Maja och Karl. Båda brann inne, tillsammans med många andra, då Hornsberget lades i aska i höstas."

Ceton väntar. Flickan förråder ingen reaktion på hans ord, blicken loj i den höjd det vaggande huvudet lagt den.

"Vad du inte vet är att Cardell står till skuld för branden."

Ceton skymtar observatoriet på sin kulle, och vet att deras mål är nära.

"Det hela gick till som följer. En del av min välgörenhet bestod i att agera förmyndare åt en ung ädling kommen på obestånd, en Erik Tre Rosor. Erik led av en sinnesåkomma som gång efter annan försatte honom i raseri, och efteråt inte lämnade honom några minnen av vad han gjort. Hans unga brud föll offer för detta lyte under deras bröllopsnatt. Min tillgivenhet till Erik tillät mig inte att överlämna honom till rättskipningen. Min tanke var istället att om Erik bara fick bli frisk, skulle dråpets sanna gärningsman också vara hämnad. Men trots att jag betalat dyra pengar för den bästa behandling Danvikens hospital kunde uppbåda förvärrades hans tillstånd, och man såg ingen annan råd än att förflytta honom till dårhuset, för sin egen säkerhet och andras. Där odlades hans villfarelser. Cardell och hans medhjälpare, en Emil Winge, hade uppdragits av Eriks svärmor att rentvå svärsonens namn. Cardell fann för gott att förskjuta sina misstankar på mig. Varför? Det tog mig själv lång tid att begripa allting."

När vagnen stannat på gatan leder han henne ut, hjälper foten att finna sitt stöd och leder henne vidare in genom grinden i det plank som omgärdar Allmänna Barnhuset.

"Cardell korsade min väg under hans rannsakningar. Jag förevisade honom gladeligen Hornsberget, med rätta stolt över allt jag åstadkommit. Kort därefter sökte han upp mig på nytt, men nu i syfte att förmå mig att anta tvenne barn i min vård. Tvillingar; Maja och Karl var deras namn. I brist både på resurser och tilltro till min välvilja gick han rakt på hoten: gick jag honom till mötes skulle jag få gå oantastad fortsättningsvis, och annars skulle han göra allt i sin makt för att uppfinna bevis till min nackdel. Jag tog emot tvillingarna, bevekelsegrund oavsedd: dylika omsorger var ju husets själva syfte."

Med sin arm under hennes för han henne framåt. Deras underlag skiftar, från gatans leriga mylla till gårdens sopade stenläggning.

"Kort därefter stod huset i ljusan låga. Hornsberget brann ner till grunden. Få barn kunde rädda sig, ett hundratal brann inne, däribland dina egna. Mordbrännaren var Erik Tre Rosor, nyss flydd från dårhuset, vars bevakning förstärkts betänkligt sedan dess. Anledningen? Cardell hade försagt sig inför Tre Rosor, ljudligt dryftat sina misstankar om att jag av alla människor skulle ha regisserat hela tragedin för mina egna dunkla syften. Erik, i sin förvillelse, var snar att gripa efter varje halmstrå som lovade att ge honom hans oskuld åter."

I gårdsplanens sluttning mot vattnet står en brunn. En kvinna väntar där, med famnen full.

"Det är en hemsk värld vi kallar vårt hem, Anna Stina. Låt din nagel skrapa den goda gärningens yta och du ska finna att den blott pläterats tunt över annat gods. Du måste ha sett det förr, och vet det lika väl som jag."

Han gör halt utom hörhåll för kvinnan, håller Anna Stina om axlarna och försöker fånga hennes blick.

"Det var inget misstag som fick Cardell att bära mig falsk vittnesbörd inför Erik. Han gjorde det med berått mod. Säkert hade han, liksom Erik själv, hoppats att också jag skulle bli lågornas rov i mitt gästrum på Hornsberget, och strött min aska att dölja hans lögner för tid och evighet. Men ödet ville mig annorstädes den natten, och jag var heller inte det tilltänkta offret i första hand. Det var dina barns liv han åstundade. Maja och Karl ville han ur världen."

Rösten sänks ytterligare, den trasiga munnen nära örat nog att värma hennes öra med var utandning.

"I naturen ser vi det jämt, därom vittnar Linnés lärjungar. Björn och lejon slukar utan misskund de valpar som bär doft av en annans faderskap. Nog måste du veta att han åtrår dig? Nog måste han försökt stjäla en kyss någon gång? Han är för gammal för dig, och vet det själv, men kan någon förvända huvudet på en karl är det Cupido, vars pilar lossas med förbundna ögon. Han såg sig vid din sida, i en kammare någonstans där hans paltlön förslår, sak samma så länge den var stor nog för en säng åt er båda. Men i den framtid han önskar finns inget utrymme för barn du avlat med en annan, inga illbattingar att störa kättjan med skrik och gnäll. Maja och Karl stod i hans väg. När han kom till mig med sin propå drack han djupt av mitt vin, av bättre sort än han var van vid törs jag gissa, och det steg honom snabbt åt huvudet. Berusad försade han sig om sina förhoppningar: att du skulle låta dig övertalas om att överge dina små för gott när du såg vilka omsorger Hornsberget erbjöd. Men ack, snart blev han varse styrkan i en mors kärlek, och begrep att allt du ville var att lösa ut dina tvillingar så snart du hade medel. I samma stund var deras öde beseglat."

Han leder henne till brunnen. Gårdsplanen ligger tom. Från en osedd sal hörs spinnrockars kör, var och en knarrande, susande och dunkande i egen takt tills larmets summa blir en enda.

"Husmor! Jag ser att du har medfört allt vad jag bett om. Låt oss nu få gården för oss själva en stund, så kallar jag när vi är klara."

Kvinnan tvekar innan hon lämnar över sin börda i Cetons armar, men han smackar förebrående med tungan.

"Seså. Jag har själv förestått ett barnhus."

De är två spädbarn, inget av dem ett år fyllt, i varsin linda. Det ena sover, det andra visar en häpen min åt den främmande famnen. Ceton håller dem båda framför Anna Stina.

"Anna Stina, jag är ledsen för det som nu ska ske, men tiden lämnar mig ingen annan råd. Dessa är två namnlösa barn av den sort som lämnas hos Barnhuset varje vecka av flickor som kommit i olycka. Det står oss fritt att ge dem namn för stunden efter eget skön. Låt oss döpa pojken till Karl. Flickan till Maja."

Varsamt sätter han ner båda två i den spann som står jämte brunnen, rymlig nog och mer därtill. Nu vaknar också flickebarnet, och med barnets outgrundliga blick sonderar hon sin omgivning med jämnmod. Ceton vyssjar dem, och ännu nynnande lyfter han hinken över brunnens kant, samtidigt som han lägger handen om det rep som håller den över djupet i en talja. Hand över hand följer han repet några steg från brunnen, till den plats där Anna Stina står. Han skiftar sitt grepp för att ställa sig bakom hennes rygg, liksom i en omfamning, och flyttar omsorgsfullt hennes slappa händer till repet, hjälper till att fläta fingrarna kring grov hampa.

"Är du beredd, Anna Stina? Snart släpper jag, och greppet är bara ditt. Kom åter till världen."

De står tillsammans tysta en stund, och deras andetag följer en och samma rytm. Pojken ger ett gurglande pip i klagan över virkets hårdhet och den värme han berövats, den lilla flickan har slutit ögonen igen, sövd av spannens vagga. Så släpper Ceton sitt tag.

11.

WINGE VIDGAR ETT dörrpar med gångjärn spända på fjädrar, och när de slår igen bakom honom räcker den lykta han fått till låns av vaktmästaren inte längre till. Han blev varnad; fast dagen inte är långt gången finns här inga gluggar att ge ljuset tillträde, och rummet är för stort för att bjuda hans lågas sken något fäste. I blindo stapplar han framåt över parterren, bland tomma ståplatser där skranken märker ut den tariff som erlagts. Sakta vänjer sig hans ögon. Bladguldet blixtrar i mörkret från festonger och girlanger uppe längs fonderna. Skuggor stora som hus kretsar kring honom, skuggan från den mångarmade ljuskronan en spindel som klättrar över takmålningen. Platsens overklighet slår honom, en stor rymd avskild från allt världsligt, inte olikt ett kyrkorum men helgad åt en gudom av annan sort, rest för att husera bländverk och låtsat manér. Utanför ligger staden alldeles nära, men tjocka murar kväver allt ljud och tystnaden härskar oinskränkt.

Scenens sockel möter honom som en svart skans, en han måste följa ut till flanken innan han finner en trappstege att ge honom tillträde. Här uppe är tomheten än mer påtaglig. Ser han utåt markeras scenens gränser av ridåns halvor bundna med tvinnat guld, däremellan blott en avgrund i avsaknad av publikens blickar. Han ryser. Fasa av en särskild sort lägrar sig på övergivna platser där livet brukar myllra. Han tyglar sin blick och koncentrerar sig på sin uppgift, sänker lyktan mot den plats som förefaller honom vara den mest lovande: scenens själva mittpunkt, och ja, där. En fläck, suddig och fejad nästintill ett minne blott, men ändå möjlig att urskilja för den som söker, stor och mörk över tiljorna. Han går ner på ett knä för att med nageln rispa en mörk flaga ur träets ådring. Han fuktar sin handflata med läpparna och lägger sitt fynd där, gnuggar det med tummen för att locka det åter till sin ursprungliga form. Lyktans sken är gult och gör färgerna svåra att urskilja, men han tvivlar inte på att dagsljuset som väntar honom utanför kommer att visa en blodsdroppes rodnad. Han gungar lyktan och söker runt om, och mellan brädorna glimmar det till svar. Regnbågens färger snärjda bland stickor och kvisthål. Skärvor av en spegel, förskansade dit ingen borstes ax kunnat nå.

12.

SOM EN ORM i flykt susar repet genom Anna Stinas händer och lämnar en brännande sveda i handflata och fingrar. Blott ett ögonblick. Så stannar det och ligger fast, och spannens tyngd rycker till i armar och axlar, tvingar henne framåt i stapplande steg innan hon förmår luta sig bakåt i rörelse av en sort som en gång var naturlig, men nu tycks främmande. Muskler som legat i träda i månader prövas, och ansträngningen tar andan ur henne. Nästan genast börjar hon skaka, känner den obönhörliga tyngden i repets andra ände sträva nedåt. Styrkan rinner bort ur domnande fingrar, hennes knän skakar och hälarna krasar när de söker fäste i gruset.

”Var det inte det jag visste, Anna Stina. Välkommen till de levandes krets.”

Cetons röst är låg, och än värre, alltför avlägsen. Han har backat undan, står för många steg bort för att hinna skynda till hennes hjälp om greppet skulle lossna. Hon söker efter orden, formar tunga och läppar kring det ovana.

”Hjälp mig.”

”Så gärna. Men inte förrän du visar mig att du är här för att stanna, och inte kommer att fly åter till din skuggvärld så snart en väg står öppen. Du måste vilja, Anna Stina, annars är ingenting värt något. Dra hinken ur brunnen, så får du min hjälp.”

Ur hålet stiger barnens klagan, med en underlig klang av teglade väggars eko. Anna Stina hör sig själv svara på samma språk, skälvande snyftningar slitna ur bröstet. Hon försöker få sin kropp att lyda, men förgäves. En gång hade hon firat spannen ur brunn med hand över hand så lätt som ingenting, om än den varit bräddfull med vatten, men nu sitter nävarna låsta om repet i rädsla för att slinta. Tiden är mot henne, redan lirkas kraften bort sekund för sekund. Ett strilande duggregn har börjat falla över dem. Hon söker en lösning, och fastän paniken gör tanken trög kommer den till henne. Hon flyttar en fot, så nästa, om igen, och vrider kroppen runt. Repet följer efter, lindar sig om hennes midja, och för varje saktfärdig piruett hon gör blir tyngden stadigare, det etter som fräter i fingrarna mildare. Ett steg i sänder rör hon sig närmare brunnens murade rundel. Spannen möter henne där, och så är Ceton bredvid henne, lyfter den till kantens säkerhet och vidare ner på marken. Lättnaden tar hennes sista krafter, och benen viker sig. Hon känner regnet sticka på huden, känner sina lånade kläder hänga blöta och tunga, och i dess fjät kommer sorgen och smärtan. Hon slår händerna för ansiktet utan att kunna stoppa tårarna. Ceton står oberörd i regnet intill henne, nu med barnen i sin famn, skyddade under den rock han hängt över sina axlar.

»De små fryser och är hungriga, och det är hög tid att de kommer åter under tak där det finns välling och vagga. Vill du bära dem in till husmor?»

Hon nickar, och när hon kommit på fötter hjälper han henne, flyttar först flickan och sedan pojken. Anna Stina minns, minns hur bördan av ett barn inte liknar någon annan, hur de finner sin plats, hur varma små kroppar formas för att passa intill hennes, hur lätta de är i all sin tyngd. Hon ser på deras svullna ansikten, och i skillnaden dem emellan kommer minnet av hennes egna barn tillbaka, bitterljuvt, små ting som hon trott för alltid förlorade: skrattgropar, uppnäsa, en rynka där pannan veckas. Dessa är inte Maja och Karl, blott främlingar under lånta namn. Hon går med svårighet, ett steg i sänder. Ceton jäktar henne inte, förblir tyst och håller sig steget framför, öppnar dörren med en varnande gest åt tröskelns höjd.

13.

EMIL WINGE HAR knappt kommit över Cardells tröskel förrän palten vinkar åt honom att vända om.

"Vi går ner och får oss något till livs. Magen min mullrar som kungens salut."

Winge döljer sin förvåning illa.

"Jag trodde inte du skulle vara på benen på veckor ännu."

Cardell gör en grimas när han sträcker ut rygg och nacke.

"Räkna inte med mig i slagsmål, men gott läkekött har jag alltid haft. Det är inte alltid lätt att säga om det är till ynnest eller syndastraff."

De följs åt trappan ner och ut i gränden. Cardell ställer sig för en stund och vädrar i båda riktningar innan han nickar uppåt backen.

"Lången i Gåsgränd har nackat en höna, tror jag. Jag kan känna kitteln bubbla."

Skänkrummet är som så många andra av stadens krogar: en vrå med plats för fem, det dubbla om fyllan tillåter. Det är tidigt ännu, och här är bara den gänglige värden själv krökt över sin spis, med munnen öppen för att meddela sina gäster att han inte öppnat, tills han känner igen Cardell.

"Jaså, du. Nå, sätt dig. Grytan är inte klar på ett tag, men vill du ha bröd kan jag ge dig gårdagens limpa till rabatt."

Cardell knackar det hårda brödet mot bordets kant och får eko som av trä mot trä.

"Gårdagens, säger du. Var det stenmjöl i degen? Förväntar du dig att jag ska mala i mig denna utan något att doppa i och betala dig för mödan? Råttor skulle bli tandlösa för mindre."

Värden rycker surmulet på axlarna.

"Ge mig vad den är värd, då."

Cardell låter en skilling rulla över bordsskivan.

"Här är för grytan. Två skålar, och öl och vatten och brödet på köpet."

Lången fångar myntet i näven med ofelbara reflexer, bugar sig med ett grin och retirerar åter till sin spis, där han långsamt och med okuvligt tålamod skalar rovor ur en korg, nyper knivens egg mot tummen i spiral längs knölarnas omkrets. Cardell fyller själv ett stop ur öltunnan, dricker tills det fräter i strupen och ställer ner det med en smäll.

"Anselm Bolin."

"Vem?"

"Det är namnet på karln som betalat för att få mig nedstucken av hyrda busar i min egen kammare. Han gjorde misstaget att söka tjänsten av Johan Kreutz, en gammal tjuvhund jag minns från kriget. Man ville få mordet att se ut som gammalt groll mellan skeppskamrater. Igår fick jag fatt i Kreutz, och det behövdes inte mycket för att få honom att sjunga som en koltrast och därpå leda mig till Bolins dörr."

"Var?"

"Glaucus, med port åt Gaffelgränd."

Winge tvekar en stund innan han svarar.

"Jag vill inte förringa din upptäckt, men var det så klokt, Jean Michael? I ditt tillstånd?"

Cardell ger honom en kylig blick.

"Att jag varit sjuk gör dig inte till min dadda för tid och evighet. Jag är en vuxen karl, förmögen att fatta mina egna beslut efter eget omdöme."

Emil är först att titta bort.

"Jag å min sida har varit hos de vantroende i Kungsträdgården. Det var till dem Ceton sökte sig efter att vi satt giller vid hans lya. Jag känner de dödas namn. Albrecht och Wilhelm hade oturen att korsa Cetons väg och röja sina svagheter. De mönstrades för huvudrollerna i Cetons försök att återvinna Eumenidernas gunst."

"Och Bolin?"

"Cetons mecenat ur de välvilligas led, gissar jag. Har vi tur hyser han Ceton ännu, bakom den port du funnit."

"Så?"

"Jag måste gå till Blom och förhöra mig om poliskammarens resurser. Till skeppsbroadelns domäner ges inte tillträde hur som helst, det skulle bli skandal. Var och varannan lär ha källaren staplad till bjälkarna med otullat gods, och skulle polisbetjänter tränga sig på oanmält kommer varenda handelsman att göra gemensam sak tills de får Ullholms huvud på ett fat i försoningsgåva. Börs trumfar börd, mer och mer för varje år, och inte ens Reuterholm själv törs blunda för deras inflytande. Först måste vi belägga Cetons vistelse. Sedan tar vi honom. På ett sätt eller annat."

Cardell nickar kort, sträcker på nacken för att försöka göra sig en bild av hur länge deras värd tänker vänta med grytan. Han dricker stopet i botten.

"Får jag fråga dig en sak, Emil?"

"För all del."

"Vad har du för otalt med bror din, egentligen?"

"Vi valde olika vägar. Vår far hade säregna tankar om hur ett barn skulle fostras. Cecil fann ett sätt att spela fars spel på sina egna villkor, och det kom att tjäna honom väl, tills soten tog honom. Jag valde att sätta mig på tvären, och för det fick jag lida mycket ont och till föga belöning. Nu finner jag mig i en position där jag måste tänka som Cecil, och var gång jag gör det är det hans röst jag hör. Mina slutledningar, min logik, mitt förnuft: det är som om det är han som viskar orden i mitt öra."

Cardell skjuter stopet ifrån sig, och betraktar Emil tankfullt en stund.

"Det är mer än så, inte sant? En gång förut såg du honom på gatan, så död han var. Ser du honom än?"

"Du känner min sjukdom sedan förut. Den är bättre, men frisk är jag inte."

"Hur ofta?"

"Vad spelar det för roll? Jag vet lika väl som du att griftens tröskel korsas i en enda riktning. Det är ingen gast som hemsöker mig, blott en chimär, och en som tjänar till att göra minnet av honom än bittrare. När detta är över och jag inte längre behöver den expertis jag tillskriver honom kommer han att lämna mig i fred."

"Du har träffat avtal med din vanföreställning?"

Emil vänder sig bort hellre än att svara, och Cardell lutar sig bakåt på sin bänk, två rörelser som bryter förtroendet dem emellan som ett snöre spänt till bristning.

"Nå, jag ska väl vara din dadda lika lite som jag vill att du ska vara min. Det är bara det att jag fostrades intill en skog som vidskepelsen fyllt med oknytt, och det tycks mig att hela min vittra bildning bestod av amsagor där den som knyter pakt med sådant ingen människa förstår går ett oblitt öde tillmötes. Mer kan jag knappast tillföra. Men det är en annan sak också."

"Nå?"

Cardell spänner ögonen i Winge, vaksam på om ansiktets svar kommer att likna det läpparna ger.

"Petter Pettersson."

Winge rycker på axlarna.

"Spinnhusvaktmästaren?"

Cardell trummar med fingrarna en stund på bordsskivan medan Lången bär in två djupa tallrikar.

"Glöm att jag sade något."

14.

I KAMMAREN VID Skeppsbron finns choklad, rykande ur en kittel ställd på värmning i kakelugnens nisch. Anna Stina ger den en blick, ovan vid att intrycken görs sällskap av tankar. Hon låter sig visas till den fåtölj som dragits närmare värmens radie, och Tycho Ceton mitt emot. Hon värmer ömma fingrar på sin kopp, för den då och då till munnen. Drycken bränner, och kakaons bett är starkt nog att tåra hennes ögon.

"Låt oss då tala i ömsesidigt förtroende, Anna Stina. Först en fråga för att stilla min nyfikenhet. Fanns du därinne hela tiden? Har du minnen av det år som gått?"

Hon nickar sitt ja.

"Jag fanns där, fastän fjärran. Det fanns bara ingenting jag såg som jag brydde mig om, ingenting tycktes värt en ansats."

"Var du på Kungsholmen när Hornsberget brann?"

Språket kommer långsamt, låter sig bara motvilligt återerövras, fullt av stamningar och tvekan.

"Jag var på Långholmen när klockorna började slå. Branden lyste upp himlen. Det var som om jag visste redan då, som om det ringdes bara för Maja och Karl. Jag sprang. Jag var inte framme förrän härden låg i aska."

"Och sedan?"

"Jag satt där länge. Män kom för att släcka. Ingen tog någon notis. Något enstaka äldre barn hade överlevt, om än illa svett och med brustna ben efter språng från tak eller fönster. Omsider gick jag därifrån, tillbaka mot staden, tills jag började tänka på varför. Varje steg långsammare än det förra. Ju mer jag tänkte, desto färre svar fann jag. Till slut klev jag av stigen, gick tills vattnet spärrade min väg, satte mig ner och blev sittande. Hopplösheten blev en förlamande famn. Några fiskarbarn kom för att fråga hur det var fatt, men lämnade mig i fred när jag inte svarade. Jag minns att jag undrade hur länge jag behövde sitta innan hungern skulle ta mig, eller kölden, och fann att jag inte brydde mig om det heller."

"Gossen fann dig, han som tog dig till min tröskel?"

"Ja. Han ville inte låta mig vara. Vi hade mötts en gång förr, på Allmänna Barnhuset då jag gick för att lämna Maja och Karl. Jag visste inte vad han ville, men det spelade mig heller ingen roll. Jag hade inte längre vilja att säga emot. Han gav mig bröd att äta, blötte det i vatten och tvingade in det mellan mina läppar. När det var enklare att svälja än att låta bli gjorde jag det, annars inte."

"Hyser du agg, då, mot oss som hjälpt?"

"Hur skulle jag kunna göra annat? Allt jag ville var att bli lämnad i fred, länge nog för döden att komma med sin nåd och låta mig kyssa liens egg innan slaget föll. Han kommer objuden till många. Var det så mycket begärt att ge mig förtur?"

"Du har hört min sanning. Den som bär skulden till dina barns död går ännu fri och ledig. Bryr du dig inte om det heller, nu när du vet? Finns ingen vrede att hålla hopplösheten sällskap?"

Hon sitter tyst en stund, söker lågorna som knastrar ur ugnens öppna luckor.

"Det är vad allt detta handlar om, inte sant? Du vill att jag dräper Cardell. Jag som kan komma honom närmre än andra. Inte för min skull, utan för dina egna syften."

"Säg snarare att våra syften löper bredvid varandra. Jag byggde ett hus till skydd för hundra barn. Han brände det, en svart fläck i Kungsholmens gräs allt som märker deras grav. Jag var deras enda försvar, och stod mig slätt när de behövde mig som mest. Palten vill gärna fästa skulden vid mig ännu, för att han måste. Utan mig som niding, hur skulle han annars kunna låtsas vara oskyldig?"

Han böjer huvudet, reser det åter med en fråga.

"Hade jag rätt i min gissning? Har han gjort dig närmanden förut?"

Hon minns en eld i skogen, en blodig skärva, andan i halsen, en förnekad ansats.

"En gång försökte han kyssa mig."

"Du ville inte?"

"Nej."

Ceton suckar, skakar på huvudet.

"Man säger att mördade barn inte får ro förrän deras död hämnats. De vandrar frusna mellan världar och tänder små ljus att lysa upp platsen för brottet i hopp om rättvisa. Två är dina, de andra nittioåtta tillhör mig. Så är inte detta vad vi båda vill? Göra det jämnt som fått stå udda alltför länge? I så fall hjälper jag dig. Cardell är utom räckhåll för min del. Ingen makt återstår mig, jag lever själv av andras välvilja. Men för dig öppnar han sin port. Dig släpper han inpå livet."

Han gör en paus, en gest åt dörren.

"Vill du inte kan jag inte tvinga dig, och du är fri att gå när du behagar. Kan jag göra något annat för dig så fråga, fast jag inte kan lova mycket."

Hon blundar och söker inombords efter ett svar. Ur mörkret stiger det.

"Jo. Det är vad jag vill också."

"Jag ska ge dig en kniv som är vass. Jag ska visa dig var han bor. När du är stark nog."

15.

UTE PÅ SALTSJÖN står molnen staplade höga, stilla mot ljusgrå fond. Winge passerar Stortorget och tränger sig in bland gränderna bakom Grills hus, i Cepheus gytter, med en blick åt Storkyrkans klocktorn för att konstatera att han är i god tid till sitt möte med Isak Blom. Ändå går han med rappa steg, ivrig att få svar på sin förfrågan om uppvaktningen av huset vid kvarteret Glaucus. Han ser den väntande skepnaden på avstånd. Först när han kommer närmare ser han att det är en annan än den han väntat. Mannen står tungt stödd på en käpp, vackert klädd utan överdåd, kinderna märkta av koppor. Han lyfter sin hatt till hälsning och blottar en flint beströdd med några envisa hårtestar.

"Bolin är mitt namn, Anselm Bolin."

"Emil Winge."

Bolin visar på en grovt hyvlad bräda lagd över två bockar till bänk, mot en vägg där höstsolen spiller in över taken.

"Kan vi slå oss ner? Min gikt plågar mig, och aldrig så mycket som när den vill berätta det vi alla redan vet: att vintern snart är över oss."

"För all del."

Bolin sätter sig tungt, lägger sitt onda ben tillrätta med händernas hjälp och suckar tacksamt över avlastningen.

"Det har kommit till min uppmärksamhet att du söker poliskammarens mandat för att bevaka min bostad. Det vore en olycklig utveckling, en jag väljer att försöka föregripa genom detta informella samtal oss emellan."

"Din uppmärksamhet är betjänt av goda kontakter."

"Jag har alltid vinnlagt mig om att vara mina vänners vän. Otacksam vore jag om jag inte lämnade deras namn därhän. Nå, mina källor säger mig vidare att du blivit en uppskattad figur på kammaren ända sedan du dök upp i fjol höstas, rekommenderad blott av din bemärkte brors minne. Man säger mig att du har en framtid där, en som vore synd att försaka både för din egen skull och för alla de missdådare som lär gå fria om värvet överlåts åt mindre dugligt folk."

Winge anar fortsättningen, och låter den komma utan att avbryta.

"Leva och låta leva har alltid varit min lärosats, och det är högst ogärna jag agerar i en sådan öppenhet som nu, men jag ser ingen bättre råd. Om du vidhåller din uppvaktning av mig och av den verksamhet jag är satt att företräda ger du mig inget annat val än att använda allt mitt inflytande för att beröva dig poliskammarens stöd. Långt hellre skulle jag föredra att vi möttes här, i detta vägskäl, liksom främlingar på motsatt kurs som språkar en stund under vår korta rast innan vi betygar varandra ömsesidig aktning och går vidare i varsin riktning, ut i vida världen där oddsen är höga att vi någonsin råkas igen."

"Du hotar mig?"

"Nej, inte ännu. Jag hyser hopp om att få slippa."

Winge nickar, tar tankfullt fram sin kritpipa och börjar stoppa den full. Han ursäktar sig för en stund, sticker in huvudet genom ett fönster där det luktar nybakat, och kommer tillbaka med pipan tänd.

"Vill herr Bolin berätta lite om sig själv? Om inte för att göra samtalet mer gemytligt så för att låta mig mura stabilare grund under mitt val?"

"Blott en enkel tjänsteman, på min ålders höst. En gång var jag en ung man med ambitioner. Jag anslöt mig till de välvilligas sällskap av äventyrslusta, och föll uppåt genom graderna. Jag sitter som sekreterare sedan några år, av inget annat skäl än att jag är medioker nog till min framtoning att göra valet lätt för alla parter. Jag för protokoll vid inre kretsens möten och senare vid röstning. Jag gör vad jag kan för att så endräkt bland bröderna, om än tidvis med viss möda, för det är en enveten skara till vilken starkare viljor än min gärna dras."

"Och Tycho Ceton?"

"Det vore ett misstag att döma oss alla efter Tychos exempel. Hade det varit upp till mig ensam hade han aldrig vunnit tillträde. Han må vara slug nog att dupera de enfaldiga, men att han hittade två bröder godtrogna nog att stå honom fadder fyller mig med misströstan. Gjort är emellertid gjort. Han är vår, som ett vanartigt barn som ingen lärt se skillnad på potta och jardinjär, och vi kan inte göra annat än att ta det ansvar som nu tillfaller oss."

"Eumeniderna har inte alltid visat honom sin välvilja."

"Det namnet har börjat spela ut sin roll. Vi skiftar med ojämna mellanrum."

"Vad blir det istället?"

"Vi lär väl rösta omsider. Jag hör att Backanterna ligger bra till."

Bolin sänker rösten, lutar sig närmare.

"Oavsett namn är det så sant som det är sagt. Tycho föll i onåd. Men han gavs chansen att återupprätta sitt förtroende, och resultatet har väl blivit ett mellanting. Världen vore enklare om Tycho stod fri att bli dig till villebråd, men tillräckligt många av bröderna ser ett värde i honom, och så är det förstås själva principen. Därmed sitter jag här nu."

"Herrnhutistgossarnas uppträde på Makalös föll således i god jord."

Bolin ler och höjer på ögonbrynen, mimar en nätt ovation.

"Det var minsann raskt marscherat, Emil Winge. Jag märker att din förmåga inte överdrivits. Den respekt du vinner gör mig inte mindre mån om att vi når samförstånd. Nå, spektaklet var kontroversiellt, det ska sägas. Inte i allas smak. För subtilt för vissa, för andra alltför vulgärt. Men många nog såg fördelar för att tippa vågskålen i Tychos riktning, för stunden. Det är onda tider, Winge, för riket och folket, och tristessen är stor. I överflödsförordningens tidevarv är förströelsen en bristvara. Jag dristar mig till att gissa att till och med Tychos belackare inte kan låta bli att undra vad han hittar på härnäst. Nå, den tid jag har går mot sitt slut. Hur står vi?"

"Har du inte hotat mig ännu är det hög tid nu."

Bolin suckar, reser sig tungt och tar några enbenta hopp innan hans onda ben kommer i rätt läge.

"Winge, du är en ung man ännu. Du är inte oäven att konversera, särskilt som det tycks mig vara allt mer sällan jag möter någon som kan hantera en tvetydighet med finess, allra minst någon ur din generation, glesa som kriget gjort era led. Men nu till klarspråk: Du begriper väl att jag står här och ödmjukar mig åtminstone delvis för att hindra dig från att spilla ditt liv i förtid? Jag vill ogärna bära del i den skulden, du kan rimligtvis leva ett långt liv i välmåga. Ändå slår du in på ofarbar väg. Den leder inte mot en seger som låter sig vinnas. Lyss till goda råd och du blir lämnad i fred, du och din enhänte livdrabant. Annars inte."

"Du underskattar Jean Michael. Det misstaget har blivit mångens sista."

"Den varningen hade jag varit bättre betjänt av i somras. Men jag bedyrar att jag inte har för vana att göra samma misstag två gånger."

"Farväl då, herr Bolin. Omsider går jag till Slottsbacken för att syna era kort."

16.

CARDELL SLÅR UPP sina ögon, och genom rutans glugg ser han efterbörden av årets första frostnatt. Taken ligger vita i morgonens stilla luft, gnistrar i ljuset från soluppgången. Han är varmblodig av naturen, får upp värmen när han drar på sig jacka och rock, strumpor och stövlar, och ger sig av nedåt trappan. Ute är luften sval och frisk. Han anar ett skifte i lynnet hos alla dem som börjat sin arbetsdag till denna prakt. Det är dåliga nyheter per definition. Den vinter som komma skall gör sig påmind, grym och nådlös, dess väg årligen kantad av stelfrusna fyllon som frosten kvävt i den rännsten där de somnat och den port de sökt skydd i. Kylan ska svida i skinnet och krypa ända in i märgen, tills blotta tanken på att någonsin bli varm igen ter sig fåfäng. Själva ljuset ska vika dag för dag, arbetsdagen förkortas därefter, den fattige skumögd i härdens glöd och krum över fyrstickans låga. Men vacker är den också, denna vita död, och för några timmar glittrar staden mellan broarna som hade hon klätt sig till högtid i skrud av vitaste silke, tiara av diamant. Cardell går backen upp, under Storkyrkans torn och ut förbi slottets fasad, till Indebetouska husets port som hålls gläntad åt morgonens tillströmmande bemanning. I hallen står en korg torra bröd, gårdagens ugnsskörd avlämnad av någon bagare som rundat sitt straff på informella vägar. Med väl inövad fräckhet tar Cardell en skorpa, bryter den i tu och stoppar munnen full. En polisbetjänt med dagbricka skickar honom en frågande min, och Cardell ger honom sitt lösen.

"Förlåt?"

Han tuggar och sväljer, gör ett bättre försök.

"Isak Blom."

"Inte här ännu. Sekreteraren brukar släntra in omsider. Hittar du till hans kammare kan du ta en stol och vänta vid dörren."

Cardell tar ett steg närmare och sänker rösten.

"Finns kaffe? Och börja nu inte citera överflödsförordningen för mig. Ert arbete är hårt och krävande, och hur ni ska orka springa rättvisans ärenden dagarna i ända utan att få smörja era axlar begriper jag inte. Med allt vad ni konfiskerar måste det stå en kopparpanna på sjudning någonstans."

Betjänten ger ärendet några ögonblicks betänketid innan han knycker på huvudet åt en trappa nedåt.

"Följ lukten. Hälsa från Josefsson så får du vad du behöver, och det med kask."

Cardell lägger en tacksam hand på mannens skuldra.

"Denna världen må vara en skamlös gödselstack, men jag hoppas innerligt att en rättmätig belöning väntar dig i nästa."

Styrkt och med humöret avsevärt bättre väntar Cardell utanför Bloms kammare, med tränäven lossad över axeln och högerhanden lindad om stumpen för värmens skull. Han går av och an medan han väntar. Husets stenar bär nattens köld, och de magra trän man fått att mata kakelugnarna med hjälper föga till. Han fångar Blom med blicken så fort den trinde sekreteraren rundar hörnet, och Blom stannar på fläcken med förvåning och oro i ansiktet. Cardell håller upp sin enda handflata i fredshälsning.

"Seså, Blom, för en gångs skull har jag inte kommit för att vara dig till besvär."

Inne på kammaren slår sig Blom ner och gnider sin panna.

"Blom, jag kommer till dig som supplikant."

Sekreteraren hejdar Cardell med en gest.

"Nej, Cardell, låt mig tala först. Det finns ingenting jag kan göra. För mig är saken redan långt utom räckhåll."

"Blom ..."

"Jag förstår din besvikelse, men Ullholm själv har sagt sitt, och så länge han förblir på sin post är vädret ogjort. Där lär han förbli länge, då han tycks besitta varje kvalitet som herrarna på slottet skattar högst."

"Vad talar du om?"

Blom tvekar i sin ansats, rynkar på näsan i förvirring.

"Än du då? Vad talar du om?"

"Jag kom för att be dig om hjälp, oförtjänt som jag må vara därav. Det gäller Petter Pettersson, fram till nyligen vaktmästare på Långholmens spinnhus. En av två, om jag kan min paltkår rätt."

Blom lossar sina glasögonbågar och gnuggar förvirringen ur ögonen med en suck.

"Jag känner till Pettersson. Han fick en smäll på fingrarna härom året för att han i sin nit bragt ett morgontrött spinnhushjon om livet med karbas, och det säger väl en del om postens begärlighet att han återinsattes utan vidare åtgärd. Och?"

"Pettersson gick ur tiden i slutet av sommaren, efter att ha belönats andrapris i handgemäng med någon dristig våldsverkare som kan få förbli namnlös vad mig anbelangar."

Cardell böjer sig framåt över skrivbordets skiva, medan Blom lutar sig bakåt på sin stol, mån om avståndet dem emellan.

"Pettersson var en oxe till karl. Han gjorde sig inte rättvisa. Jag vill veta om några särskilda omständigheter förelåg före den kväll då han blev ihjälslagen."

"Du går ju vid vakten själv, om än endast till namnet. Säkert finns folk du kan fråga direkt?"

"Blom överskattar min popularitet, är jag rädd. I paltarnas led är jag i regel sedd som en skolkare, en egenkär fähund som håller sig för god för ett skitgöra han hellre lämnar åt andra. Jag sitter inte bra till att klandra dem för sina missuppfattningar."

Blom funderar i tystnad, och Cardell sätter sig åter tillrätta på stolen för att ge sekreteraren mer luft.

"Det ska gudarna veta att jag redan står djupt i din skuld, och har givit dig föga skäl till välvilja. Låt den vetskapen vittna om ärendets värde. Jag ber dig ödmjukast, rare Isak, med honung och melass."

"Låt gå. Se det som ditt avgångsvederlag."

"Förlåt?"

"Emil. Jag förstår att du inte hört, och jag beklagar att behöva bära tråkigt bud. Han har råkat i onåd. Man har rivit hans fullmakt. På kammaren är han *persona non grata* från och med igår, vad myndighet han en gång haft till låns reducerad till intet. Detsamma, antar jag, gäller dig."

17.

EN KNACKNING PÅ Winges dörr röner föga lön, men när Cardell prövar handtaget glider den upp av sig själv på gnälliga gångjärn, att blotta glädjelösa stenmurar och skumrask. Winge sitter på sin bädd, och stirrar på det som står på bordet under fönstergluggen i sådant antal att de torra brädorna sviktar. Buteljer. Cardell korsar golvet och lyfter en, gläntar på korken för att lukta. En snabb blick omkring honom ger vid handen att den han håller är den första som öppnats, och att inga tomglas spritts över golvet.

"Fina varor, Emil, och mycket av dem. Bästa sorten rentav."

Winge nickar frånvarande, ännu utan en blick åt sin gäst. Cardell drar fram en av kammarens två stolar för att sätta sig mellan Winge och hans skatt. Han hör själv hur vreden ger klang åt hans röst, fast han gör vad han kan för att behärska sig.

"Så du finner dig i trångmål, och detta är bästa lösningen inom räckhåll? Nog minns jag än hur det slutade sist. Jag fick gnugga spyorna från ditt bara skinn, hålla dig stilla så gott det gick när du skakade illa nog att göra dig skada. Jag säger igen vad jag sade då, om du har glömt: Tar du den vägen än en gång finns ingen återvändo."

Deras ögon möts för första gången, och Emil skakar på huvudet.

"Du missuppfattar, Jean Michael. Flaskorna är inte mina. Vad mig anbelangar är de inte ens flaskor i första hand."

"Vad är de då?"

"De är ett budskap. Jag fann dem här, alldeles som de står nu."

"Vem ifrån?"

"Anselm Bolin. Innebörden kunde inte vara tydligare. Han säger mig att han vet var jag finns, att han kan vinna tillträde närhelst han önskar, och att han känner mina svagheter bättre än jag kunde tro honom om. Jag tvivlar inte på att det är en nåd också, om än av grym sort. Han varnade mig när vi språkade, och hans varning slog in när jag prövade honom. Ändå erbjuds jag storsint ännu en väg att väja undan haveri: allt jag behöver göra är att dricka med samma lust som jag en gång gjorde, och så är hans problem glömda, och mina likaså."

"Hur länge har du suttit där?"

"Jag vet inte. Vad är klockan nu? Sedan jag kom åter från poliskammaren. Det måste ha varit igår."

"Du överväger inte att dricka?"

Emil sväljer och stryker en hand över sina mungipor.

"Tanken har föresvävat mig."

"Slå den ur hågen. Någon annan råd måste väl finnas."

Winge ger honom en hålögd blick ur rödsprängda ögon.

"Vilken, Jean Michael? Berätta för mig. Jag trodde mig ha poliskammarens mandat, men icke. Inget av det arbete jag gjort räknas till vår fördel. Inga resurser har vi kvar till vårt förfogande, ingen som kan hjälpa oss. Blotta ansatsen att göra något är inte längre en kamp i lagens namn, bara egenmäktighet. Vi har reducerats till banditer, fridstörare."

Cardell är på benen, knuffad i rörelse av en frustration för stor att betvinga. Han stegar golvets bredd av och an, gestikulerar med sin friska arm liksom för att mana fram ord som gång på gång stockar sig i strupen. Till slut förblir han stilla, fräser ut vad han vill ha sagt.

"Det är inte min lott att tänka. Åt var och en sitt. Har jag bett dig prygla sjömän för att tvinga ur dem upplysningar, kanske, du med dina hundra skålpund och lemmar som fyrstickor? Jag har gjort mitt. Gör nu ditt."

Winge ruskar sitt huvud.

"Jag kan inte. Jag har vänt ut och in på allt. Jag finner ingen lösning."

"Då har du väl inte tänkt färdigt."

Cardell river sitt hår, känner smärtan var gång hans naglar rakar ärren efter bränd hud. Han vänder sig, famlar efter dörrens klyka. Ynkedomen i Emils avskedsbön retar honom bara.

"Jean Michael? Vill du inte ta med dig buteljerna härifrån?"

"Varför, Emil? Hela staden svämmar över av brännvin. Det är dig till frestelse i varje port. Vill du inte dricka, låt bli. Valet är ditt eget, nu som alltid."

Cardell är redan halvvägs ut, tvekar en stund med ena foten över tröskeln innan han vänder sig om en sista gång.

"Har du inte vett att själv finna en lösning, så fråga bror din."

18.

ANNA STINA KNAPP betraktar den kammare som är hennes. Stor, fylld av allt hon kan behöva. En korridor leder hit, och resten av all aktivitet som sker i huset hör hon på avstånd, steg i golvbrädor ovanför, fjärran läten från kök och byk, dämpade röster på avstånd utan diskant, för grötiga för att tolkas. Dörren är inte låst. Man har gjort klart för henne att hon varken är fånge här eller bunden av skuld, när som helst fri att öppna, ta vänster i korridoren, korsa köket och kliva trappan ut på gården och vidare ut i staden mellan broarna. Hennes värd döljer ingenting för henne, svarar henne när hon frågar, gör sina avsikter tydliga och hjälper henne att förstå dem fullt ut. Tycho Ceton har bestämt sig för att sanningen är hans bundsförvant, och att hennes egen villiga medverkan är en förutsättning för allt som sker. Och varför skulle hon gå? Här finns allting, inte i övermått men likväl en rikedom bortom fantasin jämfört med året som gått. Man serverar henne tre måltider om dagen, var morgon bärs ett ämbar hett vatten in jämte nya linnedukar för tvätt och för torkning, en skärva tvål på en tallrik. Endast långsamt har hennes lekamen vant sig vid fast föda i sådan mängd. Först protesterade den, stötte bort allt den fick, tvingade henne på knä över nattkärlet med kramper i buken. Likväl kämpade hon, och tvingade den till underkastelse. Hennes kropp återfår sina former. Spretande revben döljs under allt friskare hull, ben och armar så tunna att skinnet som hängt fylls ut, kinderna hittar sin forna rondör. Toalettbordet har en spegel, och framför den sitter hon ofta. För var dag som går ser hon allt mindre av den utsvultna gatflickan, främlingen med den tomma blicken, och allt mer av sig själv. Var dag som går föryngrar henne. Det är som om tiden vänt sitt flöde i motsatt riktning. Om kvällarna äter de tillsammans, återupptar ett och samma samtal. Han frågar om det liv som varit hennes, och hon berättar, förvånad hur liv gjuts i alla dem som hon förlorat längs sin väg. Mor Maja, Lisa Ensam, hennes olyckssyster Johanna från Långholmens spinnhus.

Om nätterna drömmer hon om sina barn, om Maja och om Karl. Deras brända hud har svalnat till en kolnad skorpa. Nu fryser de. De bär varsitt ljus, men lågorna ger ingen värme. Törsten och hungern blir allt värre för var dag som går. Lemmarna tunna som kvistar. Maktlöst stapplar de av och an på ovana ben i den aska som ännu märker jorden där Hornsberget brann. Runt dem är världen tom och mörk, de levande anas bara som skuggor i fjärran, ogripbara, spöken här i spökenas värld. Ordlöst skriker Maja och Karl, med hesa röster som knappt bär över den kalla vind som river bland sot och svedda grästovor. Hon vet vad de säger. Mor, var är du? Mor, varför har du lämnat oss här? Anna Stina vaknar kallsvettig omslingrad av våta lakan, med en förtvivlan som ingenstans annars har att söka tröst utom i vreden. Bara i dess dundrande närhet kan hennes sorg överröstas. Hon skräms av sina tankar, men måste lyssna ändå. Cardell. Hur han lutar sin nacke för kyssen. Hennes barns död en dold glimt i liderlig blick.

Ceton kommer till henne om eftermiddagarna, alltid lyhörd

för hennes önskningar. Han tycks veta med sig vad hennes lynne bäst behöver för stunden: att lyssna, att tala, att sitta tyst i kravlös gemenskap. Utanför fönstret är det grått. Det är hösten som lakar färgen ur allt. Tunga droppar smattrar mot rutorna i ilskna krevader när vinden från sjön pryglar staden. Tidvis blandas regnet med blöta snöflingor, smältande i snigelspår nedför fönstrens glas. I ett av kammarens hörn står en egen kakelugn. Man bränner ett fång ved om morgonen och ett om kvällen, nog för den mönstrade rundeln att sprida sin värme dagen lång.

En morgon känner hon en ömhet över barmen, värk i lederna, ett tryck över pannan. Så lång tid har gått, och hon undrar om det verkligen är månadsblödningen som återkommit, eller blott frossa av den sort som smyger sig på när årets varma månader sviker. Dagen därpå börjar hon blöda, stilla och snålt. Det är första gången på månader. Hon måste be om lindor, snabbt förskaffade utan ifrågasättande. Några dagar senare är den över, och hon räknar ytterligare några, om och om igen för att vara säker, och när Ceton kommer till henne om eftermiddagen ger hon honom det besked hon vet att han helst av allt vill höra.

"Nu är jag klar att gå. Låt mig se din kniv."

19.

STADEN MELLAN BROARNA har sin egen röst i sorlet från massan, och de månader som Emil Winge tillbringat här har lärt honom att tyda dess mening. Han har hört vårens löften ljuda genom årets första varma nätter, söndagsmässornas avmätta tal, avrättningsdagens upprymda förväntan. Denna morgon indignation, vrede, förvåning och skadeglädje i rop och höjda röster, raska fötter mot gatstenen på väg att varsko dem som undgått nyheten i hemmets helgd. Natten har inte skänkt honom någon ro. Han har legat vaken och hört staden väckas likt en myrstack under en gosses kvist. Redan innan han hunnit dra knäbyxornas linning över skjortan vet han att någonting har hänt, någonting av vikt, och han skyndar ut och nedför trappan, ut i den kyla som så många valt att trotsa. Första boklådan han ser bär vittnesmål om att tryckerierna delat hans vaka. Stadens tidningar är redan på sin andra upplaga, hastigt tryckta blad fulla av hastens slarvfel. Han har slantar nog att köpa både en och två, skummar en tredje över axeln på en rödmosig herre som ger honom en resignerad blick. De är många som knuffas i skocken, och bland kropparnas trängsel finns en han känner väl, en som viskar i hans öra med en dunst av kyla och gravstoft.

Cecil säger det här är din chans. Cecil säger det här förändrar allt.

20.

NÅGOT ÄR I görningen; Slottsbacken är full med folk. Cardell hör röster från de många smärre grupper som samlats. En del förefaller upprörda, andra har sänkt sina röster till viskningar. Vid Indebetouska huset har man satt vakt vid dörren, några stadiga polisbetjänter som med invant uttråkad min nonchalerar de frågvisa. Cardell har föga möjlighet att tränga sig genom de församlades led, och bedömer sina chanser smala att vinna tillträde enbart med hjälp av munlädret; männen vid porten är av ett utseende som kännetecknar dem som gjort karriär på att varken lyssna eller förstå. Tveksamt väntar han. Han ser få släppas igenom, alltför få, och rundar huset. Snart finner han bakdörren, också den befäst, men avsevärt mindre uppvaktad. Med en inskyndande gevaldiger skickar han bud efter Blom, och snart kikar sekreteraren ut genom dörrspringan, med hatten redan på huvudet och rocken sin över armen.

"Cardell kommer lägligt. Jag flyr fältet. Led väg mot friheten."

En av de krogar som serverar varm choklad i hopp om att göra sig en slant på de stängda kaffehusen låter dem trängas vid ett rangligt slagbord. Cardell hävdar sin rätt med vassa armbågar och hotfull uppsyn tills de har ett hörn för sig själva.

"Vad är det som händer?"

Blom ger Cardell en förbluffad min.

"Vet du inte? Du måste vara den siste i staden. Läser du inte tidningar? Har du inga vänner?"

Cardell sträcker sig efter ett av bladen och kisar över paragraferna.

"Sist jag läste tidningen trättes diktare om sina versmått. Folk i gemen håller jag för ett jävla pack, och det tycks oftast ömsesidigt."

Stick i stäv med vad han just sagt lutar sig Blom närmare och sänker rösten som om det vore en hemlighet han delade.

"Inatt lades bakhåll för hertigen själv. En skara lönnmördare hade förskansat sig utanför själva Drottningholm, bland trädgårdens buskar, med laddat vapen. Skottet hördes ända in i salongerna."

"Är hertig Karl skjuten?"

Blom skakar på huvudet.

"Nej, nej. De sammansvurna tog miste. Hertigen är ju amorös av naturen, och det händer att han tar sig genvägar i parken på väg mot sen tête-à-tête, men denna gång hade han tur. Man öppnade eld mot en nattvandrande drabantkorpral, till kropp och hållning tillräckligt lik hertigen för att misstas på avstånd efter mörkrets inbrott. De sköt bom på honom också, men ett präktigt hål i rocken hade han att visa upp efter kulan när han löpte till slottet för att väcka larm. Man har sökt skytten och hans två kumpaner utan framgång natten lång, och jakten pågår än."

"Vem sköt?"

"Gustavianerna, tvekløst. Armfelts tillskyndare må ha gått under jorden, men de finns där än. De vill se unge prinsen ta sin

fars fallna mantel, och med hertigen ur vägen skulle förmyndar-
regimen falla samman som ett korthus i kuling."

"Jaha. Så ingenting har egentligen hänt. Situationen är oför-
ändrad. Mycket väsen för ingenting."

"Så sant som det är sagt. Men de politiska konsekvenser-
na, Cardell, lär bli långtgående. Sådan aggression är just vad
Reuterholm behöver för att trappa upp sina förföljelser av alla
han är oense med. Han är inte sen att måla ut skottet som en
hämnd för att Extra Posten dragits in för gott, ett dåd av dem
som är redo att spilla blod för att få sprida vad smörja de vill
utan censur. Uppe i slottet och på Indebetouska springer alla
som yra höns i hopp om att utmärka sig för nit och lojalitet,
trots att sammansvärjningen förblir anonym och inte mycket
av värde finns att göra. Därav min reträtt."

Cardell harklar sig och söker efter de rätta orden, men tvingas
som oftast nöja sig med första bästa.

"Jag sökte ju förstås herr sekreteraren i ett annat ärende."

Blom hajar till och lyser upp.

"Just det. Förlåt mig. Mysteriet med den slagblyge spinnhus-
vaktmästaren."

"Nå?"

"Jag har gjort mina förfrågningar. Hans kollega Hybinette,
som delade Petterssons tjänstekammare, hade en hel del att säga
i ämnet, och det för ett pris betingande endast några stop öl. Jag
kan bekräfta dina misstankar. Det förelåg i högsta grad speciella
omständigheter den kvällen."

Blom gör en konstpaus för dramatikens skull, och Cardell
försöker göra sekreteraren till lags genom att strama sina svedda
anletsdrag till någonting liknande andlös förväntan.

"Petter Pettersson entledigades samma förmiddag. Inspektor Krook själv gav honom beskedet, och några möjligheter att överklaga förelåg inte. Karln fick gå på dagen, och det efter många år i tjänst."

"Det var som fan."

"Hybinette, inte sen att se om sitt eget hus, höll för gott att informera sig om händelseförloppet. Krook fick officiellt besök på morgonkvisten, av en som kunde visa papper på sin myndighet, och som sade sig utreda diverse påstådda missförhållanden på spinnhuset, dit många välgörares blickar riktats i dessa onda tider när andra etablissemang för medborgarnas karaktärsdaning gått ur tiden. Det skulle röra återkommande godtyckliga bestraffningar av spinnhushjon, av få andra skäl än att vaktmästare Pettersson föreföll finna njutning däri. Krook lät sig övertalas om att följa med till själva huset för att bese dess missförhållanden, och det bar sig så väl att Pettersson som bäst börjat måla brunnen röd, och det med en stake som frestade byxans sömmar långt ner på låret. Förfrågningar bland manskapet gjorde gällande att flickan, som var ny i huset och inte kände dess seder, till enda förseelse frågat huruvida det gick an att få en extra skorpa till frukost. Krooken besåg sjukstugan därnäst, och fann där en fullgod förklaring till husets usla garnkvot. Resten begriper du själv. Petter Pettersson sågs aldrig mer nykter vid liv, och föreföll, för att låna Hybinettes träffande ord, inte längre ha något att leva för. Således kom envigen väl till pass, och vem som än slog honom ihjäl gjorde honom säkerligen den tjänst han helst önskat sig."

Cardell knådar sina ögonlock med högerhandens fingrar. I blundens mörker flimrar allsköns irrbloss.

"Och Krooks gäst?"

När Cardell knackar på Winges dörr får han inget svar, och denna gång förblir den stängd. Han kikar genom nyckelhålet, vaggar huvudet av och an för att få bästa vy över rummet. Buteljerna står kvar på sitt bord i prydliga rader, med orörda korkar och damm på glaset. Resten tomt.

Emil väntar honom istället i hans egen kammare, på Överskärargränd, där den sönderslagna dörren bjuder fritt tillträde till var och en som känner sig manad. Han sitter med knäet fullt av dagstidningars vikta ark.

"Jag har gjort det du ville. Jag har funnit en lösning."

21.

SOM EN SPÅKÄRRING med sin kortlek lägger Emil tidningarnas blad på bordet framför Cardell. Var och en har valt tryckpressens största typer för att bläcka sina överskrifter. Nyheten är enkelt sammanfattad, resten fyllt av spekulationer skrivna i hast under natten som gått. Flera av upplagorna har tryckts extra, en ny för varje bit färsk information som uppdagats, varje förment insatt källa som kunnat förmås till kommentar. Cardell gör en otålig gest över patiensen.

"Jag antar att det är det bommade lönnmordet på hertigen du har på hjärtat."

Emil Winge nickar.

"Ja. Jag har vittjat varje boklåda efter tidningar. Det finns mycket som är oklart med det som skett. Jag tycker mig ana att allt inte är vad det ser ut att vara."

"Vad menar du?"

"Den äldsta av krigslister är att framstå som den förorättade parten, och på så sätt kunna anfalla med kavalleri beridet på rättfärdighetens höga hästar. Kanske är detta ett skådespel iscensatt. De gustavianer Reuterholm hatar så tycks bida sin tid. På detta vis skulle baronen kunna visa att de ännu utgör en fara. Den beskjutne drabanten är själv enda vittne. Poängen är att det inte spelar någon roll. Reuterholm har poliskammaren i ledband. De slutsatser kommer att dras som gynnar regimen mest. Inte heller för oss spelar det någon roll."

"Just sådan var min tanke. Högdjuren får beskjuta varandra bäst de vill vad mig anbelangar. Ändå anar jag att du kom med annan uppsåt än att locka mig att teckna prenumerationer."

"Jag ska berätta, omsider. För tillfället räcker det att du vet att jag funnit en lösning på våra problem. Två ting felas för att göra den möjlig."

"Nå?"

"Flickan, Anna Stina Knapp, hon du så länge har sökt. Vi behöver henne."

"Och den andra?"

Winge vänder sig bort, söker ljuset som faller in, kisar mot det. "Jag behöver vederlägga det kategoriska imperativet."

"Vad?"

"Jean Michael, jag har betänkligheter. Jag vet inte om den lösning jag funnit går att rättfärdiga."

"Driver du med mig?"

Winge skakar på huvudet, munnen hopknipen till ett trotsigt streck.

"Ska allt vi gjort till slut falla platt över ditt ömma samvete? Svor vi inte ett löfte, du och jag, för den seger som står att vinna, inget pris för högt?"

"Jag sade betänkligheter. Ordet antyder att jag behöver lite tid att tänka. Det är en sak jag måste göra, en jag länge skjutit på framtiden."

Cardell traskar av och an över golvet innan han till slut förblir stående, lutad mot sin friska arm med ansiktet mot väggen. Han behärskar sin tunga andhämtning, gör en ansträngning för att återvinna det lugn han sånär förlorat. Med en suck vänder han sig åter mot Emil, och förvånas själv över mildheten i sin röst.

"Nåväl, Emil. Gör då det du ska och låt mig veta hur det blir sedan."

Winge samlar sina tidningar från bordet, viker dem till en bunt och stoppar dem i sin rockficka på väg ut. Vid tröskeln tvekar han.

"Du tar det med större jämnmod än jag vågat hoppas."

"Vad du kommer fram till spelar väl föga roll ändå. I ett år har jag sökt henne utan att det burit frukt. Det finns ingenting som får mig att tro att saken plötsligt skulle gå mig väl nu."

22.

DE LINDAR SOM en gång kantade malmgårdarnas parker har fällt sina löv över Ladugårdslandet. Vinden är lynnig, Katthavet ligger svullet och trögt efter rötmånadens sjudning och dess dunster kan kännas bara ibland, och mildare än annars. Emil Winge passerar Hedvig Eleonora kyrka och församlingens fattighus. Här trängs brädkåkarna kvarter för kvarter, illa rustade för den vinter som kommer. Barnen leker tafatt bland knutarna, med blånande läppar och röda knän, ivriga att hålla sig i rörelse till värn mot kylan. Längre bort glesnar bebyggelsen, spärrad av tegar med odlad jord och hagar där kreatur kurar flank mot flank. Gatornas mönster blir svårare att följa, och deras namn kan han inte. Han måste fråga sig fram med det enda namn han känner, väljer att spörja de äldre i hopp om längre minne. Så slussas han fram genom vägskäl av gester med skiftande säkerhet.

Torpet han söker ligger avsides, bakom en mur, i skydd bakom ett dignande äppelträd. En stege står rest upp i dess krona, och högst upp balanserar en man som knäppt upp sin jacka för svalkans skull. Han tar stöd mot grenarna för att nå röda frukter, och en i sänder släpper han dem ner åt en kvinna som skrattande fångar dem i sitt förkläde och lägger dem i sin korg. Mannen säger någonting som Winge inte hör, och kvinnan skrattar igen. Hon är vacker. Inte ung längre, men åren har varit henne nådiga, och vad ålderstecken som finns bär hon till prydnad: gropar där kinden veckats av leenden, ett nät av begynnande rynkor kring ögonen. Mannen ter sig några år yngre, stilig i sin lediga klädsel och slank i kroppen, med välansade mustascher och frisk hy. Emil står en stund och betraktar dem där muren öppnar sig för grinden, tills kvinnan får syn på honom och tappar det äpple hon nyss fångat. Uppifrån kronan kommer ett förvånat utrop från mannen då nästa frukt träffar marken och rullar undan i gräset. Stegen knakar besvärat åt mannens klättring, medan kvinnan rör sig närmare i stapplande steg, blek som snö.

"Cecil?"

Emil skakar på huvudet.

"Emil. Hans bror."

Grinden skiljer dem åt när mannen hinner fram och ställer sig emellan, kinderna blossande av vetskapen att något är fel och att den objudne gästen står till skuld. Hans röst är barsk, med brösttoner vana att ge order och se dem åtlydas.

"Vad vill du här?"

Hans hustru lägger en hand på hans arm.

"Johan, vill du göra mig en tjänst och lämna oss ensamma för en stund?"

Hans min förbyts i förvåning, och i villråd ser han från den ena till den andra.

"Emil är min svåger."

Mannen öppnar sin mun för att säga någonting, men stänger den igen. Han tar den hand hon lagt på hans arm, för den till sina läppar och kysser den, kliver åt sidan för att öppna grinden och släppa sig själv ut och Emil in med en avmätt nick och ett talande öga, ger sina avskedsord lika mycket för Emils skull som för hennes.

"Jag finns alldeles nära om du behöver mig, Emma. Du behöver bara ropa."

Han knäpper sin jacka om livet, demonstrativt sakta börjar han gå längs muren medan han tar ett bett av det äpple han senast plockat.

Emil och Emma blir stående en stund utan att någon kommer sig för att säga det första ordet. Ett barns skri inifrån huset kommer dem till räddning.

"Han börjar vakna. Kom med mig in."

Torpets rödstrukna korsvirke är stadigt och tätt, varje stock noga drevad med lin. Här finns bara två rum, ett med spis och det andra med säng. Barnet ligger i sin vagga, och när Emma ser att det är vaket och betraktar henne med stora blå ögon lyfter hon upp det i sin famn och sätter sig på en stol. Hon bjuder Emil en likadan.

"Erik blir två år i december. Vi försöker vänja honom av vid bröstet, men när Johan inte är här brukar jag skämma bort honom i smyg."

Gossen har upptäckt den främmande, och medan Emma makar sin sjal kring sig för att skyla barmen tittar han förvånat på Emil, som i sin tur söker efter kända drag i det knubbiga ansiktet.

"Är han ..."

"Cecils? Jag känner din blick. Ofta har jag den själv. Men något svar har jag aldrig funnit den vägen. Vi har valt att låta honom höra till den fader som finns till hands, jag och Johan."

Hon makar barnet tillrätta under sjalen. Generad vänder Emil sig bort vid de smackande ljuden, en inkräktare där han inte hör hemma, och själen till föga tröst. Hon tar först ingen notis, men snart känner han en snarlik blick treva över hans eget ansikte.

"Du är så lik honom."

"Många säger så."

"Då förstår du kanske vilka sår du river upp med ditt besök. Varför har du kommit?"

Emil skruvar på sig, med ens osäker på de ord han så noga förberett på sin väg.

"Talade han någonsin om mig?"

"Ja, Emil. Han talade ofta om dig."

"I så fall vet du hur ofta jag var honom till besvär. Inte ens nu när han är borta kan jag sluta. Jag har kommit av egna skäl."

"Så varför?"

"Vi hade olika sätt att se på saker, jag och Cecil. Nu är det för sent att försonas. Det närmaste jag kan komma är att försöka förstå de val han gjorde på sin levnads afton, och att se vart de lett."

Han famlar efter de rätta orden, förgäves, och en lång stund låter hon honom sitta ohjälpt.

"Du talar om mig och Johan."

Han nickar, röd om kinden, utan att våga se henne i ögonen.

"Jag ser att du känner omständigheterna redan. Inte många kan skryta med den kunskapen."

"Cecil anförtrodde sig åt en vän, som i sin tur berättat det för mig. Jag har inte fört det vidare."

Hon sträcker på sig, liksom trotsig i sin ärlighet.

"Då vet du att Cecil själv valde mig en älskare. Han måste sökt länge innan han fann Johan, och tillbringade mycket tid i hans sällskap för att försäkra sig om att han var den rätte. Jag tänker ofta på hur det måste ha känts. Nå, allt gick som han avsett, ända tills detta stora lass välte på en för tidigt uppslagen sovrumsdörrs lilla tuva, och Cecil själv föll i den grop han grävt oss så varsamt. Han lämnade mig och Johan ensamma med skulden, med inga andra att klandra än oss själva."

Hon flyttar barnet till sitt andra bröst.

"Som allt Cecil tog sig för gjorde han det väl. Skammen borde frätt sönder oss. Johan hade satt horn i pannan på sin döende vän, och ville helst av allt söka tjänst i främmande armé där fiendens salvor kunde få döma över hans öde. Mina kval var inte mindre. Det tog mig tid att förlika mig med Cecils avsikt, och att få Johan att förstå att vi bäst hedrar hans minne genom att älska varandra och förlåta oss vår otrohet."

"Är ni lyckliga tillsammans?"

Hon nickar.

"Ja. Hur annars kan vi berättiga Cecils offer? Vi sörjde båda hans död. I fjol gifte vi oss. Barnet var fött allaredan, men prästen förstod hur det var fatt, och gjorde oss en välgärning genom att skriva honom under Johans namn. Kriget är slut, och med det alla möjligheter till befordran. Vi lär få dras med hans skrala korpralslön länge än, men när fattigdomen står mig upp i halsen är det mig en tröst att min make får gå hel och oskjuten. Sanningen är att vi har nog. Inte till överflöd, men ändå. Huset är litet, men räcker åt oss tre, och kommer fler gör vi plats. Vi har bröd och mjölk, kött till helgen ibland och äpplen ur trädet. Om sommaren skiner solen, om vintern har vi ved, när veden är slut har vi varandra. Cecil gav oss allt detta. Vad bitterhet jag ännu känner läker jag med tacksamhet."

Emil förblir stilla på stolen en stund, som för att lägga varje ord på minnet. Barnet är mätt, rapar förnöjt och jollrar åt vaggans gång medan Emma knäpper skjortan.

"Var det vad du kom för att höra, Emil?"

"Ja. Ja, det var det. Tack så mycket."

Hon följer honom till dörren, och alldeles när han ska till att kliva över tröskeln tar hon honom i armen. Förvånad vänder han sig, och känner hennes hand på sin kind. En stund står de så, innan hon sluter sina ögon och lutar sig framåt för att kyssa de läppar han vet inte är hans.

"Tack för att du kom."

Utom synhåll måste han söka stöd av en gärdesgård, försöka samla tankar som dansar i kaos. Som en drucken vacklar han åstad, tar ingen notis när han råkar korpralen på sin väg bort. Orden han lystrat till går som ett sus i hans huvud, hörda meningar kastas kring, marken ostadig. Några barn tar honom för en suput och sluter upp i parad kring hans vingliga väg, skrattande och ropande, tills avståndet och hans ointresse driver dem annorstädes. Emil märker dem inte. Han vet inte vart han går, vilse utan att bry sig, okänslig för eftermiddagens tilltagande kyla. Himmel och jord gungar, det blixtrar för ögonen, tårar kommer och skratt, om varandra ur inbördes stormbyar.

23.

CARDELL TRASKAR SIN tröstlösa runda med rutinen som ledstjärna. Vad annars finns att göra? Det är länge sedan staden mellan broarna fick slut på nya vägar att erbjuda honom, och varje ansikte han möter tycks han sett förut och avfärdat. Tiggarna flockas åter till staden efter sommarens räfst, för årets sista hopp står till dessa dagar. Redan dräper frosten om natten. Snart ska också dagarnas köld bli för hård för att tillåta fredad sittplats i staden. Nöden blir allas, och gåvorna snöps. Mörkret kommer allt snabbare, några få snåla timmar gråljus mellan sen morgon och tidig kväll. Ovanför honom vilar molntäcket på skorstenars kolonner. Världen själv låg i tak.

Han är långsam i steget, musklerna ännu tröga och stela, smärtsamma i sin sträckning, och i skuggiga valv och mörklagda prång är det bara gamla lagrar och uppenbart armod som fredar honom undan tjuvarnas tull. Stegen tar honom stadsholmen runt, från sjö till sjö, från saltsjökaj till mälarhamn, mellan kungaslott och avträden. Ingenting har han för mödan. Emils kammare är tom och låst. Hans egen lika öde. Han får sig en bit bröd på vägen upp, och öl att dricka ur lånad kanna, halsar snabbt för att lindra hungern. Uppe i skrubben är det kallt, och han kan inte göra annat än att rätta till de trasor som någon driftigare gäst lämnat för att täta fönstergliporna, svepa rocken bättre om livet och vänta på att hans egen kropp ska värma kammaren. Han sitter upprätt i sin fållbänk, lyssnar till kyrkornas klockor som räknar ner timme och kvart tills dagen är slut och tornvakten tar över med hesa rop. Han dåsar i omgångar, väcks av kramper i nacke och rygg, somnar igen. Ur slumrens gränsmarker manar han fram den inre staden och fortsätter att vandra dess sten. Men bara i drömmen väntar Anna Stina, och han finner henne, med triumf och bävan i lika delar.

Han väcks av knarrande gångjärn, blinkar i dunklet. Han är inte ensam. Tvivel på ögats vittnesbörd får honom att gnugga sitt ansikte, men vrångbilden består. Det är hon, alldeles stilla innanför tröskeln, som om dess nötta stock satt gräns mot drömmen själv. Panik kramar hans bröst och kväver varje möjligt ord. Allt han kan göra är att sitta still och fortsätta se, rädd att varje oförvägen rörelse ska jaga denna mara på flykten. Inte heller hon rör sig. Blank yta fångar en stråle från fönstret, och han ser dolken hon håller i sin hand. Han finner sin röst, om än så grötig att den knappt vill bära.

"Jag har sökt dig länge, Anna. Många vilsna dagar och nätter. Var har du varit?"

"Borta."

Han flyttar sig framåt till fållbänkens kant för att se henne bättre. Hon tycks hel och ren, blek men frisk, och han gläds för henne, vad som än komma skall, förblir tyst och ger henne den tid hon behöver för att börja.

"Mina barn är döda. Man säger att skulden är din."

Avgrunden öppnar sig under honom, och han känner yrseln i mellangärdet när han faller, faller.

"Man ljuger inte."

Han reser sig från sin plats och går henne till mötes. Hon reser sitt vapen framför sig.

"Kommer du för att lösa in det jag är skyldig ska jag inte neka dig det, Anna. Skulden väger tungt. Allt vad jag har är ditt till betalning. Jag önskar bara att det vore mer, tillräckligt för att köpa dig något av värde."

Med möda hukar han sig, ställer sig på knä framför henne. Sakta höjer han sin friska hand och lägger den på hennes handrygg där den flätas om knivens skaft. Han för den närmare tills udden når hans hals, i gropen över bröstkorgen där skinnet tycks spänt över tomrum.

"Här. Stöt här, så kan du vara säker, och det går fort. Du behöver inte mycket kraft. Jag har sett det förut. Men det kommer mycket blod, Anna, så kliv snart åt sidan om du inte vill ha det över dig."

Bara med en viljeansträngning förmår han släppa hennes hand. Varm i mörkret. Lika svårt är det att sluta ögonen. Han gör det ändå, inte för sin skull utan för hennes, och tänker att det han fått är mer än han begärt. Förgången tid gör sig påmind. Han vet inte om han säger orden högt eller bara tänker dem.

"Det här har alltid varit vi. Du och jag, och en vass egg mellan oss. Tredje gången gillt."

Helvetet kommer honom till mötes ur djupet, en glöd på fjärran botten, ivrigt att slutföra det värv som Hornsbergsbranden påbörjat. Han hör ett ljud långt bortifrån, klangen av dess portar slagna på vid gavel i väntan på hans ankomst. Men när han öppnar ögonen ser han kniven fallen till golvet, och Anna Stina på stolen. Han tar sig för halsen, såret där så litet att en borttorkad droppe gör det om intet. Utan att veta varför känner han en harm. Han var redo, men nu förvägrad, levande och oförlåten. Han känner på nytt svedan i den skuld som skulle betalas, men som består att samla än högre ränta.

"Var det inte för detta du kom?"

"Jag kom för att bekräfta vad jag aldrig borde tvivlat på."

"Vad?"

"Att det är skillnad på att göra gott för egna syften och att göra illa med bästa uppsåt. Du dräpte inte mina barn med flit."

"Nej. Av dumhet. Några förlupna ord, sagda i vrede inför öron jag trodde döva. I Erik Tre Rosors hand satte jag det vapen han behövde för att hämnas."

Skammen över att höra hans förbrytelse klädd i ord får honom att tystna. Ett fåfängt hopp öppnar hans läppar igen, men rädslan bakom frågan är än större.

"Ska du förlåta mig nu när du låtit mig leva?"

"Det har jag inte sagt."

"Så vad nu?"

Med sin hand stryker hon hans hjässas brända hud, lätt som en nattfjärils vinge. Han kan känna hennes rysning genom fingrarnas toppar, dess eko i hans eget kött.

"Jag vet inte säkert vart döden tar oss. Maja och Karl fick så lite tid. I mina drömmar ser jag en skuggvärld där själar som nekats livet irrar kring. Kanske finns en sådan plats. Kanske föddes de därifrån. I min livmoder gavs de människohamn, om än bara för några korta månader. Nu är de tillbaka varifrån de först kom. Kanske väntar de på att kallas tillbaka. Om nätterna hör jag dem ropa efter sin mor på vad språk de har. Jag vill ha dem åter hos mig. Om inte båda, så en åtminstone."

Långt borta ropas slaget två, och som så ofta i vintertid är det som om himlen blygs den vaknes blick och törs visa sig bara om natten. Nu glider molntussar isär för stjärnorna.

"Du känner min historia, Mickel. Män har aldrig gjort mig annat än illa. Ni har förstört mig, och aldrig kommer jag se på er med nöje eller njuta av det ni har att ge. Men nu behöver jag en. Och jag har bara dig."

Mållös skakar Cardell på huvudet.

"Se mig i ögonen och säg att detta inte är vad du länge velat."

"Inte så här, Anna. Aldrig så här."

"Elias berättade allt för mig, allt han lärt sig av att tjuvlyssna vid jungfruburen. Nattfjärilarna räknar dagarna noga, vet att hålla sig lediga de kvällar där risken är störst att deras värv ska bära frukt. Jag har gjort tvärtom. Den tiden är här nu, för mig. Du nämnde själv din skuld. Jag är här för att lösa in den."

Hon bär en skjorta hon knäpper av sig med möda, hennes nakenhet sparsamt tecknad av stjärnors ljus.

"Blir det lättare för dig om jag låtsas tycka om det?"

De låtsas båda.

24.

WINGE KNACKAR PÅ Cardells brustna kammardörr i tidig morgonstund, solen ännu inte uppstigen och dess strålar bara tillräckliga att etsa horisonten. Han hör omaket från dess andra sida, och Cardells steg då han lufsar över golvet. En glipa visar till hälften hans brända ansikte och svullna ögon. Han öppnar inte mer än så.

"Gå ner och vänta mig på gatan, Emil. Jag kommer så snart jag pudrat klart peruken."

Överskärargränd ligger i skugga, och den enda av kvarterets lyktor som hängt tänd under natten har förbrukat sin sista olje-droppe och osar av slocknad veke. Frosten klär kullerstenen i päls, över rutorna i gränden klättrar rimfrostens vita spets. Winge stampar på stället för att behålla värmen, tills porten smäller till och Cardell kliver trappan ner och ut i rännstenen. Ingen av dem föreslår någon riktning, men deras fötter strävar mot ljuset, åt Skeppsbron till, där master och tåg snart silar morgonsolen över dem.

"Hur är det fatt, Jean Michael?"

"Jag vill inte prata om det."

Cardell förblir tyst en stund, pekar med sin tränäve mot en rephärva med plats åt dem båda.

"Än du då, Emil? Hur har din natt förfarit? Jag var förbi din kammare igår afton, och där fanns ingen. Vad som än hänt tycks ha gjort dig gott, men var har du varit?"

"Jag kan inte säga säkert. Gått staden runt, tror jag. Var exakt gör varken till eller från. Jag behövde tid att tänka."

"Hela natten? I denna kyla?"

"Ja."

"Och var det värt besväret?"

"Ja, Jean Michael. Allt står klart nu."

"Vad gör?"

"Att jag varit en dåre i hela mitt liv, en narr som fäktats mot skuggor. Jag gick till min svägerska igår. Där hade min bror lämnat mig belägg för teser jag förkastat så länge jag kan minnas. Samtidigt vet jag att jag har rätt, Jean Michael. Så hur fläta samman motsatta principer, där den enes rätt måste betyda den andres fel?"

Cardell rycker på axlarna med pannan rynkad. Emil blundar och söker solen med sitt ansikte, dess glödande skiva i maklig flykt mot molnens betäckning.

"Vi haltar vår väg genom tillvarons oreda med vad medel som står till förfogande. Omkring oss reser vi symboler och mättar dem med värde för att bringa ordning till förvirringen, allt enligt vårt godtycke. Vi göder dem till storhet, och villigt underkastar vi oss dem sedan. Vi tycks som släkte födda till trälar, alla. De lögner vi nynnar oss till tröst blir bälg åt den härd där vi smider våra egna bojor."

"Vad för lögner?"

"Allt vad vi skänker tilltro i vår enfald. Är det inte lögn, så är åtminstone den enes sanning inte större än den andres. Rätt och fel enkom i betraktarens öga."

"Och du, nu? Ska du tro på ingenting? Vad ska då röra oss framåt?"

Emil skakar sitt huvud.

"Nej, inte alls. Det står mig fritt att tro som jag vill. Men jag väljer själv nu, opåverkad av vanans tvång. Allt mitt trots mot min far och mot Cecil – vad har det tjänat till annat än att bekräfta värdet i deras villfarelse, mitt motstånd i samma mån som deras iver? Förnuftet var vår gyllene kalv. Sanningen är att var och en står ensam och fri att träffa egna val i samma stund som han förkastar det inlärdas förtryck. Så lätt som att lyfta ett flor, men likväl ett ok från mina axlar. Fåfängt har jag försökt jämka mina tvivel mellan motstridiga lärosatser. Aldrig mer. Mina val behöver inte vara konsekventa i andras ögon. Jag svarar för ingen. Först nu förstår jag. Jag är fri, Jean Michael, äntligen fri. Fri till tanke och själ."

"Och Cecil?"

"Borta. Som skuggan inför ljuset. Förjagad och förlåten. Han kommer inte att störa mig mer. Må han vila i frid, trygg i sin grav. Jag önskar att han fått leva längre, men alla är vi brickor för tillfälligheternas dobbel."

Cardell suckar, vänd åt solen med den del av ansiktet som inte härjats av elden.

"Jag ska inte låtsas att jag begriper vad du pratar om, Emil, men det räcker gott att en av oss gör det. Jag tolkar det som att dina betänkligheter är lagda åt sidan. Så hur ligger landet, och vad ska vi göra nu?"

"Erik Tre Rosor och hans Linnea, den arme kusin Schildt, änkan Colling, herrnhutistgossarna Albrecht och Wilhelm vars liv vi var oförmögna att rädda så redo vi stod; jag förmår inte lämna deras öden oförklarade och döma dem till glömska. Deras oskuld måste läggas i dagen. Tycho Ceton ska inför rätten, hans historia berättas för alla som kan höra, hans skuld ledas i bevis."

"Hans bröder lär göra vad de kan för för att vara honom till värn."

"Mycket riktigt. Och däri ligger vår andra uppgift. Eumeniderna måste göras om intet. Kring detta har mina betänkligheter svävat, för det enda vapen som står oss till buds är trubbigt och kommer att slå utan hänsyn mot alla med samma kraft. Vi själva måste begå mened, och de förbrytelser vi beslår dem med kommer inte att vara de för vilka de borde svara. Rättvisans lopp illa krökt. Vill du gå vidare, införstådd med den saken?"

Cardell kliar ett lusbett bakom örat och spottar en stråle tobak stark nog att vända kursen hos en simmande and.

"Till helvetet ska de alla. Vilken väg de tar bekommer mig föga så länge rasterna blir få."

"Då återstår bara flickan. Listan måste lämnas ur hennes hand, för proveniensens skull."

Cardell låtsas följa en mås med blicken tills han vänt sig bort.

"Jag vet var hon finns."

25.

ILLUMINERADE FÖNSTER SPILLER sitt skälvande ljus över Börsens trappa, och Gillis Tosse har lossat sin kravatt och knäppt upp väst och skjorta, det flammiga bröstet blottat för den vind som behärjar torget. Kylan stör honom inte; den må vara armare män till gissel, men för honom blott en svalka. I salen går dansen vidare utan honom, klackar hamrar brädorna i takt, och mellan smällarna slingrar sig musiken. Han känner melodin utan att kunna dess namn, visslar med en stund innan han ger upp försöken att hålla ton. Han är full, men än finns plats för mer, och han för remmaren med vin till läpparna och lutar sig bakåt för att nå sista droppen. Världen skiftar när nacken kröks. Torgets tomma armod faller väck, han ser en öppning bland molnen där stjärnorna trängs, vackra och avlägsna, och han hälsar dem som bröder i tyst triumf. Var och en lyser just på honom. Huvudets tyngd tippar, han måste kliva bakåt för att hålla balansen, men hälen möter snart ett högre trappsteg, och han faller. Bakom honom väntar trappans stigning på att ta emot hans vikt, och oskadd finner han ett säte. Peruken halkar av, och han brister ut i gnäggande skratt. Här kommer plebejer till undsättning i hopp om en dusör. Han hjälps på fötter, men greppet känns konstigt, och när han trevar finner han att den hand som bistått honom är hård och orörlig. Han blinkar och ser från den ene till den andre, med ens blek. Två ansikten han vagt minns. Misstroget skakar Tosse på huvudet.

"Det här har hänt en gång förut."

Den stores friska hand tar honom om armen och leder honom nedför trappan utan att lämna utrymme för något val, medan Tosse plirar mot den mindre.

"Driver man med mig? Satan, vad har de stoppat i vinet?"

Man gör halt bakom husknuten, med Niklas kyrktorn över sig. Tosse pendlar på ostadiga fötter fram och åter mellan fasad och tränäve. Paltens röst är en raspig bas, liksom stämd med hot och okvädingsord i åtanke.

"Ja, vi har setts förut, och det just här. Två år hän. Tack och lov är ni en förutsägbar skara, ni goddagspiltar. Aldrig missar ni väl en bal på Börsen."

Tosse riktar ett anklagelsens finger mot Emil.

"Vad har du här att göra? Du är ju död. Firade jag inte med champagne? *Faux pas*, för helvete. Ett jävla oskick."

"Låt mig föreställa Emil Winge."

Tosse nickar trögt med smalnande ögon, knäpper skjortan nu när dansens hetta går ur skinnet, valhänt av brännvin.

"Yngre bror. Snarlik. Det var så sant. Nog minns jag från Uppsala. Överliggaren. Nå, vad menas?"

Den lilles röst är inte heller olik broderns, om än mindre hes.

"Vi har kommit med ett anbud du svårligen kan motstå."

"Tillåt mig tvivla."

"Vi ska hjälpa dig till ett längre liv."

Gillis Tosse känner hur fyllan börjar ge vika för viktigare ting, och med dess avfärd känner han sin pondus vila trygg på sina grundvalar. Vad oro han hyste nyss ter sig löjlig.

"Ni hotar mig. Mig? En lördagskväll då balen går? Jag står inte utan beskydd. Jag kan få er pryglade som hundar med en fingerknäppning."

Irriterad konstaterar Tosse att fingrarna sviker honom och berövat honom den fulla effekten av hans genmäle. Han gör en ansats att gå, och studsar tillbaka så snabbt att bakhuvudet slår i putsen när tränäven knuffar honom.

"Knip nu käft och lyssna om du vet ditt bästa."

Emil Winge sänker rösten och kliver närmare.

"Du minns Magdalena Rudenschölds schavottering i fjol höstas. Hon satt en tid på spinnhuset innan man flyttade henne till bättre bostad. Därifrån kunde hon smuggla ut ett brev, en förteckning över alla som stod redo att sluta upp bakom Armfelt och resa vapen för statsvälvning, hittills söndrade och okända till och med för varandra. Brevet gick sedan förlorat. Tills nu. Vi har det i vår ägo."

"Vad rör det mig? Jag skiter väl i politiken. Jag skulle inte tveka att pissa mot Gustavs gravkor om nöden föll mig på, och skulle dropparna stänka på Reuterholms rockskört brydde jag mig inte nämnvärt heller."

"Säkert är du slug nog att förstå vad som skulle hända med alla vars namn återfinns i brevet om det skulle falla i regimens händer, allrahelst i dessa dagar, då självaste hertigen beskjuts i slottsträdgården."

"Jag skulle inte avundas dem deras öden. Rudenschöldskan kom lindrigt undan enkom för att hon har tissar och mus. Karlarna skulle baronen hudflänga mangrant och resa brutna på hjul över Hammarby, androm till varnagel och till föga protest. Anckarström skulle titta på från sitt helvete och se sina sista timmar lättare an i jämförelse."

"Det vore en enkel sak att sälla ditt namn till listan. Längst ner på pappret finns gott om plats ännu."

Blodet rusar ur Tosses ansikte. Han famlar efter ord till svar men lyckas inte trycka en stavelse över läpparna, söker stöd mot muren och hör knallen av sina lemmar som bräcks för rackarns spett, och fräsandet av glödande tänger. Han söker en flyktväg utan att finna någon, än till vänster, än till höger, och väljer till slut att låta knäna vika sig för att kräkas på samma fläck som han står. Winge och Cardell väntar tills hulkandet slutat och spottloskorna avtagit. Tosses röst är resignerad i sin ynkedom när han famlar efter stöd att resa sig.

"Hur kan jag stå till tjänst?"

Winge sätter sig på huk hellre än att invänta Tosses fåfänga försök att återerövra sin balans.

"Eumeniderna, som du tillhör, har en inre krets, inte sant? De bröder som väljer vilka motioner som dras inför röstning?"

"Det lutar mot att vi ska kalla oss Backanterna nu."

"Det kvittar lika. Svara på frågan."

"Ja. Ja, det stämmer. Kotteriet. Men vilka av bröderna som givits det förtroendet är inte känt för alla."

"Hitta namnen åt oss."

"Hur?"

Cardell morrar.

"Vore det enkelt skulle vi göra det själva hellre än att vada i dina spyor. Lös problemet."

Winge är mer försonlig i sitt tilltal.

"Anselm Bolin. Har någon en matrikel är det han, inte sant? Gör dig ett ärende dit. Hitta matrikeln. Ge oss namnen. Cardell här slår dig följe och väntar utanför."

Av Tosses läten kan ingen av dem tolka ett ord. Cardell

424

vaggar sitt huvud av och an för att lossa en spänning i nacken.

"Jag hörde att de skar kuken av Anckarström och mulade honom med den innan han fick lägga halsen mot stocken."

Tosses mage är tom, men gallan rinner gul i rännstenen, väl-talig nog.

26.

GILLIS TOSSE TVEKAR en stund med knuten näve höjd framför Bolins port mot Gaffelgränd. Han behöver inte vrida huvudet för att påminna sig om att han är iakttagen. Cardell väntar vid hörnet uppe i backen, osedd i skuggan under en släckt gatlykta. Nykterheten har börjat göra sig påmind, och i dess fjät kölden. Tosse fryser så han skakar, klappar sig om bröst, mage och axlar för att värma huden. Så stålsätter han sig och låter knogarna falla. Det lyser i ett fönster på tredje våningen, och mycket riktigt hör han snart trappan klaga inifrån, i sakta mak som anstår husets herre och hans giktstinna ben. När dörren gläntas är det Bolin själv som sticker ut näsan och ger honom en blick av lika delar förvåning och irritation.

"Tosse? Vad menas? Klockan är förbi midnatt."

"Vi måste talas vid, Anselm. Var så snäll och släpp in mig."

Bolin snörper på munnen åt det familjära tilltalet, lutar sig närmare och vädrar i luften.

"Är du berusad?"

Tosse suckar uppgivet.

"Det var bättre förut."

En stund står han tyst och stampar på stället, tills Bolin rycker på axlarna och tar ett klumpigt steg åt sidan.

"Nå, så kliv på då. Åldern driver ändå sömnen på flykten."

Bolin tar sig sakta uppför trappan stödd ömsom på krycka och ömsom på räcke, och Gillis Tosse följer honom bakom, steg för steg. De strävar mot ljuset. En ensam låga brinner i en kandelaber i Bolins privata salong. Halvvägs dit möts de av Bolins tjänare, yrvaken och med skjortans skört hängande över ryggslutet, uppenbarligen väckt av knackningen och snabb att ställa sig till tjänst. Han skyndar sig att tända vaxljusets grannar på de många putsade armarna.

"Gillis, vill du ha kaffe?"

"Om vi delar kannan, gärna."

Bolin vinkar sin tjänare åstad och sänker sig varsamt ner i en sliten fåtölj vars kudde redan stämplats djupt med hans avtryck. Han stoppar omsorgsfullt sin pipa, och Tosse sträcker honom en fyrsticka att tända. Snart kommer tjänaren in med ångande kopparpanna på en bricka, jämte porslinskoppar så tunna att Tosse tycker sig se ljusens lågor rakt genom godset, och ett fat med kex av vete till hälften doppade i stelnad kakao. Runt om dem trängs vitrinskåp fulla av fjärilar, var och en trädd på silvernål. Flera av dörrarna står öppna, och på en lös dyna sitter några sprakande vingpar fästa i väntan på sin rätta plats. Bolin häller kaffe i kopparna medan Tosse tar in omgivningen.

"Vart ska fjärilarna?"

Bolin rycker på axlarna och dricker sitt kaffe.

"Det är lustigt, Tosse. Så ofta tycker jag mig ha hittat den perfekta sorteringen, men knappt är jag tillfreds innan lynnet skiftar och det slår mig att mina papilionidae hör hemma bredvid mina nymphalidae för vingribbornas skull, och jag tillbringar en hel natt med att flytta dem. Så kliver jag in i dagsljus morgonen därpå och färgerna skär mig i ögonen, och jag flyttar dem alla tillbaka igen."

Bolin tar ett djupt bloss på sin pipa, och låter sakta röken stiga ur munnen medan han lutar huvudet bakåt och sluter ögonen till hälften.

"Detta ska handla om Tycho Ceton, inte sant?"

"Har du honom fortfarande hos dig?"

"Han är min gäst ännu, men har sin eget svit, och dörren som skiljer hans rum från mina lägger jag hasp för om natten. Du behöver inte oroa dig för honom."

"Men detta med namnskiftet. Det svider mer än jag vill tåla."

"Ska jag tolka det som att du är traditionellt lagd i din smak för grekiska tragedier?"

"Vad?"

"Äsch. Raljeri, bara."

Bolin gnider sina trötta ögon, och Tosse fyller värdens tomma kopp medan han griper tillfället att se sig kring i rummet. Hans hjärta slår dubbelt vid åsynen av den vackra pärm i präglat läder som ligger på Bolins skrivbord, den han senast sett under Bolins arm då han tog emot på Makalös trappa, bockade av vart och ett av de namn som viskades i hans öra. Bolins röst är matt när han fortsätter.

"Jag förstår inte varför du fäster sådan vikt vid en så banal sak. Det har varit sällskapets sed att byta vinjett med ojämna mellanrum, allt eftersom tillfälle ges och inspirationen spirar. Så skedde i och med Cetons maskerad. Det gör våra fjät svårare att följa över tid, till gagn för oss alla. Vi saknar inte vittert folk i vår krets, och någon fick gehör för en liknelse till konung Penetheus öde i händerna på Dionysus följare. Därav namnet. Kopplingen till Ceton är perifer, och idén inte hans."

"Icke desto mindre."

"Vad är det med honom som stryker dig så mothårs?"

428

"Han är inte en av oss."

"Du förstår honom inte. Det skrämmer dig. Jag kan inte klandra dig, ty sådan är naturen inrättad. Det vi inte förstår kan vi inte förutsäga, och därför inte lita på."

"Än du då? Du förstår honom?"

"Det vill jag mena, men så vet jag också nog om hans ursprung för att spekulera i hans bevekelsegrunder. De flesta av oss söker njutning i livet, men för Tycho är det döden som är av intresse. Det mesta av vad han säger i syfte att vinna vår gunst har han lånat ur sina franska böcker, naivt nog, skrivna av någon som sällan tycks stå gäst hos verkligheten. Nå, det är en lång historia. Du må ha rätt i sak, men nog finns många skärningspunkter mellan våra intressen. *Quod erat demonstrandum.*"

Bolin dricker koppen för andra gången i botten och grinar illa av sumpen. Han lutar sig framåt på sin stol med ett ansikte dåligt lämpat att förmedla förtrolighet.

"Tänk på Tycho Ceton som ett exotiskt djur, en mönstrad snok eller en markatta i lustig hatt. Trevlig till förströelse, om än till priset av viss möda, och ingenting som kan vistas utan förkläde i dyrbara gemak. Kanhända växer sig kreaturet större än avsett tills besväret överväger nöjet, eller så blir den tilltagsen nog att sätta tänder till den hand som föder den, och den dagen får man återbörda den till vildmarken. Till förnöjelse så länge det varade och inte längre. Men farlig är den inte."

Tosse skruvar sig på stolen och lägger benen i kors. Kaffet driver vätskan. Med ett undertryckt stön sträcker han sig för att fylla Bolins kopp en tredje gång, och förbannar den blåsa som Bolins gikt måste givit månget tillfälle att garva till tänjbarhetens gräns. Han lyfter kannan högt för att ge strålen klang, och håller på att tappa greppet om handtaget helt när han plötsligt blir bönhörd.

"Ursäkta mig ett ögonblick, Tosse, naturen kallar."

Medan Bolin sakta reser sig och haltar ut mot sitt pottskåps dolda vrå gör Tosse stor sak av att betrakta raderna av flygfän, men så snart steget knarrat långt nog över golvet är han på fötter och bakom skrivbordet. Med skälvande händer särar han folions pärmar tills han hittar vad han söker. Han river ut sidan och stoppar den innanför västen.

27.

CARDELL UNDRAR OM han inbillar sig när han anar någonting i luften, en förnimmelse han inte kan sätta fingret på och som är på samma gång främmande och välbekant. Han säger sig att han jagar upp sig, att väntan i skuggorna göder vanföreställningar. Runt om honom har staden tystnat. Rumlarna tar stöd av varandras skuldror över krogtröskeln och på vinglig väg hemåt. En blårock gör sin runda med raska steg, mån om att inte slösa ett ögonblick mer än nödvändigt utanför vaktrummets helgd. I ett fåtal rum brinner ännu ljusen, rutornas buckliga glas då och då hemsökt av svajande gastar på väg till och från avträdet. Sådana är fattigkrogarna, som efter midnatt växlar hamn från dryckeslokal till sovsal, dit de frusna utan hemvist packar sig samman för att söka andras värme. Sovande kroppar i täta rader alstrar en hetta som tycks växa sig större än summan av sina delar i en för naturen främmande välgörenhet. Fönstren är randiga av imma.

Nere i backen hör Cardell porten slå, röster höjda till avsked och strax därefter Gillis Tosses steg eka i den tomma gränden. Han väntar en stund vid sin husknut innan otåligheten driver honom ur betäckning för att gå den väntade till mötes. Tosse famlar innanför sin väst och trycker det knöliga pappret ifrån sig som om det sved i fingrarna, hans meningar i stackato för den hicka han fått.

"Här, ta det. Låt mig nu vara. Har jag ditt ord?"

Cardell nickar.

"Ja."

Tosse ruskar på sig, muttrar för sig själv. "Fy satan vilken jävla natt. Undrar om balen stojar än. Undrar om jag hinner dricka tillräckligt för att vakna ovetande."

Ensam kvar börjar Cardell gå backen upp mot Överskärargränd, men hejdar sig. Natten är sen, de få lyktor man ids tända har druckit sin olja, men en brinner ännu vid Österlånggatans hörn, och ljuset drar honom till sig som vore han ett nattfly. Med sin enda hand måste han platta ut papprets veck mot jackans bröst. Det dröjer innan hans ögon fogar sig till sin uppgift. Lyktan är knappt mer än en upphängd plåthink med hål, glest slagna för att spara lågan undan vind, och för att de präntade bokstäverna ska låta sig lysas upp av ljuspunkternas svärm måste han flytta arket av och an medan kalla pustar gäckar hans strävan. Någon snabb läsare har han aldrig varit, och det tar honom än längre tid att försona sig med den snirkliga stilen. Han läser namnen ett efter ett, sänker pappret, läser på nytt. Gång efter annan gör han en ansats att gå, bara för att snart söka en ny stråle att läsa i. Till slut sänker han pappret och förblir stående med huvudet böjt. Som i yrsel måste han söka stöd mot väggen, där tränäven slinter på frostbestruken puts. Hellre än att dansa på stället för att förbli stående lutar han sig tungt mot muren och låter kraften lämna knäna, sjunker ner på huk och förblir sittande med sin friska arm om huvudet. Länge sitter han så, sakta vaggande av och an. Uppifrån Tyskans torn ropas timmen. Så kommer en kylig smekning mot hans kind, och han slår upp sina ögon, med ens varse källan till den känsla han ruvat på genom natten: snöfyllda moln. Nu strör de sin börda över staden mellan broarna.

Omkring honom är allting vitt, höljt i luftiga flingor som dalar tungt nedför gränderna i frasande viskning. Staden sveps till lik i försoningens flor, och Cardell famlar för att hitta ett grepp och ta sig på fötter. Så ruskar han snön av sig och besudlar backens vita matta med sina stövelsulor, mörka fläckar på rad att störa lugnet hela vägen tillbaka nedför backen längs den väg Gillis Tosse förut kommit, följer dem tillbaks till samma dörr.

28.

EMIL WINGE GÅR från handelsbod till handelsbod, med halsduken svept för ansiktet för att inte ge sig tillkänna mer än han måste. Andra gör detsamma, för kylan svider i skinnet och retar näsan tills snoret rinner. Ingen kommer att minnas honom särskilt. Bland högar av papper söker han det rätta, och timmarna gör honom varse allt vad som skiljer ett ark från ett annat, tills de är honom lika väsensskilda som djur av olika art i en värld som förr legat honom dold, år av läsning till trots. Färgen är det första han lägger märke till. Bland det han förut sett som vitt och inte mer ryms ändlös mångfald, från nyanser av brunt och gult till grått och benvitt. En gång lockar igenkänningen honom till att tro att han funnit vad han sökt, tills han inser att han tagit miste: det är från snön utanför han känner igen kulören.

Färgen är inte det enda att ta hänsyn till. Tjockleken skiljer sig, alltifrån flortunt till grovt nog att lämna fula rynkor där det viks. Ytans mönster är en tredje hänsyn, från avstånd lätt att bortse från, men förd nära ögat och i vinkel mot ljuset som ett landskap jämfört med ett annat. Lump av olika slag stelnar till olika papper: bomull, ull, lin, hampa, ibland tillsatt med blommors kronblad för att skänka doft eller utseende allt efter behag. Ett avrivet hörn har Emil unnat sig för att hjälpa sina chanser, noga med att inte smutsa det ytterligare med nakna fingrar. Hans uppgift görs än svårare av dess förflutna. En gång kom pappret som del i en bunt, men hur nära sina likar står det nu? Det har åldrats av sina umbäranden. Gång efter annan misströstar han, och med timmarna inser han att det bästa han kan åstadkomma är en kompromiss mellan krav som är alltför många att tillgodose. Han gör sitt val, det bästa han förmår. Därefter bläck.

Nere vid Slussen prövar gossar nattgammal is på nariga ben. Okänsliga för kylan i sin iver tävlar de om vem som kan komma närmast råken torrskodd. Saltsjöns vatten blöder i deras avtryck. Det är en myckenhet snö som fallit, och skottningen är eftersatt. Folket är hänvisade till upptrampade stigar i det som nyss varit gator breda nog åt alla. Nu måste man skuffas och trängas, byta svordomar och armbågar. Emil känner staden väl nog för att följa dess högst hållna regel: störst går först. Medveten om sin storlek väntar han på sin tur, hoppande från fot till fot för att hålla värmen.

Cardell har visat honom till nytt boende, inhyst hos änkan Gry och hennes dotter Lotta på Södermalmen, fjärran från maskorna i Bolins nät. Han har inte rum att sova raklång i den skrubb de har till övers, men det är honom nog, och en planka har han kunnat sätta vid fönstergluggen till skrivbord. Nu skyndar han för att ta tillbaka vad dagsljus som ännu består. Änkan tycks fördra honom med förnöjelse. Hon är av vårdande sort, och han anar att hans ynkliga uppenbarelse blivit en välkommen hamn för hennes moderskänslor nu när hennes enda levande dotter blott inväntar våren för att flytta till eget. Hon sparar honom vad godbitar kosten bjuder, trugar vid bordet för att han ska ta för sig av gröt och soppa. Till betalning har han hjälpt flickan till bättre läsning, hon en god student och han en bättre lärare än han trott. Inom honom vilar den röst som varit Cecils tyst. Tvivel och oro likaså. Inombords har en kammare förseglats, en dörr stängts till ett bibliotek fullt av förnuft och logik. Han saknar det inte, behöver det inte mer. Tacksamt bjuder han farväl till list och beräkning, till ränk och strategi. Varje nödvändig tanke är tänkt till sitt slut. Endast genomförandet återstår.

Han måste ge sig tid att tina sina frusna händer innan han kan börja. Konsten är svårare än han minns från studentkammarens vintrar. Länge förblir fingrarna vita och domnade fast han ömsom skakar dem, ömsom värmer dem i sina armhålor. När han är nöjd sätter han noggrant kniven till pennan, prövar gång på gång dess spets tills den gör streck av samma bredd som på den lista han lägger framför sig med en varsamhet som om varje hastig rörelse skulle förpassa den till en hög smulor. Han har köpt sig nog med billigt papper för att träna, och två ark av det rätta för att ge sig själv mer än en chans. Så börjar han skriva, först långsamt och försiktigt för att lära sig varje egenhet hos Magdalena Rudenschölds flinka penna, en gång noga inlärd under informatorers förmaning, sedermera överdådig för att bättre kunna klä svärmeri i bläck, och i bjärt kontrast mot den klumpiga skrivstil som präglat Bolins uppteckning. Gång på gång kopierar Emil namnen, först de rätta, sedan de från Bolins lista, allt snabbare och säkrare. Namnen han har att överföra förefaller hastigt nedtecknade, vilket knappast förvånar honom med tanke på Tosses tillstånd och brådska. Vid tvåslaget kommer skymningen, och han tänder en dank att lotsa honom genom natten. Fliten dövar hans sinnen. Ännu några timmar viger han åt sitt värv innan han prövar det första av de rätta arken och nickar gillande åt resultatet. Nästan där. Alla de skärvor som krävs för att göra en helhet håller på att falla på plats. Med morgondagen blir förfalskningen klar, brevet alldeles som om Rudenschöld själv hållit i fjädern. Så flämtar talgen och tömmer sin sista suck i en osande rökplym, och Emil Winge släcker dess glöd med fuktad tumme, kryper ihop ännu påklädd och somnar matt och förtröstansfull till änkans snarkningar från väggens andra sida.

Han tar förmiddagen därpå för att få varje detalj perfekt, nöter papprets kanter och åldrar det med veck och lort, innan han lindar varje plagg nära inpå kroppen och vågar kylan för sitt möte med Cardell. Kaffehusens portar förblir tillbommade, och det är vid Storkyrkan de stämt träff. I bänkarna huttrar de bedjande, många här snarare för att finna lä undan kalla vindar än för sin gudfruktan. Vaktmästarna turas om att mönstra församlingen för att huta åt dem som sökt sig ställningar nog bekväma för att kunna få sig en blund, eller ertappas med flaska eller fylleri. Jämte koret tränar kören, och gossarnas munterhet skaver mot ledarens snarstuckna bakfylla. Då och då höjer sig en fras eller ett ackord över mumlade böner och skosulors skrap, och de klara rösternas harmoni får valven att klinga. Winge och Cardell tar betäckning bakom de räfflade pelarna, följer gången och hittar en ostörd vrå vid den plint där Sankt Göran stegrar sin springare över den besegrade draken. Emil sträcker honom sitt verk, det han burit innanför västen med handflatan ovanpå hela vägen från Södermalm i rädsla för ficktjuv och kastvind.

”Ge det till flickan. Hon vet väl vart hon ska gå? Därefter vilar vårt öde i hennes händer. Du har berättat vad hon måste säga åt vakten för att säkra audiens hos Edman?”

”Du behöver inte oroa dig.”

"Är hon kapabel? Kan hon redogöra för sina omvägar om hon rannsakas på plats?"

"Du vet vad hon gått igenom med livet i behåll. Vad är väl Edmans frågor i jämförelse, om än aldrig så sluga?"

"Edman är ingenting om inte handlingskraftig. Går allt som vi vill kommer hans åtgärder inte att låta vänta på sig. Jag ger dem en timme eller mindre. Vi måste vänta hos Bolin tills knektarna kommer, och så snart de släpat Bolin åstad måste vi nå Ceton innan han anar oråd. Sedan är han vår. Bevisningen har jag redo, liksom depescher till tidningarna och pastiller att fästa i gathörnen utifall att poliskammaren skulle trilskas. Men jag tror inte det. Magnus Ullholm är klipsk nog att känna igen en bra historia när han ser den. Slog han dövörat till kommer den få fötter ändå. Bestulen på andra alternativ kommer han välja att profitera på affären bäst han kan, och ta full ära för att Ceton ställs inför rätta och lotsas vidare till galgbacken."

Emil biter sin tumnagel och nickar för sig själv, som för att rada upp varje faktor på nytt och skärskåda sina slutledningar. Så höjer han blicken åt helgonet ovanför, guldsmidd i sin rustning och med svärdet blottat för att skänka åt belätet dess banesår.

"Där står vi, Jean Michael, imorgon."

29.

CARDELL VAKNAR I natten. Han känner hennes värme under sin hand, och minns en annan känsla, liknande. När pjäsen stod laddad och riktad på sin lavett, och han inväntade rätta stunden mellan vågdal och vågtopp för att ge fyr; han brukade mota servisen ur vägen, ge noga akt på att ingen bland hans folk dröjt i steget för att få foten krossad under rekylens vrede. Ensam stod han kvar, dröjde en stund med handflatan på eldrörets heta gods, trollbunden och skräckslagen av det orimliga i närheten till dess sprängkraft, dess domsaga över liv och död, den som pyrande lunta gjort ofrånkomlig. Gåshud slår upp vid åtanken. Sömnen gäckar honom länge, lägger sin sköra hinna över stunden bara för att snart brista till vaka igen.

Kammaren är så mörk att han först inte säkert kan säga om hans ögon är öppna eller ej, men Cardell vet att besinna sig, och han väntar. Han hör hennes osedda rörelser, känner filten skifta, och med ögonblickens gång bärs ljus till honom ur det svarta. En ensam mjuk strimma, en silversträng som svävar i avgrunden: hennes skuldra, arm och midja. En stund förblir hon så, och Cardell är lika still, all den vilja han inte slösar för att be den rusande tiden om nåd nödvändig för att rista skepnaden i minnet, fånga dess skönhet likt en bubbla stelnad i glas.

Hon sitter på fållbänkens kant, rör sig stilla för att inte störa, stryker golvet efter skjortan med varsamma fingrar. Han önskar den väck, men hon finner den snart, sträcker sin rygg för att trä den över huvudet, och så lyfts hennes tyngd. Hon hukar sig efter sin kjol och reser sig klädd. Tre steg bort når hon kappan där den ligger slängd, hennes fötter alltför lätta för att störa golvbrädorna. Så känner han hennes fingrar stryka hans brända kind.

"Mickel?"

Han öppnar ögonen för att se in i hennes.

"Du brände dig när du försökte rädda dem, inte sant? Du sprang in i elden."

"Till ingen nytta."

Han vrider sitt huvud undan i skam. Hennes hand vänder honom tillbaka igen, sval och len, omöjlig att motstå fast den är späd som en vidja, lutar sig närmare att kyssa den svedda huden.

"Mickel, vad skulle kunna vara vackrare för mig?"

Ännu en stund blir hon kvar, tills morgonljuset finner dem båda i fållbänken och förjagar den dröm de drömt. Än en gång reser hon sig, samlar sina kläder.

"Detta blir den sista natten."

"Jag vet det."

"Farväl nu."

Vad kan han säga? Vilka ord vore nog?

"Adjö, Anna, och sköt om dig."

Så är hon borta, och han ligger kvar stelnad som en död medan gryningen sakta målar hans rum med sin palett av svart och vitt.

30.

TILLSAMMANS VÄNTAR DE i gränden, skymda bakom en ved-
vagn som välts på högkant. Snöfallet har gjort uppehåll och
lämnat sikten klar. Med rinnande ögon kan de se rakt mot
Anselm Bolins dörr. Vinden leker nyckfullt mellan fasaderna,
än åt ena hållet och än åt det andra, pudrar dem då och då med
flingor stötta av takens kanter. Allt närmare kommer de var-
andra tills de kurar skuldra mot skuldra för att spara vad värme
som återstår dem. Winge gungar från ena foten till den andra,
och Cardell låter dansen bero, stum och stilla. För tredje gången
ger Winge upp sina fåfänga försök att locka en gnista till fäste
i sin pipas tobak.

"Du frågade mig förut vad jag ska göra när allt detta är över,
Jean Michael. Jag tror att jag vet nu."

"Jaså?"

"Jag mötte min svägerska och gavs en skymt av det liv som
Cecil borde haft. Jag har aldrig åstundat sådant förut, men av
okunskap. Kanske finns sådana ting inom mitt räckhåll också,
vad det lider. Kanske kan det bli människa också av någon som
jag, kanske rentav en värdig en annans kärlek. Efter denna dag
är alla hinder borta, och jag har inga ursäkter kvar annat än
fegheten."

"Envar som kallar dig feg får svara för mig efteråt."

Emil tar ett snabbt steg tillbaka för att bättre skyla sig.

"Män i backen. Här kommer de."

De är fyra stycken, var och en utstyrd i korvarnas blå jackor och plymbeklädda hattar, prickiga av snö. De håller takt efter sin riktkarl bäst de kan fast underlaget gäckar dem, varje högerhandske i grepp om sabeln. Vid Bolins port gör de halt, och bara en av dem stegar trappan upp för att bulta på. Osedd hand öppnar från insidan, och en i sänder kliver karlarna upp för att sparka snön av damaskerna mot fasaden. Emil lyfter sin Beurling ur västens ficka för att läsa tiden, nickar belåtet.

"Alldeles som förväntat. Så långt allt väl."

Medan de väntar börjar snön falla på nytt, och snart yr den nog för att tvinga dem att kisa mellan särade fingrar för att behålla sikten. Winge räknar en kvart, och ur porten kommer den lilla styrkan igen, fler nu, en i skaran ledd mellan fasta grepp om vardera armen. Det är Cardells tur att bli rastlös. Av de två som går först haltar den ene stödd på sin käpp, knappt synlig i vargpäls. Emils röst bär hans bestörtning.

"Bolin går först. Mannen i fängsel är en annan."

Cardell lägger sin hand på Emils axel.

"Emil, detta var enda sättet."

"Vad?"

"Du fick mig att svära på det. Det gjorde du."

"Jean Michael, vad är det som händer?"

"Den seger som står att vinna."

"Varför?"

"Tosse gav mig en sida riven ur matrikeln, den över Eumenidernas inre cirkel, och jag läste den. Din plan var den bästa, Emil, men mot de namnen hade den tjänat föga till. En hare kan inte gå till vargarna med sina kamraters halvätna kadaver och

beklaga sig över den starkes rätt. Allt du skulle ha fått för din
möda är en kniv i buken och respass till Katthavets botten med
stövlarna fulla av sten, att stå svajande på fem famnars djup tills
bara knotor märkte platsen. Tärningarna var alltid lastade till
vår nackdel. Vi visste bara inte hur tungt."

"Edman själv? Lode? Reuterholm? Hertigen-regenten?
Modée?"

Cardell ger en motvillig suck, skakar på huvudet.

"Namn av den sorten. Bättre du inte vet."

Emils ögon vidgas trots yrsnön, oseende medan hans sinne
rusar mellan slutsatser.

"Så du gjorde upp med Bolin. Du gav mig en annan lista än
den rätta. Vad jag tog för Tosses slarviga avskrift var din."

Han kan inte dölja sin förvirring.

"Men Jean Michael, om vi står så maktlösa, vad hade du att
köpslå med?"

"Jag valde två namn jag inte kände igen ur Tosses försnillade
lista, och sa att de nämndes också i Rudenschöldskans brev. Jag
ljög för Bolin i blindo och bad en tyst bön om att hans utpekade
ordensbröder skulle vara värda honom nog för att gå mig till
mötes."

"Och när han blir varse att han blivit bedragen?"

Cardell håller i sin hand det brev som Emil färdigställt.

"Det gör han inte. Nu står de där, mitt bland namn jag valt
ur tidningarna eller tagit ur luften. Hans eget har jag strukit."

"Vad köper du i byte?"

"Liv för liv. Ditt, Emil, först och främst. Du har själv tvingat
min hand."

"Hur?"

"Frälste du mig inte först, kanske? Jag har språkat med Blom, bad honom göra förfrågningar för min skull. Jag vet varför Petter Pettersson simmar härsken och blek där Riddarfjärden är som djupast. Det skulle ha varit jag, om inte för dig. Du gick till Krook och tog honom till spinnhuset för att se med egna ögon var hans sko klämde. Petterssons avsked var ditt verk. Vänner skulle vi ju inte vara, Emil, var det inte så du sa? Om du ville se ett annat slut skulle du bättre ha levt som du lärt. Hur kunde jag göra annorlunda?"

Männen har slutit avståndet, alldeles nära nu, och Bolin lägger två fingrar till pälsmössans kant i spefull hälsning. De två vakter som ännu är lediga lägger sina händer på Emils axlar.

"Vart för de mig?"

Cardell kliver närmare, sveper undan vakternas nävar och griper Emil om nacken för att hålla honom nära, läppar tätt intill örat. Han sänker sin röst till en viskning blott.

"Till dårhuset, Emil. Lyssna på mig nu: Från sådana platser har du flytt förr. Det vet jag. När du kommer ut går du säker. Du är dem aldrig till hot mer. Vem skulle lyssna till en förrymd dåre yra om sammansvärjning? Glöm det som varit. Det liv du vill ha väntar dig bortom en mur som inte är tjockare än handen är bred. Du klarar det, Emil. Om inget är jag säkrare."

Cardell kramar hans axel. Emil öppnar sin mun för att svara, men stänger den igen, skakar bara det huvud som hålls krökt under paltens tyngd. Anselm Bolin harklar sig besvärat.

"Det bär mig emot att avbryta herrarnas ömheter, men kylan besvärar och ännu finns saker att avhandla."

Cardell släpper Emil med blicken och räcker fram brevet åt Bolin, men drar tillbaka det undan den hand som sträcks ut. Bolin knycker med nacken åt sina hantlangare, och de för fram den bundne. Bolin bjuder honom åt Cardell med öppen handflata.

"Som överenskommet."

Man växlar vara mot köpeskilling. Bolin kliver avsides för att mönstra vad han köpt, skrockar förvånat åt ett eller annat av namnen han läser, för att till sist nicka sitt gillande. Han river arket rakt av och sedan ännu en gång längs bredden, vänder sig åt sina fyra ledsagare.

"En riksdaler vardera till den som gapar och inte öppnar munnen igen innan allt är svalt."

Ingen av dem har råd att neka. Som oblater lägger han en lapp var på fyra väntande tungor och står blickstilla tills bläcket rinner ur mungiporna.

"Gott. Det var det hela. Väl mött, mina herrar. En droska väntar nere vid Skeppsbron för att bära unge herr Winge till sitt nya hushåll, om jag inte misstar mig. Herr Cardell, det har varit ett nöje av en sort som mättar för en livstid. Adjö så."

De skingras. Idisslande vakter går i par med svarta hakor, ett tillbaka uppåt backen tomhänta, ett på var sin sida om Emil Winge ner mot sjön. Cardell tar ur bältet den repstump han fått samma dag som paltens titel, varsamt för att inte störa de blommor som torkat vid hans sida. Han slår en ögla om Tycho Cetons bundna händer, den söndriga munnen täppt av blod- fläckad trasa. Valhänt formar han repet till en hållbar knut med högerhandens domnade fingrar.

"I fem år har jag släpat på det, men detta är fan ta mig första gången jag får användning för det, och det är en gång mer än jag trodde från början."

31.

MAN HAR GIVIT honom en egen cell. På golvet ligger halmen strödd som vore det på ett kroggolv eller en stia. I hörnet en potta av naggad fajans, att ställa fylld vid dörrspringan för att få en matskål i gengäld, vad skulor huset kan bjuda. Havregröt, allt som oftast, förstärkt med ister som hunnit stelna till sega klumpar i väntan på servis. Om söndagen salt sill, vass mot gommen och med en osläckbar törst i hasorna. Fönstret är igensatt av brädor för att bara lämna en glugg längst upp, alltför hög för att nå. Väggarna är fulla av klotter, ristat eller skrivet med vad bläck uppfinningarnas moder haft till skänks: rött, brunt eller svart. En del är läsbart, annat inte: drömmar om vedergällning, om upprättelse, om köttets lustar och fiendens kval. Inget är honom till hjälp. Av ljusets vinkel vet han att hans kammare vetter åt väst. Kunde han nå högre skulle han se ända bort till staden mellan broarna, Skeppsholmens och Skeppsbrons motställda garnityr på öarnas käftar. Dagen är kort och natten lång, ljuset växer aldrig bortom skumrask. En kakelugns baksida bucklar väggen mot korridoren utanför, dess eldslucka utom räckhåll på andra sidan. Aldrig känner han den varm, rummet är utkylt, och om nätterna skrapar han hö från golvet att stoppa mellan skjorta och rock. Från alla vinklar sorlar vansinnet, tyst är det aldrig. Ett tjattrande, ylande och gormande korus tränger ur golvbrädornas springor ovanifrån och undertill, där fler skuffas i kammare inte större än hans egen. Gråt och viskningar, skratt och böner, slag i väggarna, stön av kättja och smärta, krossat stengods. Det finns ingen flyktväg. Man vaktar honom noga, muren är solid, en tvärslå ligger för dörren, tjock och osårbar. Utanför fönstret är fallet för högt. Vakterna tilltalar honom aldrig.

Emil vet att hans öde varit menat till ynnest. Cardell kunde inget veta. Emil kunde ha berättat medan tid var, men förtroendet mellan dem var förverkat, och han såg inget skäl. Från oxenstiernska huset i Uppsala flydde han helt visst, men inte utan hjälp. Hans bror frälste honom den gången. I gränden hade han sanningen på tungan, men kunde hejda sig i sista stund. Det som skett gjordes i det bästa av uppsåt. Varför förgifta den gåva han givits i god tro? Han gav sin tystnad i gengäld.

Hopkurad i det hörn han valt till sitt eget kramar Emil Winge sina magra ben, hakan på knäna, och för tusende gången ältar han sitt dilemma, motvilligt bergtagen av dess symmetri, lika fasansfull som fullkomnad. Han är ensam. Det finns ingen som kan hjälpa. Nyss bröt han ett osynligt fängelses lås och vann en frihet han inte trott möjlig. Måste han resa dess inre murar på nytt för en chans att fly ur den fånghåla där hans kropp försmäktar? Kan han? Kan blotta viljan återbörda insikt till ovetande? Är det ett byte som är värt sitt pris? Han vet inte säkert.

Tiden sätter sitt finger på vågen. Snart tappar han räkning på dagarna. Lojt betraktar han den ynkliga bit värld som nu är hans helhet, blir varse att en av de tjattrande röster som aldrig vill hålla upp är hans egen. Så en dag, nästan omärkligt: en rörelse vid ögonvrån stör rummets stela skuggor. Ett ljusets skifte i den rymd som nyss stod tom. Han vrider sitt huvud i dess riktning, känner tårars sälta där torra läppar spricker i triumf.

"Cecil?"

32.

ÖVER BRON ÅT norr traskar de, och vidare genom Norrmalm, där kylan knäpper i torrt korsvirke och fönsterluckorna skruvats åt för att bättre freda dem som trängs intill spisglöden. Deras sulor drar en hasad linje kring Träsket, vars vattensjuka strand lagts i försåt under iscn och snön, och längre norrut, förbi kullen där observatoriet kurar och Spelbomskan värjer sig undan flingorna med svingande armar. Sikten är dålig, få är ute, och än färre ids trotsa snöfallet genom att höja blicken åt det udda paret. De som gör det ser inget värt att stanna för. En palt med fånge i band, säkert kopplare eller horkarl. Riktningen är det enda att anmärka på. Kanske är de vilse, och inte undra på bland drivor som stöpt ny skepnad åt varje känd form.

Vid Roslagstullens bom passerar de utan bekymmer. Genom tullhusets rutor skymtar han tullmännen där de sitter med krumma ryggar kring sin brasa med brännvin att värma dit elden inte når, rullar tärning i en burk, för frusna och fulla för att ta någon notis om annat. Cardell leder backen upp i skogen, varje nytt fotspår det enda så långt sikten bär, utsuddat på några ögonblick bakom deras ryggar. Stenar och träd är hans enda vägvisare. Han stannar i en dunge, osäker på om det är den rätta, tills han hör springkällans klirrande sång, där vatten stiger ur djupet med en kraft för stor för isen att kväva. Han borstar en fallen stam ren från snö.

"Sitt."

Han går ner på ena knäet för att lossa Cetons band, och drar trasan ur hans mun, hal under frusen skorpa. Ceton gnuggar sina händer först, sedan axlar och armar. Ännu har han bara skjortan på sig, och byxbenens fåll hänger oknäppt om knäna, som hämtad ur sin bädds trygghet och given några få ögonblick att klä sig. Han knäpper sin skjorta, fäller upp dess krage, drar strumporna högre på vaderna och slår armarna om sig.

"Och nu?"

Cardell reser rockens slag om nacken och stoppar handen i fickan.

"Nu sitter vi här ett slag."

Snön faller mer sparsmakat under träden, silad genom döda grenars flätor. Den korta dagen går mot sitt slut. Bakom molnen tumlar solen utför världens rand, djupare och djupare, en sista blödning i ett sår som sluts. Den manar dunklet i sina fjät. Ceton ruskar på sig för att lindra sina skakningar, hackar tänder under sin såriga kind.

"Så du står ensam kvar på täppan till sist. Vem kunde tro det? Det gläder mig att jag fick se hur du knuffade din vän i avgrunden. I sanning ett dåd värdigt en lagerkrans. Jag vill hoppas att mitt eget exempel har kunnat bistå med inspiration. Så långt du har kommit, krympling och allt. Från första stund var jag säker att träet i din skalle var lika massivt som det i din vänsterhand."

"Jag har haft goda lärare på senare år, fler än en."

"Än lilla Anna Stina, då? Jag som ödslade sådan tid och omsorg på henne, som vore jag den far hon aldrig haft. Hur gick det för henne? Jag tog för givet att du skulle öppna famnen för hennes lilla gadd, men nu när jag sett hur kallblodigt du offrar dina bönder antar jag att du bara vred nacken av henne. Efter att du tagit det hon så länge förvägrat dig, får jag hoppas."

Cardell tar fram sin tobakspåse och stoppar en buss innanför kinden, tuggar och spottar. Ceton slår ner blicken, ryser och ser sig över axeln mot djupnande skuggor.

"Förlåt mig. Låt oss tala om annat. Tiderna, kanske? Förmyndarregimens sista år går till ända. I sterbhuset Sverige ska arvet skiftas till slut. Snart har vi en kung igen."

"Man får hoppas det går bättre än sist."

"Tror du det?"

Cardell rycker på axlarna.

"Gossen vet vad kriget kostar. En näve skrot hälld i smutsig pipa skickade hans far i döden efter två veckors kallbrand, och han själv inte ens fjorton år fylld. Ingen har väl större skäl att älska freden än den pojken."

"Självaste Jean-Jacques hade stått stum inför dina teser om uppfostran; inget danar en yngling till saktmodighet som ett sedelärande fadermord. Men jag raljerar igen. Nåja, också seklet går mot sitt slut."

"Inte ett år för tidigt."

"Blir nästa bättre, tror du? Ska de goda åren äntligen komma?"

"Det föds åtminstone med gott försprång. Här har varit krig och åter krig, det ena menlösare än det andra. Varje steg framåt har kärnat färskt blod. Vad kan man hoppas annat än att lidandet skänkt lärdomar? Man talar om nya idéer, ny ordning."

Tycho Ceton grinar hånfullt.

"Om dem har jag hört. Så vackert fransmännen förvaltat dem. Än sedan då, när fallbilan blivit slö och den värsta blodtörsten släckt? Ska lögnarna tävla om pöbelns gunst, och den slugaste få tronen till pris? Till och med en kung kan bli far åt en ärlig son. Jag medger att oddsen är usla, men hellre tog jag dem än anförtrodde kronan åt någon som sökt den med berått mod och bedragit packet skickligast i sin äregirighet. Och vad skulle hända den dag de småskurna mildrar sin träldom? Säg mig hur deras tid då ska förvaltas? De skulle jäsa sig självgoda och egenmäktiga, enfaldiga och grälsjuka, och lägga sig gatstenar mot förtappelsen snabbare än någonsin. Torftiga fyrbåk av fåfänga, dugliga till intet utom att göra gott virke till aska."

Han gör en paus, skakar huvudet och slår armarna om bröstet.

"Men kanske gör allt detsamma. Åtminstone kommer ingen skillnad ur siffror i en kalender. Sanningen är att en livstid inte är tillräcklig för att lära sig av vad som varit. Ur andras lidande springer ingen lärdom. Varje ny generation är en draksådd. Ingenting blir bättre, annorlunda på sin höjd. Män som du och jag kommer alltid att höja oss över mängden, lika starka och sluga, lika stinna av hat. Vi kommer att förkovra oss och resa nysmidda vapen för att göra varandra mer skada än gårdagens slagskämpar kunnat drömma om, och vad liv som går till spillo längs vägen bekommer oss knappast. I ring ska vi dansa kring skändligheterna tills vi stampat en fåra djup nog till grav åt hela vårt släkte."

Ceton skrattar till.

"Ska jag belägga min ståndpunkt? Se oss nu, se på dig och mig. Vad spelar det för roll om jag är den som har rätt, när du är den starkare? Du dödar mig."

"Rent praktiskt är det kylan som gör det."

Cetons röst görs bitter i sitt svar.

"Du inbillar dig väl inte att det är någon vinst att tala om, detta? De värsta går fria, nu som alltid. Hur kunde det vara annorlunda? Det är vad som händer när människans väsen besjälas med makt nog att lägga drömmar inom räckhåll. Vad vore den rikes förmögenhet värd om han måste underkasta sig lagar som stiftats åt fattiga? Ni kunde lika gärna ha utsett havets våg till er fiende, eller snön som faller. De offrar bara vad de lätt kan avvara, och du går dem villigt till mötes. En seger så futtig att den inte är namnet värd."

Cardell rycker på axlarna.

"Alltid något."

Ceton besinnar sig, trummar mot marken med sina fötter.

"Vet du, på sätt och vis är detta en stund jag väntat på länge, om än med blandade känslor. Ingenting jag gjort eller sett har givit mig någon kunskap. Äntligen får jag veta."

Tystnaden sänker sig mellan dem, och de sitter så länge. Ceton skakar sitt huvud, gör sig ett eget snöfall om axlarna när han fnissar till i förvåning.

"Jag fryser inte längre. Se."

Han håller ut båda händerna bland flingorna framför sig. De är bleka och utan skälvning, och han vänder dem än upp, än ner, låter dem bölja över osett klaver. Som i trots lättar han på skjortans krage och höjer ett ögonbryn åt Cardell.

"Kanske går det inte som du tror."

Cardell spottar ut i mörkret, ett brunt ärr snabbt läkt.

"Låt oss vänta lite till."

De sitter ännu en tid, tills en plötslig rastlöshet sätter Ceton an. Med trög nacke vrider han sig på stocken för att speja ut i natten, inte ner mot backen från vilken de kommit, utan bort mellan stammarna bakom sig och åt sidan.

"Far, är han ..."

Under träden står natten utan sällskap näst en rasslande bris som planlöst dansar på nysnön.

"Denna världen slocknar om mig. Jag ser in i nästa. Men där är bara svart."

Till sist blir han stilla med huvudet böjt, och förtvivlans tårar faller att lämna blanka märken på byxknäets tyg.

"Där finns ingen. Allt är tomt. Ingen kommer för mig."

Cardell förblir där han sitter länge än, tills andetagens dimma ur den öppna kinden hört upp och snön kring Cetons blå läppar inte smälter mer. Han lutar sig nära, försöker rucka huvudet ovanpå stela kotor, knackar med pekfingernagelns baksida mot ett öppet öga av rimfrost grumlat och hör det klirra stumt till svar. Han sätter sig tillrätta igen på samma plats som förut, visslar falskt på en gammal marsch. Han gör en ansats att mana fram bilden av det ansikte som inte är fött, undrar om hon någon gång kommer se på det och skymta en bit av den han varit. Han hoppas inte, unnar hellre den lilla sin mors drag. Så tar han av sig rocken.

Epilog

VÅREN 1796

Ur torr bark och tinad jord spricker livet fram. Solen visar nya knoppar sin nåd. Skogskällans flöde har sprängt forna vallar, fylld av smältvatten som vill upp och ut, i porlande språng utför backen, bort mellan träden. I gläntans mitt ligger stenar staplade kring kvistar som kolnat, där elden drivit sitt spel med vinklar och rymd. Lisa Ensam sitter på en stock med slutna ögon. Hon lyssnar till fåglars sång och källans lek, slutna ögon i ansikte vänt uppåt. Eftermiddagssolen är för stark för ögonlocken att skymma; under dem virvlar irrbloss och färger hon inte kan sätta namn på. Steg nu, försiktig trumvirvel mot marken, ännu långt borta, men tydliga likväl bland pinnar och fjolårslöv. Lisa lägger huvudet på sned, bästa örat till, vet med ens mycket om den som kommer. Någon som hittar här, söker just denna glänta längs den stig som ännu ligger dold. Det är inte en mans tunga kliv hon hör, inte slarviga och målmedvetna och med hälen siktad mot allt som lätt går sönder. Ändå finns där någonting annorlunda, något hon inte kan klä i ord. Närmare och närmare, och allt vad hon lärt sig brinner till i uppror mot riskens pris, men hoppet viskar sitt svar och hon förblir sittande med ögonen slutna, tills andetag gör stegen sällskap och den som kommer stannar vid gläntans rand. Hon hör att hon själv är sedd, hjälplös i en annans våld, och allt hon förmår är att blunda hårdare.

"Han sa att du skulle vara här."

Lisa öppnar sina ögon och svarar.

"Han kom till mig i höstas stödd på en krycka, bad mig vänta dig här när våren kommer. Hit skulle han skicka dig om han fann dig."

Hennes kläder är nötta men rena, håret i flätor och ansiktet blekt. Magen är stor fastän resten av henne förblivit lika magert som någonsin. Anna Stina Knapp är densamma och inte. Hade hon en spegel kunde Lisa säga samma sak om sig själv. Ett år har gått. Det har inte lämnat någon av dem omärkt. En stund är de stilla, tills Anna Stina lägger en hand till naveln.

"Du sa att två barn var för många, att ett är svårt nog. Får jag följa dig denna gång?"

Anna Stina vill inte vänta på svaret, skrämd av tystnad och tvivel. Andlös fortsätter hon.

"Skogen här är så full av minnen. Jag vill inte att de ställer sig i framtidens väg. Jag vet vad som drar dig tillbaka hit. Om du hjälper mig, vill du inte glömma det som varit och ge den kärlek du har åt det barn som kommer? Du vet att det blir ditt i gengäld, ditt lika mycket som mitt. Vill du visa oss vägen?"

Anna Stina slår ner blicken, kan inte hindra sig från att rodna av skam.

"Jag har ingenting. Det vill jag att du vet. Vad jag står och går i, och resten bara till börda."

Hon sluter sina ögon undan stundens allvar och väntar, förmår inte höra det svar hon får över sitt hjärtas slag.

"Lisa, jag hörde dig inte."

"Jag sade att jag måste finna mig ett nytt namn."

Anna Stina öppnar sina ögon och ser en tår på vardera kinden, på den vita och den röda. Solen har sjunkit lågt nog att spilla in under trädens kronor, varm och gul, gör varje svärm knott till ett ljusspel, sveper bladguld om minsta kvist. På avstånd klingar en kyrkas dova malm: Hedvig Eleonora, och snart ett svar från Johannes stapel. Bakom, på sinnets yttersta gräns, spel från vassare torn i staden mellan broarna. Anna Stina slår armarna om en rysning.

"Dagen är sen redan, men jag vill inte stanna här."

"Stjärnorna lyser oss fram. Himlen är klar ikväll. Jag känner stigen, i skugga som i ljus."

Lisa lyfter till skuldran den ränsel som alltid hålls packad, fri och redo från ett ögonblick till ett annat. I Anna Stina spirar rädslan, nyss glömd bak stundens osäkerhet. Vankelmod på svaga knän, inombords sviktar det nav som förr varit stadigt. Okänd framtid lutar sig bakåt mot nuet som illa staplat tackjärn. Hennes händer söker magens tyngd.

"Kanske blir vägen svår vad det lider."

Lisa vänder sig mot henne. En vit glimt klyver eldsmärket.

"Finns det vägar av annan sort som ändå är värda att vandra?"

Deras stig går över rosa klockor på späd stängel. Hand söker hand. Kvällens första blyga stjärnbloss tända över dem, vackra och likgiltiga, fjärran. Några steg blott och de är förlorade i grönska och skymning.

FÖRFATTARENS TACK

Tack till Fredrik Backman för åratal av vänskap, sällskap, stöd och litterära diskussioner av den sort som är en förutsättning för personlig utveckling.

Tack till min förläggare Adam Dahlin och min redaktör Andreas Lundberg för alla konstruktiva diskussioner kring språk och dramaturgi, och till den sistnämnde ett särskilt tack för nitiskt nagelfarande av mina språkliga olater.

Tack Sergej Stern, min översättare till ryskan, för att du lånat ditt vaksamma öga till noggrann genomläsning.

Tack Federico Ambrosini, vän och agent, för ditt outtröttliga arbete å mina vägnar både i Sverige och utomlands, och till Marie Gyllenhammar för din fingertoppskänsliga hantering av mina kontakter med omvärlden.

Tack Martin Ödman för genomläsning och kommentarer.

Tack Stina Jackson för kollegialt stöd, insikter och åsikter.

Tack Mickel och Cecil, Emil och Anna Stina, mina låtsasvänner sedan sju år. Var gång jag blundat fanns ni där. Det är ingen angenäm värld ni bebott, och med tiden har ni blivit verkliga nog för mig för att jag ska ha dåligt samvete över den saken. En kritiker skrev insiktsfullt att var gång jag doppat er i dyn är det för att ni ska lyfta av egen kraft, och som ni lyfte.

Tack till min hustru och mina barn för det liv vi lever tillsammans.